중학교 졸업자격 검정고시

한양학원 수험서

최신 개정판

신들린 합격고수들의 예상문제

편집부 저

도서출판 국자감
www.kukjagam.co.kr

Contents

중학교 졸업자격 검정고시

적중! 모의고사 예상문제

사회

과학

한국사

도덕

중학교 졸업자격 검정고시

적중! 모/의/고/사

예상문제

국어

예상문제 01

1. 새로 전학 와서 낯설어 하는 친구에게 전하는 격려나 위로의 말로 적절하지 <u>않은</u> 것은?

① 친구야, 너를 더 알고 싶어.
② 기대할게, 너와의 멋진 우정을.
③ 너의 멋진 모습을 보여 주겠니?
④ 외모에 신경을 좀 쓰는 것이 어때?

2. 밑줄 친 낱말과 품사의 연결이 알맞은 것은?

① 강아지가 과자를 <u>먹는다</u>. - 형용사
② 제과점에서 빵 <u>하나</u>를 샀다. - 명사
③ <u>그</u>는 아침마다 산책을 한다. - 대명사
④ 그 건물은 우리 마을에서 가장 <u>높다</u>. - 동사

3. 다음 중 주어와 서술어의 호응이 두 번 나타나는 문장은?

① 비가 많이 내렸다.
② 봄이 오니 날씨가 따뜻하다.
③ 동생은 이제 중학생이다.
④ 나는 일요일에 부산에 간다.

4. 다음 중 관용적 표현이 <u>아닌</u> 것은?

① 태풍으로 섬에서 <u>발이 묶였다</u>.
② 흙장난으로 더러워진 <u>손을 씻었다</u>.
③ 우리 언니는 <u>눈이 높다</u>.
④ 엄마는 <u>귀가 얇아서</u> 남의 말에 잘 흔들린다.

5. 다음 밑줄 친 어절 중 문장의 필수 성분이 <u>아닌</u> 것은?

① 나는 매일 아침 <u>우유를</u> 마신다.
② 오늘도 날씨가 <u>참</u> 좋다.
③ <u>형이</u> 어제는 집에 늦게 들어왔다.
④ 누나는 이제 <u>대학생이</u> 되었다.

6. 다음 중 음운 변동의 양상이 <u>다른</u> 하나는?

① 국민 [궁민]
② 국화 [구콰]
③ 신라 [실라]
④ 밥물 [밤물]

7. 다음 중 피동문은?

① 고양이가 쥐를 잡았다.
② 바람이 세차게 분다.
③ 범인이 경찰에 쫓긴다.
④ 목수가 의자를 만들었다.

8. 다음 문장의 호응이 <u>어색한</u> 것은?

① 세금을 정해진 기한 내에 절대로 납부해야 합니다.
② 내일은 아마 눈이 올 것이다.
③ 비록 그녀는 어릴지라도 생각은 깊다.
④ 절대로 잔디밭에 들어가서는 안 됩니다.

※ [9-11] 다음 글을 읽고 물음에 답하시오.

> ㉠<u>나는 나룻배</u> / 당신은 행인.
>
> 당신은 흙발로 나를 짓밟습니다.
> 나는 당신을 안고 물을 건너갑니다.
> 나는 당신을 안으면 깊으나 옅으나 급한 여울이나 건너갑니다.
>
> 만일 당신이 아니 오시면 나는 바람을 쐬고 눈비를 맞으며 밤에서 낮까지 당신을 기다리고 있습니다.
> 당신은 물만 건너면 나를 돌아보지도 않고 가십니다그려.
> 그러나 당신이 언제든지 오실 줄만은 알아요.
> 나는 당신을 기다리면서 날마다 날마다 낡아갑니다.
>
> 나는 나룻배 / 당신은 행인.
>
> – 「나룻배와 행인」, 한용운 –

01 국어

예상문제 01

9. 이 시에 대한 설명으로 알맞지 <u>않은</u> 것은?

① 화자를 구체적인 사물에 비유하고 있다.
② '-아요, -ㅂ니다'의 경어체를 사용하고 있다.
③ 수미 상관 구조를 통해 의미를 강조하고 있다.
④ 일정한 음보를 반복하여 운율을 형성하고 있다.

10. 다음은 이 시의 '나'와 '당신'의 태도를 정리한 내용이다. 빈칸에 알맞은 내용으로 짝지어진 것은?

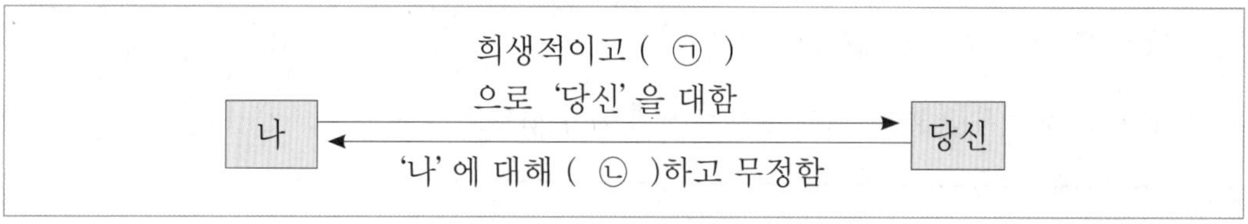

	㉠	㉡		㉠	㉡
①	이기적	다정	②	헌신적	무관심
③	헌신적	다정	④	이기적	무관심

11. ㉠과 같은 표현 방법이 사용된 것은?

① 구름에 달 가듯이 가는 나그네
② 배추에게도 마음이 있나보다.
③ 내 마음은 호수요
④ 오늘도 어제도 아니 잊고 / 먼 훗날 그때에 "잊었노라."

※ [12-15] 다음 글을 읽고 물음에 답하시오.

(가) 나는 금년 여섯 살 난 처녀애입니다. 내 이름은 박옥희이고요. 우리 집 식구라고는 ⓐ<u>세상에서 제일 예쁜 우리 어머니</u>와 나, 단 두 식구뿐이랍니다. 아차 큰일났군, 외삼촌을 빼놓을 뻔했으니.

지금 중학교에 다니는 외삼촌은 어디를 그렇게 싸돌아다니는지 집에는 끼니때 외에는 별로 붙어 있지를 않으니까 ⓑ<u>어떤 때는 한 주일씩 가도 외삼촌 코빼기도 못 보는 때가 많으니까요</u>, 깜박 잊어버리기도 예사지요, 무얼.

우리 어머니는, 그야말로 세상에서 둘도 없이 곱게 생긴 우리 어머니는, 금년 나이 스물네 살인데 과부랍니다. 과부가 무엇인지 나는 잘 몰라도, 하여튼 동리 사람들이 나더러 '과부 딸'이라고들 부르니까, 우리 어머니가 과부인 줄을 알지요. 남들은 다 아버지가 있는데, 나만은 아버지가 없지요. 아버지가 없다고 아마 '과부 딸'이라나 봐요.

외할머니 말씀을 들으면 우리 아버지는 내가 이 세상에 나오기 한 달 전에 돌아가셨대요. 우리 어머니하고 결혼한 지는 일 년 만이고요. 우리 아버지의 본집은 어디 멀리 있는데, 마침 이 동리 학교에 교사로 오게 되기 때문에 결혼 후에도 우리 어머니는 시집으로 가지 않고, 여기 이 집을 사고(바로 이 집은 우리 외할머니 댁 옆집이지요), 여기서 살다가 일 년이 못 되어 갑자기 돌아가셨대요. 내가 세상에 나오기도 전에 아버지는 돌아가셨다니까, 나는 아버지 얼굴도 못 뵈었지요. 그러니 아무리 생각해 보아도 아버지 생각은 안 나요. 아버지 사진이라는 사진은 나도 한두 번 보았지요. 참말로 훌륭한 얼굴이에요. 아버지가 살아 계시다면, ⓒ<u>참말로 이 세상에서 제일 가는 잘난 아버지일 거예요</u>. 그런 아버지를 보지도 못한 것은 참으로 분한 일이에요. 그 사진도 본 지가 퍽 오래 되었는데, 이전에는 그 사진을 늘 어머니 책상 위에 놓아 두시더니, 외할머니가 오시면 오실 때마다 그 사진을 치우라고 늘 말씀하셨는데, 지금은 그 사진이 어디 있는지 없어졌어요. 언젠가 한번 어머니가 나 없는 동안에 몰래 장롱 속에서 무엇을 꺼내 보시다가, 내가 들어오니까 얼른 장롱 속에 감추는 것을 보았는데, 그게 아마 아버지 사진인 것 같았어요.

(나) 나는 그 달걀을 벗겨 먹으면서,

"아저씨는 무슨 반찬이 제일 맛나요?"

하고 물으니까, 아저씨는 한참이나 빙그레 웃고 있더니,

"나도 삶은 달걀."

하겠지요. ⓓ<u>나는 좋아서 손뼉을 짤깍짤깍 치고</u>,

"아, 나와 같네. 그럼 가서 어머니한테 알려야지."

하면서 일어서니까, 아저씨가 꼭 붙들면서,

"㉠<u>그러지 마라</u>."

예상문제 01

그러시겠지요. 그래도 나는 한번 맘을 먹은 다음엔 꼭 그대로 하고야 마는 성미지요. 그래 안마당으로 뛰쳐들어가면서,

"엄마, 엄마, 사랑 아저씨도 나처럼 삶은 달걀을 제일 좋아한대."

하고 소리를 질렀지요.

"떠들지 마라."

하고 어머니는 눈을 흘기십니다. 그러나 사랑 아저씨가 달걀을 좋아하는 것이 내게는 썩 좋게 되었어요. 그 다음부터는 어머니가 달걀을 많이씩 사게 되었으니까요. 달걀 장수 노파가 오면 한꺼번에 열 알도 사고 스무 알도 사고, 그래선 두고두고 삶아서 아저씨 상에도 놓고, 또 으레 나도 한 알씩 주고 그래요. 그뿐만 아니라, 아저씨한테 놀러 나가면 가끔 아저씨가 책상 서랍 속에서 달걀을 한두 알 꺼내서 먹으라고 주지요. 그래 그 담부터는 나는 아주 실컷 달걀을 많이 먹었어요.

– 「사랑손님과 어머니」, 주요섭 –

12. 이 글의 시점에 대한 설명으로 가장 적절한 것은?

① '나'가 관찰자의 입장에서 이야기를 전달하고 있다.
② 주인공이 직접 자신의 이야기를 하고 있다.
③ 서술자는 작품 밖에서 객관적으로 전달하고 있다.
④ '나'는 다른 사람의 마음 상태를 정확히 알고 있다.

13. 이 글의 '아버지 사진'과 '삶은 달걀'에 대한 설명으로 알맞은 것끼리 짝지은 것은?

ㄱ. '아버지 사진'은 어머니에게 그리움의 매개체이다.
ㄴ. '삶은 달걀'은 '나'에 대한 어머니의 애정을 나타낸다.
ㄷ. 두 소재 모두 어머니의 마음을 간접적으로 드러낸다.
ㄹ. 두 소재 모두 새로운 갈등을 불러일으킨다.

① ㄱ, ㄴ　② ㄱ, ㄷ　③ ㄴ, ㄷ　④ ㄴ, ㄹ

14. 이 글을 희곡으로 바꾸어 쓸 때, ㉠의 앞에 넣기에 가장 적절한 지문은?

① 화가 난 표정으로
② 당황스러운 표정을 지으며
③ 슬프고 걱정스러운 표정으로
④ 실망스러운 표정을 지으며

15. ⓐ~ⓓ 중, 어린아이 서술자의 특성이 드러난 표현이 <u>아닌</u> 것은?

① ⓐ　② ⓑ　③ ⓒ　④ ⓓ

※ [16-19] 다음 글을 읽고 물음에 답하시오.

(가) 강원도 정선 고을에 한 양반이 살았다. 그는 성품이 어질고 글 읽기를 매우 좋아하였다. 온 고을에 인품이 높기로 소문이 나서 새로 군수가 부임해 올 때면 으레 그 집에 찾아가 먼저 인사를 드렸다. 그런데 그 양반은 살림이 워낙 가난해서 해마다 관가에서 곡식을 빌려다 먹고 여러 해 동안 갚지 못하였다. 이렇게 빌린 관곡이 그럭저럭 천 석이 넘었다.

(나) 어느 날 강원도 감사가 정치의 잘잘못을 가리고 백성의 형편을 살피기 위해 정선 고을에 들렀다. 감사는 관곡의 출납을 조사하다가 몹시 노하였다.

"어떤 놈의 양반이 이렇게 많은 관곡을 축냈단 말이냐?"

감사는 양반을 당장 잡아 가두라고 불호령을 내렸다.

'그 양반이 무슨 수로 천 석을 갚는단 말인가?'

영을 받은 군수는 마음속으로 측은하게 여겼지만 달리 뾰족한 수가 없었다. 그래서 차마 잡아 가두지도 못하고 감사의 서슬 퍼런 영을 거역할 수도 없어서 그저 한숨만 내쉬고 있었다.

양반 역시 곧 이 소식을 전해 들었지만 밤낮으로 훌쩍훌쩍 울기만 할 뿐 아무런 대책을 세우지 못하였다.

예상문제 01

양반의 아내가 이 꼬락서니를 보고 있자니 기가 막히고 어이가 없어 혀를 끌끌 찼다.

"당신은 평생 글만 읽더니 이제는 관가에서 꾸어다 먹은 곡식도 못 갚는구려. 양반, 양반 하더니 참 딱하오. 그놈의 양반이란 것이 한 푼 값어치도 안 나간단 말이오!"

(다) 때마침 그 마을에 한 부자가 살고 있었다. 부자는 양반이 곧 붙잡혀 가게 생겼다는 말을 듣고는 식구들을 모두 모아 놓고 의논하였다.

"양반은 아무리 가난해도 늘 귀하게 대접받고 떵떵거리며 사는데 ㉠우리는 아무리 돈이 많아도 늘 천한 대접만 받는단 말야. 말 한번 거들먹거리며 타 보지도 못하고, 양반만 보면 저절로 기가 죽어 굽실거리며 섬돌 아래 엎드려 절하고, 늘 코를 땅바닥에 대고 엉금엉금 기어야 하니 참 더러운 일이야. 이제 저 건넛집 양반이 관곡을 갚지 못해 곧 붙잡혀 가게 생긴 모양인데, 그 형편에 도저히 양반 자리를 지켜 내지 못할 거란 말이야. 이 기회에 내가 그 자리를 사서 양반 행세를 한번 해 보면 어떨까?"

(라) 부자는 곧 양반을 찾아가 자기가 관곡을 대신 갚아 줄 테니 그 대가로 양반 자리를 넘겨 달라고 흥정을 붙였다. 양반은 속수무책으로 잡혀갈 날만 기다리던 참이라 몹시 기뻐하며 그 자리에서 승낙을 하였다. 부자는 곧바로 곡식을 관가에 싣고 가서 양반의 관곡을 모두 갚아 주고 양반 자리를 사들였다.

(마) 군수는 양반이 관곡을 모두 갚았다는 말을 통인에게 전해 듣고 깜짝 놀랐다. 그 형편에 천 석이나 되는 관곡을 어떻게 한꺼번에 갚을 수 있었는지 영문을 알 수 없었다. 그래서 위로도 할 겸 궁금증도 풀 겸 몸소 양반을 찾아갔다.

그런데 뜻밖에도 양반은 의관도 갖추지 않고 벙거지에 짧은 잠방이를 입은 채 사립문 밖 땅바닥에 엎드려 "쇤네, 쇤네." 하면서 군수를 감히 바로 쳐다보지도 못하는 것이었다.

군수는 깜짝 놀라 말에서 뛰어내려 양반의 손을 붙잡고 일으켜 세우려 하였다.

"이게 도대체 어찌 된 일이오? ㉡대관절 왜 이러시오?"

그러나 양반은 더욱 황송한 듯 연방 머리를 조아렸다.

"황송하옵니다. 쇤네가 양반 자리를 팔아서 관곡을 갚았사옵니다. 이제 저 건넛집 부자가 양반이옵니다. 그러니 어찌 이미 팔아먹은 양반 행세를 하겠나이까?"

– 「양반전」, 박지원 –

16. 이 글에서 알 수 있는 내용이 <u>아닌</u> 것은?

① 양반의 아내는 양반에 대해 비판적이다.
② 부자는 신분 때문에 천대받는 것에 대해 불만이 있었다.
③ 양반은 가족을 부양하지 못하는 무능력한 가장이다.
④ 군수는 관곡을 축낸 양반을 못마땅하게 여기고 있었다.

17. 이 글에 나타난 당대의 사회적 상황이 <u>아닌</u> 것은?

① 양반의 신분을 사고 팜
② 신분제도가 없어짐
③ 경제적 부를 획득한 평민계층이 존재
④ 경제적으로 몰락한 양반 출현

18. ㉠의 근본적인 이유로 알맞은 것은?

① 양반보다 낮은 신분으로 태어났기 때문에
② 평민들은 양반들의 예의범절을 배우지 못했기 때문에
③ 평민들은 옳지 못한 방법으로 돈을 벌기 때문에
④ 양반들이 대부분 성격이 못되고 포악하기 때문에

19. ㉡이 의미하는 내용으로 적절하지 <u>않은</u> 것은?

① 열심히 글을 읽는 것
② 스스로를 '쇤네' 라고 일컫는 것
③ 벙거지를 쓰고 잠방이를 입은 것
④ 머리를 조아리고 땅에 엎드려 말하는 것

예상문제 01

※ [20-22] 다음 글을 읽고 물음에 답하시오.

> ㉠ S# 32. 8반 교실 (낮)
>
> 욱 : (정민을 향해 열심히 말하는) 하지만 세상엔 멋진 경기도 있어. 우리 그런 경기 보면 기분 좋잖아. 최소한 그렇게 하려고 노력은 해야 되는 거 아냐?
>
> 정민 : (욱을 보다가 한숨쉬며 좋게 말하는) 니가 너무 맘이 불편해서 양심선언을 하고 싶다면 그건 말릴 생각 없어. 하지만 그런다고 세상이 바뀌거나 하지는 않아. 다시 말해서 네가 깨끗해지고 싶다는 건 그냥 자기만족이나 결벽증 같은 거야.
>
> 보비 : (삐죽이며) 맞아! 흙탕물에 ㉡생수 한 병 붓는다고 물이 깨끗해져? 계속 흙탕물이지.
>
> 옥림 : 그래도 흙탕물이 묽어지긴 하잖아. 계속 쏟아붓다 보면 물도 깨끗해질 테고 좀 시간은 오래 걸리겠지만 우리가 선 밟았다고 얘기하면 7반 애들도 딴 반이랑 깨끗하게 경기할지도 모르고…….
>
> -「반올림」-

20. 이 글에 대한 설명으로 알맞지 않은 것은?

① 시간적 배경은 낮이다.
② 영화나 드라마의 대본이다.
③ 막과 장으로 구분한다.
④ 인물 간의 갈등이 드러난다.

21. 위의 밑줄 친 ㉠의 의미는?

① 장면번호 ② 해설 ③ 효과음 ④ 무대

22. 위의 밑줄 친 ㉡이 의미하는 바는?

① 반칙이 많은 세상
② 정직하고 양심적인 행동
③ 물이 부족한 현실
④ 과정보다는 결과의 중요함

※ [23-25] 다음 글을 읽고 물음에 답하시오.

칠교라는 이름은 네모난 나무판이 7개로 이루어진 데서 왔으며, 정사각형 모양을 잘라 만든 7개의 조각들로 사람이나 동물의 여러 가지 형태와 표정, 도형, 기호, 촛대, 집, 배, 숫자 모양 등을 만드는 매우 독창적인 놀이이다.

칠교를 만드는 방법은 아주 간단하다. 두꺼운 종이를 가로, 세로 각 10cm 크기로 오려낸다. 그리고 그 위에 2.5cm의 정사각형을 16개 그린 다음, 왼쪽의 그림처럼 선을 따라 잘라서 7조각을 내면 된다. 칠교놀이는 큰 직각이등변삼각형 2개, 작은 직각이등변삼각형 2개, 중간 크기의 직각이등변삼각형 1개, 작은 정사각형 1개, 평행사변형 1개로 이루어져 있다. 조각의 모양과 개수는 무척 간단하지만, 이것만으로 무궁무진하게 많은 모양을 만들 수 있다. 또, 여러 가지 다양한 모양들을 만들다 보면 숨어 있는 원리를 발견할 수 있는데, 7개의 조각들은 각각 도형의 넓이와 변의 길이 사이가 일정한 비율로 이루어져 있다. 예전에는 보통 피나무, 버드나무, 살구나무, 은행나무로 만들었다.

칠교놀이는 혼자서 할 수도 있고 2명 이상 편을 갈라서 할 수도 있다. 혼자서 할 때에는 그림을 보면서 조각판 7개를 그림 순서대로 맞추거나 자기가 만들고 싶은 것을 골라 가면서 만든다. 2명 이상이 편을 갈라서 경쟁을 할 때에는 미리 무엇을 만들 것인가 약속을 하고 나서 모둠별로 토의를 하여 지혜를 모아 일정한 시간 안에 만들어 놓아야 한다. 다 만들었을 때에는 1점을 얻고, 다 만들지 못하면 판을 상대편에게 넘겨 주어야 한다. 이와 같이 차례를 바꾸어 가면서 여러 가지 형태를 만드는 가운데 점점 어려운 형태를 상대방에게 제시한다.

예상문제 01

한정된 7조각을 가지고 무궁한 모양을 독창적으로 만들 수 있다는 것이 칠교놀이의 매우 신비롭고 매력적인 점이다. 도형의 모습이 어떻게 될지 머릿속으로 상상하면서 조각들을 맞추다 보면 인간의 사고력을 자극하는 효과를 가져와 여러 가지 사고 능력의 발달에 큰 도움을 준다. 또한, 칠교놀이의 여러 모양들은 예술적 아름다움과 풍자적인 뜻을 가지고 있기 때문에 사람들에게 매우 큰 재미를 준다. 칠교놀이가 이렇게 오랫동안 같은 형태로 여러 지역에서 행해지는 이유는, 놀이 자체가 완벽한 방법을 가지고 있을 뿐 아니라, 거기에서 창작의 기쁨을 마음껏 누릴 수 있다는 재미 때문일 것이다. 많은 성인들과 어린이들이 공동으로 즐길 수 있는 이 놀이는 앞으로도 사랑받을 것이며, 더욱 새로운 모습으로 발전할 것이다.

–「한국의 전통 놀이」–

23. 이와 같은 글을 읽는 방법으로 알맞지 <u>않은</u> 것은?

① 설명 대상을 파악하며 읽는다.
② 배경 지식을 적극 활용하며 읽는다.
③ 주장의 근거가 타당한지 판단하며 읽는다.
④ 자신에게 필요한 정보를 파악하며 읽는다.

24. 이 글에 나와 있지 <u>않은</u> 내용은?

① 칠교놀이의 종류
② 칠교놀이의 방법
③ 칠교 만드는 방법
④ 칠교라는 이름의 유래

25. 이 글의 내용과 일치하지 <u>않는</u> 것은?

① 칠교놀이는 사고력을 자극하는 놀이이다.
② 칠교놀이는 어른들의 놀이로서 오래 전해져 왔다.
③ 칠교놀이는 혼자서도 할 수 있고 여럿이서도 할 수 있다.
④ 칠교놀이는 때로는 지혜를 모으는 협동이 필요한 놀이이다.

예상문제 02

1. 어려움에 처한 친구에게 문자 메시지를 보내려고 한다. 〈보기〉의 조건을 모두 갖춘 것은?

〈보기〉

· 속담을 사용할 것
· 격려하는 마음을 담을 것

① 오뚝이처럼 일어나는 거야. 넌 할 수 있어.
② 목표를 향해 날아가는 화살이 되어라. 힘 내!
③ 누구나 어려움이 있는 거야. 왜 그걸 모르니?
④ 고생 끝에 낙이 온다잖아. 다시 힘내서 도전하자.

2. 다음 중 피동 표현은?

① 담장이 아주 높다.
② 쥐가 고양이에게 잡혔다.
③ 언니가 고등학교에 입학했다.
④ 철수는 훌라후프를 잘 돌린다.

3. 다음 〈보기〉의 설명에 해당하는 단어로 이루어진 것은?

〈보기〉

· 문장에서 주로 서술어 역할을 한다.
· 문장에서 사용될 때 형태가 변하기도 한다.
· 사람이나 사물의 움직임 또는 상태나 성질을 나타낸다.

① 꽃, 책상, 여행
② 아주, 빨리, 어느
③ 하나, 저기, 우리
④ 먹다, 자다, 예쁘다

4. 다음 〈보기〉에서 설명하는 언어의 특징과 관련이 깊은 것은?

〈보기〉

언어에 있어서 대상과 대상을 나타내는 기호 사이에는 아무런 필연적인 관계가 없다. 그렇기 때문에 한국어에서는 '하늘'이라는 단어가 영어로는 'sky'이며 한자로는 '천(天)'으로 다르게 말한다.

① 사회성 ② 자의성 ③ 역사성 ④ 법칙성

예상문제 02

5. 어법이 바른 문장은?

① 만약 그는 어릴지라도 생각은 깊다.
② 어제 우리가 본 노을은 아름다웠다.
③ 새로 산 옷이 별로 예쁘구나!
④ 과학과 기술은 서로 틀린 거야.

6. 관용어가 쓰이지 않은 문장은?

> **영수** : 철수야, 너는 어제 약속을 왜 안 지켰니? ㉠목 빠지게 기다렸잖아.
> **철수** : 미안해. ㉡가족과 울릉도에 갔다가 폭설로 발이 묶였어.
> **영수** : 전화도 못 하니? 정말 기가 차서 말이 안 나와.
> **철수** : 미안해. 기다리는 널 생각하니 ㉢나도 발 뻗고 잘 수가 없었어.
> **영수** : 그랬구나. ㉣우리 더 이상 잘잘못을 따지지 말고, 농구나 하러 가자.

① ㉠ ② ㉡ ③ ㉢ ④ ㉣

7. 다음 설명에 해당하는 음운의 변동이 일어나는 단어는?

> **표준 발음법 제18항**
> 받침 'ㄱ(ㄲ, ㅋ, ㄳ, ㄺ), ㄷ(ㅅ, ㅆ, ㅈ, ㅊ, ㅌ, ㅎ), ㅂ(ㅍ, ㄼ, ㄿ, ㅄ)'은 'ㄴ, ㅁ' 앞에서 [ㅇ, ㄴ, ㅁ]으로 발음한다.

① 국민 ② 해돋이 ③ 바느질 ④ 구름

8. 다음 밑줄 친 말의 문장 성분을 잘못 연결한 것은?

① 흥부는 동생이다. - 주어
② 꽃다발이 예쁘다. - 서술어
③ 철수는 밥을 먹는다. - 관형어
④ 영희는 중학생이 되었다. - 보어

9. 다음 건의문에서 나타나는 문제점은?

안녕하세요.

저는 ○○중학교 2학년 김△△입니다. 오늘 숙제에 필요한 책을 찾아보려고 도서관에 들렀는데 불편한 점이 있었습니다.

책을 찾는 방법이 안내되어 있지 않아서 필요한 책을 찾기가 힘들었습니다. 친구들도 그런 불편함을 겪었다고 합니다. 도서관에서 책을 쉽게 찾을 수 있으면 좋겠습니다.

도서관 사서 선생님, 이런 불편함이 없도록 책을 읽을 수 있는 공간을 마련해 주시기 바랍니다.

감사합니다. 안녕히 계십시오.

○○중학교 2학년 김△△ 올림

① 정중하게 표현되지 않아서
② 문제 상황이 드러나지 않아서
③ 문제 해결 방안이 적절하지 않아서
④ 건의를 받는 대상이 분명하지 않아서

※ [10–11] 다음 글을 읽고 물음에 답하시오.

열무 삼십 단을 이고
시장에 간 우리 엄마
안 오시네, 해는 시든 지 오래
나는 찬밥처럼 방에 담겨
아무리 천천히 숙제를 해도
엄마 안 오시네, 배춧잎 같은 발소리 타박타박
안 들리네, 어둡고 무서워

예상문제 02

금간 창 틈으로 고요히 빗소리
빈 방에 혼자 엎드려 훌쩍거리던

아주 먼 옛날
지금도 내 눈시울을 뜨겁게 하는
그 시절, 내 유년의 윗목

– 「엄마 걱정」, 기형도 –

10. 위 시에 드러난 말하는 이의 정서와 거리가 먼 것은?

① 어린 시절을 몹시 그리워한다.
② 불안하고 두렵다.
③ 외롭고 쓸쓸하다.
④ 엄마를 간절하게 기다린다.

11. 고요히 빗소리에 사용된 것과 같은 종류의 심상이 쓰인 시는?

① 저 산에도 까마귀, 들에 까마귀,
서산에는 해 진다고
지저귑니다. – 「가는 길」, 김소월 –

② 꽃가루와 같이 부드러운 고양이의 털에
고운 봄의 향기가 어리우도다. – 「봄은 고양이로다」, 이장희 –

③ 물새알은
간간하고 짭조름한
미역 냄새
바람 냄새. – 「물새알 산새알」, 박목월 –

④ 감자를 굽는 게지 총각 애들이
깜박깜박 검은 눈이 모여 앉아서
입술이 꺼멓게 숯을 바르고 – 「굴뚝」, 윤동주 –

※ [12-15] 다음 글을 읽고 물음에 답하시오.

〈앞부분 줄거리〉

수남이는 시골에서 올라와 청계천 전기용품 도매상에서 일하는 성실한 소년이다. 어느 날 배달 가서 세워 놓은 자전거가 바람에 넘어져 고급 차에 흠집을 낸다. 차 주인인 신사는 많은 돈을 요구하며 자전거를 자물쇠로 잠가 버린다.

모든 구경꾼이 수남이의 편이 되어 와글와글 외쳐 댔다.

"도망가라, 어서 자전거를 번쩍 들고 도망가라, 도망가라."

수남이는 자기 편이 되어 준 이 많은 사람들을 도저히 배반할 수 없었다. 이상한 용기가 솟았다. 수남이는 자전거를 가볍게 옆구리에 끼고 달렸다.

정말이지 조금도 안 무거웠다. 타고 달릴 때보다 더 신나게 달렸다. 달리면서 마치 오래 참았던 오줌을 시원스레 누는 듯한 쾌감까지 느꼈다.

주인 영감님은 자전거를 옆에 끼고 바람처럼 달려온 놈을 눈을 휘둥그렇게 뜨고 바라볼 뿐이었다. 오늘 바람이 세더니만 필시 이 조그만 놈이 바람에 날아왔나, 설마 그럴 리야 없을 텐데 내 눈이 어떻게 된 것인가 그런 눈치였다.

수남이는 너무 숨이 차서 주인 영감님의 궁금증을 시원하게 풀어 주지 못하고 한동안 헉헉대기만 한다.

"인마, 말을 해. 무슨 일이야? 네놈 꼴이 영락없이 도둑놈 꼴이다, 인마."

도둑놈 꼴이라는 소리가 수남이의 가슴에 가시처럼 걸린다. 수남이는 겨우 숨을 가라앉히고 자초지종을 주인 영감님께 털어놓는다. 다 듣고 난 주인 영감님은 무엇이 그리 좋은지 무릎을 탁 치면서 통쾌해 한다.

"잘했다, 잘했어. 촌놈인 줄만 알았더니 제법인데, 제법이야."

그러고는 가게에서 쓰는 드라이버랑 펜치를 갖고 와 자전거에 채운 자물쇠를 분해하기 시작한다. ㉠<u>엎드려서 그 짓을 하고 있는 주인 영감님이 수남이의 눈에 흡사 도둑놈 두목 같아 보여 정이 떨어진다</u>. 주인 영감님 얼굴이 누런 똥빛인 것조차 지금 깨달은 것 같아 속이 메스껍다.

예상문제 02

마침내 자물쇠를 깨뜨렸나 보다. 영감님 얼굴에 회심의 미소가 떠오르더니 자유롭게 된 자전거 바퀴를 시험이라도 하려는 듯이 자전거로 골목을 한 바퀴 빙그르르 돌고 돌아와서는 말했다.

"네놈 오늘 운 텄다."

그러고는 수남이의 머리를 쓰다듬고 볼과 턱을 두둑한 손으로 귀여운 듯이 감싼다.

(중략)

가게 문을 닫고 주인댁에서 날라 온 저녁밥을 먹고 나면 비로소 수남이 혼자만의 시간이다. 꿀 같은 시간이었다. 책을 펴 놓고 영어 단어를 찾고, 수학 문제를 풀어 보고, 턱을 괴고 소년답게 감미로운 공상에 잠길 수 있는 그런 시간이었다.

그러나 오늘 수남이는 그게 되지를 않았다. 책을 집어던졌다.

㉡낮에 내가 한 짓은 옳은 짓이었을까? 옳을 것도 없지만 나쁠 것은 또 뭔가. 자가용까지 있는 처지에 나 같은 어린아이에게 오천 원을 우려내려고 그렇게 심하게 굴던 신사를 그 정도 골려 준 것이 뭐가 나쁜가? 그런데도 왜 무섭고 떨렸던가. 그때의 내 꼴이 어땠으면, 주인 영감님까지 "네놈 꼴이 꼭 도둑놈 꼴이다."라고 하였을까.

그럼 내가 한 짓은 도둑질이었단 말인가. 그리고 나는 도둑질을 하면서 그렇게 기쁨을 느꼈더란 말인가.

수남이는 몸을 부르르 떨면서 낮에 자전거를 갖고 달리면서 맛본 공포와 함께 그 까닭 모를 쾌감을 회상한다.

-「자전거 도둑」, 박완서 -

12. 위 글을 읽고 알 수 없는 것은?

① 신사는 인정이 없는 편이다.
② 수남이를 구경꾼들이 부추겼다.
③ 주인 영감님은 수남이를 미워한다.
④ 오늘 일로 수남이는 공부가 되지 않았다.

13. 수남이의 주된 내적 갈등의 원인은?

① 구경꾼들의 말에 따르지 않아서
② 신사에게 예의를 갖추지 않아서
③ 주인 영감님에게 심하게 화를 내서
④ 도망치면서 죄책감보다 쾌감을 느껴서

14. ㉠, ㉡에 나타난 심리로 가장 알맞은 것은?

	㉠	㉡
①	실망	혼란
②	실망	설렘
③	초조	혼란
④	초조	후회

15. '누런 똥빛'에 담겨 있는, 주인 영감님에 대한 수남이의 생각은?

① 몸이 좋지 않다.
② 명예에 집착한다.
③ 소심하고 예민하다.
④ 양심보다 이익을 따진다.

※ [16-19] 다음 글을 읽고 물음에 답하시오.

〈앞부분 줄거리〉

경숙은 아들 초원이가 자폐증이라는 진단을 받자 감당할 수 없는 현실 앞에 좌절한다. 그러나 경숙은 초원이가 달리기에 월등한 능력이 있음을 발견하고 꾸준히 훈련시킨다. 그러던 중 정욱이 사회 봉사 명령을 받고 초원의 학교로 오게 된다.

S# 43. 운동장

느릿느릿 체조를 하고 있는 아이들.

정욱, 구령을 붙이며 체조를 시키지만 한심하다.

예상문제 02

\- 시간 경과 -

운동장을 돌고 있는 아이들.

운동장 의자에 앉아 팔짱을 끼고 모자를 푹 눌러쓴 채 눈을 감고 있는 정욱. 그런 정욱 앞에 검은 그림자가 드리운다. 정욱, 고개를 뒤로 제낀 채 겨우 한 쪽 눈만 떠서 보면, 경숙이 서 있다.

–시간 경과–

정욱 옆에 앉아 설득을 하고 있는 경숙. 정욱, 눈을 감은 채 들은 척 만 척한다.

경숙 교장 선생님께서도 허락하셨어요. 오후 시간도 괜찮고, 시간 나시는 대로 저희 아이 좀 지도해 주세요. 보스턴 마라톤 1등 하실 때 저도 텔레비전에서 봤어요. 이렇게 뵙게 돼서 정말 영광이네요.

정욱, 눈을 뜨고 자리에서 일어선다. 캬악! 가래침을 모아 바닥에 뱉고

정욱 (아이들을 향해) 체육 시간 끝났다. 교실로 들어가!

정욱, 경숙을 놔둔 채 안으로 들어가 버린다.

\- 시간 경과 -

점심을 먹고 운동장으로 나온 정욱, 담배를 한 대 꺼내 물고 창고 뒤 구석에서 소변을 본 후 돌아서는데 경숙이 바로 뒤에 서 있다. 기가 찬 표정으로 성큼성큼 운동장을 가로질러 걸어가는 정욱. 그 뒤를 경숙이 따라오고 있다.

경숙 (㉠) 일단 한번 가르쳐 보시면 애가 보통이 아닌 걸 아실 거예요. 선생님이 도와주시면 완주는 문제없다고요. 3시간 이내 완주도 가능하다고 했어요.

정욱 (확 돌아서며) 저보다 마라톤에 더 훤하신 거 같은데 그냥 하시죠. 3시간 이내 완주? (피식 웃으며) 나도 자신 없는데요, ㉡<u>그건</u>. 요즘 개나 소나 마라톤 한다고 설치는데 여기도 예외가 아닌가 보네.

고개를 절레절레 흔들며 다시 걸음을 재촉하는 정욱.
경숙, 그런 정욱의 손을 잡아 세우며

경숙 정상인하고 달려서도 3등 했어요. 못 할 이유가 뭐죠? 일단 애를 보시면…….
정욱 (말을 자르며) 완전 애 잡을 엄마구만.

정욱, 경숙을 놔두고 다시 성큼성큼 걸어간다.

– 「말아톤」, 정윤철 –

16. 이와 같은 글에 대한 설명으로 알맞지 <u>않은</u> 것은?

① 시 · 공간의 제약을 많이 받는다.
② 대사와 행동으로 사건을 전개한다.
③ 촬영을 위해 특수한 용어를 사용한다.
④ 현장감을 주기 위해 현재형으로 표현한다.

17. 이 글을 <u>잘못</u> 이해한 것은?

① 정욱은 경숙의 부탁을 무시한다.
② 정욱은 과거에 마라톤 선수였다.
③ 경숙은 정욱이가 초원이를 지도해 주길 원한다.
④ 경숙과 정욱은 예전부터 서로 알고 지내왔다.

예상문제 02

18. ㉠에 들어갈 말로 가장 알맞은 것은?

① 간절하게　　② 무심하게
③ 약 올리며　　④ 깜짝 놀라며

19. ㉡이 가리키는 것은?

① 마라톤에서 우승하는 것
② 3시간 이내 완주하는 것
③ 초원이를 훈련시키는 것
④ 정상인과 달리기하는 것

※ [20-22] 다음 글을 읽고 물음에 답하시오.

사과는 전 세계에서 그 효능을 인정받는 몇 안되는 과일 가운데 하나이다. 사과는 질병 예방은 물론 미용에도 상당한 효과가 있다고 알려져 있다. 이렇게 사과를 건강의 제왕으로 만든 것은 사과에 들어 있는 식물성 섬유인 '펙틴(pectin)'이다.

사실 오랜 세월 동안 식물성 섬유는 몸속을 통과해서 배출되는 식물의 찌꺼기에 불과하다고 여겨졌다. 왜냐하면 그 자체가 영양소가 되지 않으며, 인간의 몸에서 나오는 소화 효소로는 분해가 되지 않는 물질이기 때문이다.

[㉠] 음식에 포함된 갖가지 영양소에 대한 연구들이 활발하게 진행되면서 식물성 섬유의 효능이 속속 밝혀지기 시작했다. 그중 가장 놀라운 것은 식물성 섬유가 '장 청소'를 한다는 것이다. 식물성 섬유는 사람의 몸속을 빠져나갈 때 인체에 해로운 물질을 함께 끌어안고 나가기 때문에 장을 깨끗하게 청소한다.

펙틴은 사과의 속 부분보다 껍질에 더 많이 들어 있다. 따라서 사과를 껍질째 씹어 먹으면 치아 건강에 좋고, 펙틴을 더 많이 섭취하는 효과를 얻을 수 있다.

20. 이와 같은 글을 읽는 방법으로 가장 알맞은 것은?

① 줄거리를 상상하며 읽는다.
② 새로운 정보를 파악하며 읽는다.
③ 글쓴이의 정서에 공감하며 읽는다.
④ 문제에 대한 해결 방법을 정리하며 읽는다.

21. 이 글의 내용과 일치하지 않는 것은?

① 펙틴은 사과에 들어 있는 식물성 섬유이다.
② 사과는 미용에 효과가 있다고 알려져 있다.
③ 사과를 껍질째 씹어 먹으면 치아 건강에 좋다.
④ 펙틴은 인체에 이로운 물질을 몸 밖으로 배출시킨다.

22. [㉠]에 들어갈 말로 가장 알맞은 것은?

① 비록 ② 하필
③ 그러면 ④ 하지만

※ [23-25] 다음 글을 읽고 물음에 답하시오.

세종대왕이 만든 한글은 당시의 사상과 지식이 녹아 있는 고도의 발명품이다. 한글 모음의 경우 하늘, 땅, 사람을 뜻하는 천지인(天地人)을 본떠서 '·, ㅡ, ㅣ'의 기본 글자를 만들고, 이 기본 글자를 합쳐서 나머지 모음을 만들었다. 한글 자음의 경우 발음 기관의 모양을 본떠서 'ㄱ, ㄴ, ㅁ, ㅅ, ㅇ'의 기본 글자를 만들고, 이 기본 글자에 획을 더하여 나머지 자음을 만들었다. 세종 대왕은 이런 방법으로 모음 11자와 자음 17자, 모두 28자를 만들었는데, 오늘날에는 이 가운데 모음 10자와 자음 14자만 쓰고 있다.

이와 같이 동양 사상의 핵심을 이루는 하늘[天], 땅[地], 사람[人]의 모양과 발음 기관의 모양을 본떠서 기본 글자를 만든 다음, 그것에 획을 더하거나 기본 글자를 합쳐서 새로운 문자를 만들었던 것이다. 한글은 발음의 원리를 글자 모양에 반영한 과학적인 문자인 것이다. 또한 한글은 기존의 어떤 문자를 모방하거나 변형한 것이 아니고 독자적인 원리를 적용하여 만든 것이라는 점에서 매우 독창적이다.

예상문제 02

이러한 특성 때문에 한글은 세계에서 가장 배우기 쉬운 문자로 꼽힌다. ㉠유럽 여러 나라를 중심으로 국제적으로 널리 쓰이는 로마자를 배우려면 글자 하나하나를 무조건 외워야 한다. 반면, 한글은 모음 3자와 자음 5자의 기본 글자만 익히면 다른 글자도 쉽게 익힐 수 있다. 그렇기 때문에, 문자를 배우는 데 드는 시간이 다른 문자를 배우는 것에 비해 놀랄 만큼 절약된다. 우리나라가 문맹이 거의 없는 나라가 된 것은 이러한 한글의 특성 때문이다.

오늘날 우리가 휴대 전화로 아주 간단히 문자를 보낼 수 있고, 인터넷 강국으로 발전할 수 있었던 것도 한글 덕분이다. 자음과 모음을 모아 음절 단위로 묶어서 글자를 쓰게 하고, 무한한 소리를 표현한다는 점에서 한글은 컴퓨터, 휴대전화 문자 등에 매우 적합한 문자이다.

23. 이 글의 내용과 일치하지 않는 것은?

① 우리나라는 문맹이 거의 없다.
② 한글 자음은 발음 기관의 모양을 본떴다.
③ 창제된 28자를 오늘날까지 그대로 쓰고 있다.
④ 한글은 독자적인 원리를 적용하여 독창적이다.

24. ㉠에 쓰인 설명 방법은?

① 대조 ② 묘사 ③ 분석 ④ 비유

25. 이 글에서 제시한 한글의 우수성을 〈보기〉에서 찾아 바르게 묶은 것은?

〈보기〉

ㄱ. 배우기 쉽다.
ㄴ. 세계 최초의 문자이다.
ㄷ. 정보화 시대에 적합하다.
ㄹ. 국제적으로 널리 쓰인다.

① ㄱ, ㄷ ② ㄱ, ㄹ ③ ㄴ, ㄷ ④ ㄴ, ㄹ

예상문제 03

1. 다음 단어들을 명사, 대명사, 수사로 바르게 분류한 것은?

둘 인형 그녀 여기 셋째 나 사랑 책

	명사	대명사	수사
①	인형, 사랑, 책	그녀, 여기, 나	둘, 셋째
②	인형, 그녀, 나	사랑, 책	둘, 셋째, 여기
③	둘, 인형, 셋째	그녀, 여기	나, 사랑, 책
④	둘, 셋째, 여기	인형, 그녀, 나	사랑, 책

2. 다음 〈보기〉의 밑줄 친 구절의 공통된 문장 성분은?

〈보기〉

· 연우는 꽃을 <u>좋아한다</u>.
· 나는 중학생이 <u>되었다</u>.

① 주어 ② 목적어 ③ 보어 ④ 서술어

3. 다음 설명에 해당하는 음운의 변동이 일어나는 단어는?

혀끝소리 'ㄷ, ㅌ'이 '이'를 만나 구개음 'ㅈ, ㅊ'으로 소리나는 현상을 '구개음화'라고 한다.

① 국민 ② 해돋이 ③ 바느질 ④ 구름

4. 단어의 형성 방법이 나머지와 <u>다른</u> 것은?

① 햇나물
② 개살구
③ 밤나무
④ 잠꾸러기

예상문제 03

5. 다음에서 설명하고 있는 언어의 특성은 무엇인가?

> · 언어는 생명이 있어 생성, 발전, 소멸의 단계를 가진다.
> · 옛날에 쓰였던 말이 요즘에는 없어지기도 하고, 예전에 없었던 말이 새로 생겨나기도 한다.

① 사회성　② 역사성
③ 분절성　④ 법칙성

6. 문장의 의미가 두 가지 이상으로 해석되는 것은?

① 나는 부지런한 학생이다.
② 토끼가 풀을 뜯어 먹는다.
③ 고향의 아름다운 하늘을 생각한다.
④ 나는 동생과 누나를 찾아다녔다.

7. 빈칸에 들어갈 말로 알맞은 것은?

> '하늘이∨매우∨푸르다' 처럼 문장은 몇 개의 마디로 끊어 읽을 수 있는데, 이와 같이 끊어 읽는 대로 나누어진 도막도막의 마디를 (　　)이라 한다.

① 문장　② 어절　③ 낱말　④ 음절

※ [8-11] 다음 글을 읽고 물음에 답하시오.

> (가) 내 고장 칠월은
> 청포도가 익어 가는 시절.
>
> 이 마을 전설이 주저리주저리 열리고
> 먼 데 하늘이 꿈꾸며 알알이 들어와 박혀,

㉠하늘 밑 푸른 바다가 가슴을 열고
흰 돛단배가 곱게 밀려서 오면,

내가 바라는 손님은 고달픈 몸으로
청포(靑袍)를 입고 찾아온다고 했으니,

내 그를 맞아, 이 포도를 따 먹으면
두 손은 함뿍 적셔도 좋으련.

아이야, 우리 식탁엔 은쟁반에
하이얀 모시 수건을 마련해 두렴.

– 「청포도」, 이육사 –

(나) 어두운 방 안엔
바알간 숯불이 피고,

외로이 늙으신 할머니가
애처로이 잦아드는 어린 목숨을 지키고 계시었다.

이윽고 눈 속을
아버지가 약(藥)을 가지고 돌아오시었다.

아, 아버지가 눈을 헤치고 따 오신
그 붉은 산수유 열매

나는 한 마리 어린 짐승,
젊은 아버지의 ㉡서느런 옷자락에
열(熱)로 상기한 볼을 말없이 부비는 것이었다.

– 「성탄제」, 김종길 –

예상문제 03

8. 이와 같은 글을 감상하는 방법으로 가장 옳은 것은?

① 글쓴이의 주장을 파악하여 비판한다.
② 지식이나 정보의 객관성을 판단한다.
③ 허구적 사건의 전개 과정을 상상한다.
④ 말의 가락을 느끼며 함축적 의미를 생각한다.

9. (가) 시의 특징으로 알맞지 <u>않은</u> 것은?

① 수미상관의 구조이다.
② 계절적 배경을 알 수 있다.
③ 화자의 소망이 드러난다.
④ 시각적 심상이 두드러진다.

10. ㉠과 같은 표현법이 쓰인 것은?

① 쟁반같이 둥근 달
② 내 마음은 호수요
③ 굼벵이도 구르는 재주가 있다.
④ 웃고 있는 달님

11. ㉡과 같은 심상이 쓰인 것은?

① 붉은 꽃잎
② 새벽 종소리
③ 차가운 공기
④ 바다 내음

※ [12-15] 다음 글을 읽고 물음에 답하시오.

(가) 오늘도 또 우리 수탉이 막 쫓기었다. 내가 점심을 먹고 나무를 하러 갈 양으로 나올 때이었다. 산으로 올라서려니까 등 뒤에서 푸르득푸드득, 하고 닭의 횃소리가 야단이다. 깜짝 놀라서 고개를 돌려보니 아니나다르랴, 두 놈이 또 얼리었다.

점순네 수탉(은 대강이가 크고 똑 오소리같이 실팍하게 생긴 놈)이 덩저리 작은 우리 수탉을 함부로 해내는 것이다. 그것도 그냥 해내는 것이 아니라 푸드득 하고 면두를 쪼고 물러섰다가 좀 사이를 두고 또 푸드득 하고 모가지를 쪼았다. 이렇게 멋을 부려 가며 여지없이 닦아 놓는다. 그러면 이 못생긴 것은 쪼일 적마다 주둥이로 땅을 받으며 그 비명이 킥, 킥 할 뿐이다. 물론 미처 아물지도 않은 면두를 또 쪼이어 붉은 선혈은 뚝뚝 떨어진다.

(나) 나흘 전 ㉠감자 쪼간만 하더라도 나는 저에게 조금도 잘못한 것은 없다.

계집애가 ㉡나물을 캐러 가면 갔지 남 울타리 엮는 데 쌩이질을 하는 것은 다 뭐냐. 그것도 발소리를 죽여 가지고 등 뒤로 살며시 와서, "애! 너 혼자만 일하니?" 하고 긴치 않은 수작을 하는 것이다.

어제까지도 저와 나는 이야기도 잘 않고 서로 만나도 본척만척하고 이렇게 점잖게 지내던 터이련만, 오늘로 갑작스레 대견해졌음은 웬일인가. 항차 망아지만 한 계집애가 남 일하는 놈 보구…….

(다) 눈물을 흘리고 간 담날 저녁나절이었다. ㉢나무를 한 짐 잔뜩 지고 산을 내려오려니까 어디서 닭이 죽는 소리를 친다. 이거 뉘 집에서 닭을 잡나 하고 점순네 울 뒤로 돌아오다가 나는 고만 두 눈이 뚱그레졌다. 점순이가 저희 집 봉당에 홀로 걸터앉았는데, 이게 치마 앞에다 우리 ㉣씨암탉을 꼭 붙들어 놓고는

"이놈의 닭! 죽어라, 죽어라."

요렇게 암팡스레 패 주는 것이 아닌가. 그것도 대가리나 치면 모른다마는 아주 알도 못 낳으라고 그 볼기짝께를 주먹으로 콕콕 쥐어박는 것이다.

나는 눈에 쌍심지가 오르고 사지가 부르르 떨렸으나, 사방을 한 번 휘돌아보고야 그제서 점순이 집에 아무도 없음을 알았다. 잡은 참 지게막대기를 들어 울타리의 중턱을 후려치며

예상문제 03

"이놈의 계집애! 남의 닭, 알 못 낳으라구 그러니?"
하고 소리를 빽 질렀다.

그러나 점순이는 조금도 놀라는 기색이 없고 그대로 의젓이 앉아서 제 닭 가지고 하듯이 또 죽어라, 죽어라, 하고 패는 것이다. 이걸 보면 내가 산에서 내려올 때를 겨냥해 가지고 미리부터 닭을 잡아 가지고 있다가 너 보란 듯이 내 앞에서 쥐지르고 있음이 확실하다.

12. 이 글에 대한 설명으로 적절하지 않은 것은?

① '1인칭 주인공 시점'을 사용하고 있다.
② 농촌 마을을 배경으로 하고 있다.
③ 시간의 순서에 따라 순차적으로 사건이 전개되고 있다.
④ 사투리를 사용하여 향토적인 분위기를 조성하고 있다.

13. (나)를 통해 알 수 있는 '나'의 성격으로 적절한 것은?

① 계산적이고 집요함
② 순진하고 눈치가 없음
③ 어수룩하지만 적극적임
④ 영악하고 속을 알 수 없음

14. '점순이'가 (다)와 같이 행동하는 이유는?

① '나'를 괴롭히는 것이 재미있어서
② 닭싸움을 구경하는 것을 좋아하기 때문에
③ '나'가 지게막대기로 울타리를 쳤기 때문에
④ 자신의 호의를 무시한 것에 대한 불만을 표출하기 위해서

15. ㉠~㉣ 중, 〈보기〉의 설명과 가장 관련이 깊은 것은?

〈보기〉

'점순이'가 나를 위해 준비한 것으로 '점순이'의 은밀한 사랑의 속마음을 드러내는 매개물이다. 동시에 그런 '점순이'의 마음을 '나'가 거부함으로써 갈등을 유발하는 매개물이 되기도 한다.

① ㉠ ② ㉡ ③ ㉢ ④ ㉣

※ [16-18] 다음 글을 읽고 물음에 답하시오.

㉠<u>형과 아우, 그들 사이를 가로막은 벽을 안타까운 표정으로 바라본다</u>. 비가 그치면서 구름 사이로 한 줄기 햇빛이 비친다.

형 하지만, 내 마음을 어떻게 저 벽 너머로 전하지?

아우 비가 그치고, 산들바람이 부는군.

형 저 벽을 자유롭게 넘어갈 수만 있다면……. 가만있어 봐. 민들레꽃은 씨를 맺으면 어떻게 되지? 바람을 타고 멀리 날아가잖아?

아우 햇빛이 비치니까 샛노란 민들레꽃이 더 예쁘게 보여.

형 이 꽃을 꺾어서 벽 너머로 던져 주어야지. 동생이 이 민들레꽃을 보면, 진짜 내 마음을 알아줄 거야.

아우 형님에게 이 꽃을 드리겠어. 벽 너머의 형님이 이 꽃을 받으면, 동생인 나를 생각하겠지.

형과 아우, 민들레꽃을 여러 송이 꺾는다. 그들은 벽으로 다가가서 민들레꽃을 서로 던져 준다. 형은 아우가 던져 준 꽃들을 주워 들고 반색하고, 아우는 형이 던진 꽃들을 주워 들고 기뻐한다. 서로 벽을 두드리며 외친다.

아우 형님, 내 말 들려요?

형 들린다, 들려! 너도 내 말 들리냐?

예상문제 03

아우 들려요!

형 우리, 벽을 허물기로 하자!

아우 네, 그래요. 우리 함께 빨리 허물어요!

무대 조명, 서서히 꺼진다. 다만, 무대 뒤쪽의 들판 풍경을 그린 걸개그림만이 환하게 밝다. 막이 내린다.

- 「들판에서」, 이강백 -

16. 이 글의 특징으로 알맞지 <u>않은</u> 것은?

① 무대 상연을 전제로 한다.
② 대사와 행동 중심의 문학이다.
③ 현재화된 인생 표현의 문학이다.
④ 시간과 공간의 제약을 거의 받지 않는다.

17. 이 글에서 두 사람의 화해와 갈등 해소를 암시하는 배경은?

① 요란한 천둥소리
② 나누어진 들판
③ 눈물 같은 빗물
④ 한 줄기 햇빛

18. 이 글에서 ㉠의 역할은?

① 등장 인물의 대사이다.
② 인물의 표정이나 동작을 지시한다.
③ 등장 인물을 소개한다.
④ 인물의 심리를 직접적으로 설명한다.

※ [19-21] 다음 글을 읽고 물음에 답하시오.

초등학교 때 우리 집은 제기동에 있는 작은 한옥이었다. 골목 안에는 고만고만한 한옥 네 채가 서로 마주 보고 있었다. 그때만 해도 한 집에 아이가 네댓은 되었으므로 그 골목길에만 초등학교에 다니는 아이들이 줄잡아 열 명이 넘었다. 학교가 파할 때쯤 되면 골목 안은 시끌벅적 아이들의 놀이터가 되었다.

어머니는 내가 집에서 책만 읽는 것을 싫어하셨다. 그래서 방과 후 골목길에 아이들이 모일 때쯤이면 어머니는 대문 앞 계단에 작은 방석을 깔고 나를 거기에 앉히셨다. 아이들이 노는 것을 구경이라도 하라는 뜻이었다.

딱히 놀이 기구가 없던 그때 친구들은 대부분 술래잡기, 공기놀이, 고무줄 등을 하고 놀았지만 나는 공기놀이 외에는 어떤 놀이에도 참여할 수 없었다. 하지만 골목 안 친구들은 나를 위해 꼭 무언가 역할을 만들어 주었다. 고무줄이나 달리기를 하면 내게 심판을 시키거나 신발주머니와 책가방을 맡겼다. 그뿐인가. 술래잡기를 할 때는 한곳에 앉아 있어야 하는 내가 답답해할까 봐 미리 내게 어디에 숨을지를 말해 주고 숨는 친구도 있었다.

그 골목길에서의 일이다. 초등학교 1학년 때였던 것 같다. 하루는 우리 반이 좀 일찍 끝나서 혼자 집 앞에 앉아 있었다. 그런데 그때 마침 깨엿 장수가 골목길을 지나고 있었다. 그 아저씨는 가위만 쩔렁이며 내 앞을 지나더니 다시 돌아와 내게 깨엿 두 개를 내밀었다. 순간 그 아저씨와 나는 눈이 마주쳤다. 아저씨는 아무 말도 하지 않다가 아주 잠깐 미소를 지어 보이며 말했다.

"괜찮아."

〈중략〉

그만하면 참 잘했다고 용기를 북돋아 주는 말, 너라면 뭐든지 다 눈감아 주겠다는 용서의 말, 무슨 일이 있어도 나는 네 편이니 넌 절대 외롭지 않다는 격려의 말, 지금은 아파도 슬퍼하지 말라는 나눔의 말 그리고 마음으로 일으켜 주는 부축의 말, 괜찮아.

참으로 신기하게도 힘들어서 주저앉고 싶을 때마다 난 내 마음속에서 작은 속삭임을 듣는다. 오래전 따뜻한 추억 속 골목길 안에서 들은 말,

"괜찮아, 조금만 참아. 이제 다 괜찮아질 거야."

아, 그래서 '괜찮아'는 이제 다시 시작할 수 있다는 희망의 말이다.

– 「괜찮아」, 장영희 –

01 국어

예상문제 03

19. 이 글에 대한 설명으로 알맞지 않은 것은?

① 글쓴이가 직접 체험한 일을 바탕으로 하고 있다.
② 주제를 드러내기 위해 특정한 단어의 의미를 살피고 있다.
③ 장애를 가진 글쓴이에 대한 친구들의 배려가 드러나 있다.
④ 현실에 있음직한 일을 꾸며 쓴 허구적인 글이다.

20. 글쓴이의 경험에 해당하지 않는 것은?

① 골목길을 지나던 깨엿 장수에게서 공짜로 깨엿을 받았다.
② 친구들이 공기놀이를 할 때는 놀이에 참여해 함께 놀았다.
③ 친구들이 술래잡기를 할 때 몇몇의 아이들을 숨겨 주었다.
④ 아이들이 고무줄이나 달리기를 할 때 심판을 맡아 보았다.

21. 이 글을 다음과 같이 연극의 대본으로 구성하였을 때, 적절하지 않은 것은?

엄마 이제 아이들이 모일 시간이 됐네. 자, 밖에 나가자. ………… ①
나 엄마, 나는 집에서 책 읽는 게 좋아요.
엄마 엄마가 대문 앞에 방석 깔아 줄 테니 거기 앉아 있어. ………… ②
나 애들이 나하고 안 놀아 준단 말이에요. 집에 있을게요. ………… ③
엄마 몸이 불편하다고 혼자 있으면 안 돼. 친구들 노는 거라도 보면서 같이 어울려야지. ………… ④

※ [22-25] 다음 글을 읽고 물음에 답하시오.

(가) ㉠일반적으로 우리나라 전통의 종이를 한지라고 부른다. ⓐ한지라는 단어는 1950년 이후부터 쓰였는데, 당시 서양 문물이 유입되면서 서양 종이라는 의미의 ⓑ양지(洋紙)와 구별하기 위해 만들어졌다고 볼 수 있다. 그 전에는 ⓒ종이, 창호지, 닥종이 등으로 불렸다. 오늘날 쓰이는 한지의 의미는 '기계로 생산하는 것이 아닌, 수공예적 가치를 지닌 우리나라 고유의 종이'라고 정의할 수 있다. 한지는 '닥나무를 베고, 찌고, 삶고, 말리고, 벗기고, 두들기고, 고르게 섞고, 뜨고……' 아흔아홉 번의 손질을 거친 후 마지막 사람이 백 번째로 만진다고 하여 옛날에는 ⓓ백지(百紙)라고도 불렸다.

(나) 한지는 일반 종이와 재료에서부터 많은 차이가 난다. 보통 종이가 펄프로 만들어지는 것에 비해 한지는 우리나라에서 자라는 닥나무로 만들어진다. 한지를 만들 때 사용되는 닥나무는 1년생으로 11월~12월 무렵에 베어 내어 사용한다. 굳이 ㉡1년생 닥나무를 사용하는 이유는 그때가 섬유가 여리고 부드러워 종이를 뜨기 좋고, 껍질에 수분도 적당하여 벗기기도 수월하기 때문이다. 그리고 식물 섬유를 구성하는 성분의 비율이 가장 이상적으로 충족되는 시기이다. 병충해에 강하면서도 종이에 필요한 적당한 부드러움과 강도를 유지하기에 좋다.

– 「천년을 가는 한지의 비밀」, 김형자 –

22. 이와 같은 글의 특성으로 적절하지 않은 것은?

① 정보를 전달하기 위한 글이다.
② 객관적인 사실을 바탕으로 한다.
③ 주로 '처음-중간-끝'의 구조를 취한다.
④ 문제를 제기하고 해결 방안을 강구하는 글이다.

23. ㉠에 쓰인 설명 방법은?

① 정의　② 예시　③ 비유　④ 분류

24. ⓐ~ⓓ 중 의미가 다른 하나는?

① ⓐ　② ⓑ　③ ⓒ　④ ⓓ

25. ㉡에 대한 설명으로 알맞지 않은 것은?

① 닥나무 껍질에 수분이 적당하여 벗기기가 쉽기 때문에
② 섬유가 여리고 부드러워 종이를 뜨기 알맞기 때문에
③ 병충해에 강한 종이를 만들 수 있는 시기이기 때문에
④ 종이가 산성을 띠기 때문에 쉽게 변질되지 않아서

예상문제 04

1. 다음에서 설명하는 음운의 변동 현상이 나타나는 단어로 적절한 것은?

> 두 음운이 만나면서 한 음운이 아예 사라져 소리 나지 않는 현상을 '음운의 탈락' 이라고 한다.

① 색연필 ② 소나무 ③ 말소리 ④ 나뭇잎

2. 다음 단어들의 공통점으로 적절한 것은?

> 뛰다, 잡다, 던지다, 흔들다

① 사람이나 사물의 이름을 나타낸다.
② 사물의 수량이나 순서를 나타낸다.
③ 사람이나 사물의 움직임을 나타낸다.
④ 사람이나 사물의 상태나 성질을 나타낸다.

3. 다음 설명을 참고할 때, 밑줄 친 부분 중 주성분이 아닌 것은?

> 문장을 이루는 데 꼭 필요한 주어, 서술어, 목적어, 보어를 '주성분' 이라고 한다.

① 강아지는 집에서 논다.
② 우리는 점심을 먹는다.
③ 친구가 소방관이 되었다.
④ 마당에 예쁜 꽃이 많이 피었다.

4. 높임법을 고려할 때, ㉠에 들어갈 적절한 말은?

> 민수 : 누나, 할머니가 오래.
> 누나 : 민수야, 그럴 땐 '㉠__________' 라고 하는 거야.

① 누나, 할머니가 오시래.
② 누나, 할머니께서 오시래.
③ 누나, 할머니가 오라고 하셔.
④ 누나, 할머니께서 오라고 하셔.

5. 다음 설명에 해당하는 문장은?

주어와 서술어의 관계가 한 번만 나타나는 문장

① 비가 오고 바람이 분다.
② 우리는 비가 오기를 빌었다.
③ 나는 닭백숙을 매우 좋아한다.
④ 눈이 내려서 도로가 미끄럽다.

※ [6-7] 다음 글을 읽고 물음에 답하시오.

구분	세부 내용
조사 목적	중학생의 여가 활동 실태를 알아보기 위하여
㉠	우리 학교 2학년 학생 300명
조사 기간	2017년 8월 1일 ~ 8월 30일
조사 방법	㉡
역할 분담	설문 조사 : 김아영, 서지영 면담 자료 정리 : 이서진 조사 내용 정리 : 한주민 보고서 작성 : 전체 모둠원

6. ㉠에 들어갈 내용으로 가장 적절한 것은?

① 조사 내용
② 조사 과정
③ 조사 대상
④ 조사 동기

7. '역할 분담'의 내용을 고려할 때 ㉡에 들어갈 내용으로 가장 적절한 것은?

① 토의 및 발표
② 관찰 및 토론
③ 실험 및 협의
④ 면담 및 설문 조사

예상문제 04

8. 밑줄 친 부분 중, 거센 소리가 쓰인 것은?

① 나는 바닥을 솔로 빡빡 문질렀다.
② 깜깜한 밤하늘에 무수한 별들이 반짝였다.
③ 탄탄하지 못한 출입문이 삐걱대며 흔들렸다.
④ 그는 비탈길을 종종 걸음으로 내려가고 있었다.

9. 다음 설명에 해당하는 단어는?

> '밤나무'는 '밤+나무', '밤송이'는 '밤+송이'로 구성되었다. 이처럼 '어근+어근'으로 구성된 단어를 '합성어'라고 한다.

① 개살구 ② 봄바람 ③ 풋사랑 ④ 헛소문

※ [10-12] 다음 글을 읽고 물음에 답하시오.

> 은행나무 열매에서 구린내가 난다
> 주의해 주세요 ㉠구린내가 향기롭다
>
> 밤톨이 여물면서 밤송이가 따가워진다
> 날카롭게 찌르는 가시가 너그럽다
>
> 복어알을 먹으면 죽는다
> 복어의 독이 복어의 사랑이다
>
> 자식을 낳고 술을 끊은 친구가 있다
> 친구의 독한 마음이 아름답다
>
> – 「독은 아름답다」, 함민복 –

10. 이 시에서 말하고자 하는 바로 가장 알맞은 것은?

① 살기 위해서는 반드시 독이 필요하다.
② 자식을 향한 부모의 사랑은 위대하고 가치가 있다.
③ 모든 사물은 양면성을 가지고 있다.
④ 항상 사물을 새로운 관점에서 보아야한다.

11. 이 시의 시구 중, 모순된 표현이 사용되지 <u>않은</u> 것은?

① 구린내가 향기롭다
② 밤송이가 따가워진다
③ 복어의 독이 복어의 사랑이다
④ 친구의 독한 마음이 아름답다

12. 밑줄 친 ㉠에 나타난 심상과 같은 것은?

① 밤송이가 따가워진다
② 붉은 파밭에 푸른 새싹
③ 시린 귀뚜라미 울음소리
④ 매화향기 홀로 아득하니

※ [13–17] 다음 글을 읽고 물음에 답하시오.

> ㉠<u>새침하게 흐린 품이 눈이 올 듯하더니, 눈은 아니 오고 얼다가 만 비가 추적추적 내리었다</u>.
>
> 이날이야말로 동소문 안에서 인력거꾼 노릇을 하는 김 첨지에게는 오래간만에도 닥친 운수 좋은 날이었다. 문안에(거기도 문밖은 아니지만) 들어간답시는 앞집 마나님을 전찻길까지 모셔다 드린 것을 비롯하여 행여나 손님이 있을까 하고 정류장에서 어정어정하며, 내리는 사람 하나하나에게 거의 비는 듯한 눈길을 보내고 있다가, 마침내 교원인 듯한 양복쟁이를 동광 학교(東光學校)까지 태워다 주기로 되었다.
>
> 〈중략〉

01 국어

예상문제 04

그의 아내가 기침으로 쿨룩거리기는 벌써 달포가 넘었다. 조밥도 굶기를 먹다시피 하는 형편이니 물론 약 한 첩 써 본 일이 없다. 구태여 쓰려면 못 쓸 바도 아니로되, 그는 병이란 놈에게 약을 주어 보내면 재미를 붙여서 자꾸 온다는 자기의 신조에 어디까지 충실하였다. 따라서 의사에게 보인 적이 없으니 무슨 병인지는 알 수 없으나, 반듯이 누워 가지고 일어나기는 새로에 모로도 못 눕는 걸 보면 중증은 중증인 듯, 병이 이대도록 심해지기는 열흘 전에 조밥을 먹고 체한 때문이다. 그때도 김 첨지가 오래간만에 돈을 얻어서 좁쌀 한 되와 십 전짜리 나무 한 단을 사다 주었더니, 김 첨지의 말에 의하면, 그년이 천방지축(天方地軸)으로 냄비에 대고 끓였다. 마음은 급하고 불길은 달지 않아, 채 익지도 않은 것을 그년이 숟가락은 고만두고 손으로 움켜서 두 뺨에 주먹덩이 같은 혹이 불거지도록 누가 빼앗는 듯이 처박질하더니만 그날 저녁부터 가슴이 땅긴다, 배가 켕긴다 하고 눈을 홉뜨고 지랄병을 하였다. 그때, 김 첨지는 열화와 같이 성을 내며,

"에이, 조랑복은 할 수가 없어, 못 먹어 병, 먹어서 병, 어쩌란 말이야! 왜 눈을 바루 뜨지 못해!"

하고 김 첨지는 앓는 이의 뺨을 한 번 후려갈겼다. 홉뜬 눈은 조금 바루어졌건만 이슬이 맺히었다. 김 첨지의 눈시울도 뜨끈뜨끈한 듯하였다.

이 환자가 그러고도 먹는 데는 물리지 않았다. 사흘 전부터 설렁탕 국물이 마시고 싶다고 남편을 졸랐다.

"이런, 조밥도 못 먹는 년이 설렁탕은……. 또, 처먹고 지랄을 하게."라고 야단을 쳐 보았건만, 못 사 주는 마음이 시원치는 않았다.

인제 설렁탕을 사 줄 수도 있다. 앓는 어미 곁에서 배고파 보채는 개똥이(세 살먹이)에게 죽을 사 줄 수도 있다. – 팔십 전을 손에 쥔 김 첨지의 마음은 푼푼하였다.

– 「운수 좋은 날」, 현진건 –

13. 이 소설의 서술자에 대한 설명으로 가장 적절한 것은?

① 작품의 주인공으로 자신의 이야기를 하고 있다.
② 작품 안에서 주인공들을 관찰하여 이야기를 하고 있다.
③ 인물의 생각이나 심리를 모두 알고 작품 밖에서 이를 서술하고 있다.
④ 소설의 등장인물이 되어 주변에서 일어나는 일들을 관찰하고 있다.

14. 이 글의 '김 첨지'에 대한 설명으로 적절한 것은?

① 집안 형편을 보면 게으른 가장이다.
② 일하는 모습을 보면 양심이 없는 인력거꾼이다.
③ 아내를 대하는 행동과 말투를 보면 다정한 남편이다.
④ 아픈 아내를 생각하는 마음을 보면 속정이 깊은 남편이다.

15. 이 글을 통해 상상할 수 있는 장면이 아닌 것은?

① 김 첨지가 아내와 함께 설렁탕을 먹는 장면
② 김 첨지의 아내가 조밥을 손으로 퍼먹는 장면
③ 김 첨지가 성을 내며 아내의 뺨을 때리는 장면
④ 김 첨지가 손님에게서 품삯을 받고 기뻐하는 장면

16. 이 글에 나타난 비속어의 역할로 가장 적절한 것은?

① 향토적인 분위기를 드러낸다.
② 주제를 상징적으로 표현한다.
③ 아내에 대한 김 첨지의 애정을 보여 준다.
④ 하층민의 삶을 사실적으로 보여 준다.

17. ㉠에 대한 설명으로 가장 적절한 것은?

① 일제에 의한 탄압을 상징한다.
② 공포스러운 분위기를 조성한다.
③ 김 첨지 아내의 불안한 심리를 드러낸다.
④ 주인공에게 닥칠 비극적인 사건을 암시한다.

예상문제 04

※ [18-21] 다음 글을 읽고 물음에 답하시오.

(가) 내 마음 베어내어 저 ㉠달을 만들고자
㉡구만 리 먼 하늘에 번듯이 걸려 있어
㉢고운 임 계신 곳에 가 비추어나 보리라

-「내 마음 베어내어」, 정철 -

(나) 개를 여남은이나 기르되 ㉣요 개같이 얄미우랴
미운 임 오면은 꼬리를 홰홰 치며 치뛰락 내리뛰락 반겨서 내닫고 고운 임 오면은 뒷발을 버둥버둥 무르락 나락 캉캉 짖어서 도로 가게 하느냐
쉰밥이 그릇그릇 난들 너 ⓐ먹일 줄이 있으랴

-「개를 여남은이나 기르되」, 작자 미상 -

18. 이 시조에서 공통적으로 나타나는 특징은?

① 대부분의 작품이 작자 미상이다.
② 초장, 중장, 종장의 3장으로 구성되어 있다.
③ 후렴구가 존재한다.
④ 초장이나 중장이 제한 없이 길다.

19. 위의 ㉠~㉣에 대한 설명으로 알맞지 않은 것은?

① ㉠ - 임을 비유한 소재이다.
② ㉡ - 임과의 거리감을 표현한 것이다.
③ ㉢ - 사랑하는 임 혹은 임금을 의미한다.
④ ㉣ - 임에 대한 원망이 전가된 대상이다.

20. (나)의 시어 중, 〈보기〉에서 설명하고 있는 시어에 해당하지 않는 것은?

〈보기〉
· 개의 행동을 사실적이고 생동감 있게 묘사하기 위해 사용되었다.
· 얄미운 개의 행동을 해학적으로 표현하였다.

① 홰홰 ② 버둥버둥 ③ 캉캉 ④ 그릇그릇

21. 밑줄 친 ⓐ에 사용된 표현법은?

① 설의법　② 직유법　③ 의인법　④ 대구법

※ [22-25] 다음 글을 읽고 물음에 답하시오.

(가) 사람도 빛 공해의 피해를 입고 있다. 우리나라의 도시에 사는 아이들은 시골에 사는 아이들보다 안과를 자주 찾는다. 세계적으로 유명한 과학 잡지 "네이처"에서는 밤에 항상 불을 켜 놓고 자는 아이의 34퍼센트가 근시라는 조사 결과를 발표했다. 불빛 아래에서는 잠드는 데 걸리는 시간인 수면 잠복기가 길어지고 뇌파도 불안정해진다. 이 때문에 도시의 눈부신 불빛은 아이들의 깊은 잠을 방해하고 있는 것이다.

(나) 2004년 영국 런던에서 열린 '국제 아동 백혈병 학술회의'에 참가한 학자들은 야간 조명이 암을 발생시킬 수 있다고 경고했다. 야간 조명이 세포의 증식과 사멸을 조절하는 멜라토닌의 분비를 방해해서 암과 연관 있는 유전 변이를 일으킨다는 것이다. 생체 리듬 호르몬인 멜라토닌은 강력한 산화 방지 역할을 하며 노화를 억제하고 면역 기능을 강화한다. 이 ㉠멜라토닌이 부족해지니 면역 기능이 떨어지고 암에 걸릴 확률도 높아진다는 지적이다.

(다) 이와 같이 도시의 빛 공해로 인해 생물체들이 피해를 입고 있다. 생물체가 살아가려면 햇빛이 필요하듯이 어둠과 고요도 꼭 있어야한다. 어둠 속에서 편히 쉬어야 다시 생기를 얻을 수 있기 때문이다. 어둠의 시간이 있어야 박꽃이 뽀얗게 피어나고 달맞이꽃이 노란 꽃잎을 연다. 밤을 보낸 곤충은 아침에 이슬을 털고 힘차게 날아오르고, 깊은 잠을 자야 사람도 힘차게 하루를 시작한다. 꽃과 곤충, 그리고 사람의 이치가 서로 다르지 않다. 깊은 잠과 편안한 쉼은 생명의 이치인 것이다. 생명을 위해 이제 도시의 밤하늘에 어둠과 고요를 돌려주자. 인공의 불빛이 아닌 자연의 별빛을 밝히자.

(라) 빛 공해를 줄이려면 아주 작은 실천부터 시작하면 된다. 꼭 필요하지 않은 전등을 끄면 된다. 촘촘하게 켜진 가로등을 불편하지 않을 만큼만 드문드문 켜자. 가게 문을 닫은 뒤에는 네온등과 간판의 불을 끄자. 집에서도 현관이나 거실, 마당에 늘 켜 두던 등을, 필요하지 않을 때는 끄자. 불을 끄고 이젠 별빛을 켜자. 그리고 어둠 속에서 밤하늘의 별을 세어 보자.

– 「도시의 밤은 눈부시다」, 박경화 –

예상문제 04

22. 이 글을 통해 글쓴이가 궁극적으로 말하고자 하는 바는?

① 에너지 절약을 위해 조명 사용을 줄이자.
② 빛 공해가 공기나 수질 오염보다 심각하다.
③ 빛 공해를 줄이기 위해 작은 실천부터 시작하자.
④ 빛은 우리 생태계를 유지하기 위해 필수적인 요소이다.

23. 이 글에서 사람이 빛 공해로 피해를 입고 있는 사례로 제시된 것이 아닌 것은?

① 면역 기능이 떨어진다.
② 성격의 변화를 유도한다.
③ 암의 발생 확률을 높인다.
④ 아이들의 근시가 늘어난다.

24. ㉠에 대한 설명으로 적절하지 않은 것은?

① 생체의 리듬을 조절한다.
② 세포의 증식과 사멸을 조절한다.
③ 강력한 산화 방지 역할을 하며 노화를 억제한다.
④ 주로 면역 기능이 떨어졌을 때 우리 몸에서 발생한다.

25. (라)에서 주로 제시하고 있는 것은 무엇인가?

① 제기한 문제의 심각성 강조
② 제기한 문제가 일으킬 부작용
③ 제기한 문제의 근본 원인 제시
④ 제기한 문제에 대한 해결 방안

예상문제 05

1. 다음 설명을 참고할 때 단어의 분석이 바르지 <u>않은</u> 것은?

파생어에서 실질적인 뜻을 나타내는 중심 부분을 '어근'이라 하고, 어근에 붙어 그 뜻을 제한하거나 다른 뜻을 덧붙이는 부분을 '접사'라고 한다.

① 일꾼 → 일(어근) + 꾼(접사)
② 개살구 → 개(접사) + 살구(어근)
③ 장난질 → 장난(접사) + 질(어근)
④ 겁쟁이 → 겁(어근) + 쟁이(접사)

2. 밑줄 친 부분의 예로 적절한 것은?

다른 주체에 의해 주어가 어떤 행동을 당하게 되는 것을 피동이라 하고, 이를 나타내는 문장을 <u>피동문</u>이라고 한다.

① 강아지가 물을 먹었다.
② 도둑이 경찰에게 잡혔다.
③ 그 소문은 사실이 아니다.
④ 나는 숙제를 하지 못 했다.

3. 다음 단어들의 공통점으로 적절한 것은?

당신, 이것, 여기

① 대상의 움직임을 나타내는 말
② 수량이나 순서를 나타내는 말
③ 대상의 성질이나 상태를 나타내는 말
④ 사람, 사물, 장소의 이름을 대신하는 말

4. 〈보기〉의 밑줄 친 부분과 문장 성분이 같은 것은?

〈보기〉
언니가 <u>꽃다발을</u> 샀다.

① 동생이 <u>식혜를</u> 마신다.
② 소년은 <u>어른이</u> 되었다.
③ 우리는 <u>식당으로</u> 갔다.
④ 천둥치는 <u>소리가</u> 들린다.

예상문제 05

5. 다음과 관계있는 언어의 특성은?

> "누가 개를 개라고 했느냐고? 네가 그런 거야, 니콜라스. 너와 나와 이 반에 있는 아이들과 이 학교와 이 마을과 이 주와 이 나라의 모든 사람이. 우리 모두 그렇게 하자고 약속한 거야."
> －「프린들 주세요」, 앤드루 클먼츠 －

① 언어의 법칙성　② 언어의 사회성
③ 언어의 역사성　④ 언어의 창조성

6. 다음 대화에서 삼촌이 고려했어야 할 점으로 가장 적절한 것은?

> 조카 : 삼촌, 자전이 뭐예요?
> 삼촌 : 음, 자전? 천체의 자전을 말하는 거니? 자전이란 천체가 그 내부를 지나는 축을 중심으로 회전하는 것을 말한단다.
> 조카 : 삼촌 말씀이 어려워서 이해가 잘 안가요.

① 조카의 국적　② 조카의 성별
③ 조카의 가치관　④ 조카의 지식 수준

7. 다음과 같은 음운의 변동이 일어나는 단어는?

> 두 음운이 합쳐져서 하나의 음운으로 줄어 소리나는 현상을 '음운의 축약'이라고 한다.

① 굳이　② 국화　③ 따님　④ 밥물

※ [8-10] 다음 글을 읽고 물음에 답하시오.

> ⓐ봄은
> ㉠남해에서도 북녘에서도
> 오지 않는다.
>
> 너그럽고
> 빛나는

봄의 그 눈짓은,
제주에서 두만까지
우리가 디딘
㉡<u>아름다운 논밭</u>에서 움튼다.

겨울은,
바다와 대륙 밖에서
그 매운 눈보라 몰고 왔지만
이제 올
너그러운 봄은, ㉢<u>삼천리 마을</u>마다
우리들 가슴속에서
움트리라.

움터서,
㉣<u>강산</u>을 덮은 그 미움의 쇠붙이들
ⓑ<u>눈 녹이듯</u> 흐물흐물
녹여 버리겠지.

– 「봄은」, 신동엽 –

8. 밑줄 친 ⓐ의 상징적 의미는 무엇인가?

① 일제 치하로부터의 조국의 독립
② 한반도의 평화와 민족의 화합
③ 개인의 목표 실현
④ 꽃이 피는 아름다운 계절

9. ㉠~㉣ 중, 시어의 의미가 나머지와 <u>다른</u> 것은?

① ㉠　② ㉡　③ ㉢　④ ㉣

예상문제 05

10. 밑줄 친 ⓑ에 쓰인 표현법과 같은 것은?

① 가오리다, 임께서 부르시면
② 봄은 고양이로다
③ 독은 아름답다
④ 나는 찬밥처럼 방에 담겨

※ [11-15] 다음 글을 읽고 물음에 답하시오.

한 떼거리의 피란민들이 머물다 떠난 자리에 소녀는 마치 처치하기 곤란한 ⓐ<u>짐짝</u>처럼 되똑하니 남겨져 있었다. 정갈한 청소부가 어쩌다가 실수로 흘린 ⓑ<u>쓰레기</u> 같기도 했다. 하얀 수염에 붉은 털옷을 입고 주로 굴뚝으로 드나든다는 서양의 어느 뚱뚱보 할아버지가 간밤에 ⓒ<u>도둑</u>처럼 살그머니 남기고 간 ⓓ<u>선물</u> 같기도 했다.

어느 마을이나 다 사정이 비슷했지만 특히 우리 마을로 유난히 피란민들이 많이 몰리는 것은 만경강 다리 때문이었다. 북쪽에서 다리를 건너 남쪽으로 내려오다 보면 자연 우리 마을을 통과하도록 되어 있었다. 우리가 알기로는 세상에서 가장 긴 그 다리가 폭격에 의해 아깝게 끊어진 뒤에도 피란민들은 거룻배를 이용하여 계속 내려왔다. 인민군한테 당할 때까지 피란민들의 발길은 그치지 않고 있었다.

어른들은 피란민을 별로 달가워하지 않았다. 난생 처음 들어보는 별의별 이상한 사투리를 쓰는 그들이 사랑방이나 헛간이나 혹은 마을 정자에서 묵다 떠나고 나면 으레 집안에서 없어지는 물건이 생긴다는 것이었다. 굶주린 어린애를 앞세워 식량을 애원하는 그들 때문에 뒤주 속에 쌀바가지를 넣었다 꺼내는 ㉠<u>어머니의 인심이 날로 얄팍해져갔다</u>.

〈중략〉

그날도 나는 명선이와 함께 부서진 다리에 가서 놀고 있었다. 예의 그 위험천만한 곡예장난을 명선이는 한창 즐기는 중이었다. 콘크리트 부위를 벗어나 그 애가 앙상한 철근을 타고 거미처럼 지옥의 가장귀를 향해 조마조마하게 건너갈 때였다. 이때 우리들 머리 위의 하늘을 두 쪽으로 가르는 굉장한 폭음이 귀뺨을 갈기는 기세로 갑자기 울렸다. 푸른 하늘 바탕을 질러 하얗게 호주기 편대가 떠가고 있었다. 비행기의 폭음에 가려 나는 철근 사이에서 울리는 비명을 거의 듣지 못하였다. 다른 것은 도무지 무서워할 줄 모르면서도 유독 비행기만은 병적으로 겁을 내는 서울 아이한테 얼핏 생각이 미쳐 눈길을 하늘에서 허리가 동강이 난 다리로 끌어냈을 때 내가 본 것은 강심을 겨냥하고 빠른 속도로 멀어져가는 한 송이 ㉡<u>쥐바라숭꽃</u>이었다.

－「기억속의 들꽃」, 윤흥길 －

11. 이와 같은 글에 대한 설명으로 알맞은 것은?

① 작가의 체험을 바탕으로 쓴 사실적인 글이다.
② 무대 공연을 목적으로 쓴 대본이다.
③ 현실을 바탕으로 작가의 상상력이 가미된 글이다.
④ 독자에게 필요한 정보를 전달하는 글이다.

12. ⓐ~ⓓ 중 가리키는 대상이 <u>다른</u> 하나는?

① ⓐ ② ⓑ ③ ⓒ ④ ⓓ

13. 다음 중 시대적 배경을 짐작하게 하는 것은?

① 피란민 ② 정갈한 청소부
③ 만경강 다리 ④ 쥐바라숭꽃

14. ㉠과 같은 태도를 보인 근본적인 이유로 알맞은 것은?

① 피란민들이 떠나면 아이들이 남겨지기 때문에
② 집의 사랑방이나 마을 정자를 편하게 쓸 수 없었기 때문에
③ 사투리를 쓰는 피란민들과 의사소통이 제대로 되지 않았기 때문에
④ 전쟁 통에 당장 자신들의 생계부터 걱정해야 했기 때문에

15. ㉡에 담긴 의미로 알맞지 <u>않은</u> 것은?

① 전쟁 때문에 죽은 명선이를 의미한다.
② 전쟁 중에도 꿋꿋이 살아가는 명선이의 강인한 생명력을 의미한다.
③ 전쟁 중에 명선이에게 베푼 어른들의 따뜻한 마음을 느낄 수 있다.
④ 바람을 타고 날아온 꽃씨처럼 피란민을 따라 흘러온 명선이를 상징한다.

예상문제 05

※ [16-19] 다음 글을 읽고 물음에 답하시오.

그들은 강태국의 뒤에서, 밑에서, 앞에서 숨어서 마치 임무를 수행하는 첩보원들처럼 검은 복색 일색으로 우스꽝스럽게 꾸며 입고 세탁소에 잠입하여 서로가 모르려니 제 생각만 하고 옷들을 뒤지기 시작한다. 서로의 소리에 놀라면 야옹거리고, 서로의 그림자에 놀라면 찍찍 거려 숨으며, 서로 스쳐 지나가면서도 돈에 눈이 가리어 알아보지 못한다. 어둠속에 벌레처럼 꿈틀거리는 욕망의 불빛들. 작은 전등을 입에 물고, 머리에 달고, 손에 들고 옷과 옷 사이를 아슬아슬하게 누비는 불빛들. 전등 불빛에 드러나는 옷들이 마치 귀신 형상처럼 보인다. 불빛에 춤을 추는 옷들, 이리 저리 집어 던져져 날아다니는 옷들. 도깨비 옷 파티 염소팔이 던진 옷에 백열등이 크게 흔들린다. ㉠<u>놀란 사람들 제풀에 얼른 옷 사이로 숨는다</u>. 강태국이 백열등을 고정하며 주위를 둘러본다.

강태국 : 뭐여? 왜이래? 누구 있어?

염소팔 : 야옹.

강태국 : 가라, 가 (솔로 옷을 턴다.) 우리 마누라 알뜰해서 너 먹을 거 없다. (고개를 갸웃거리며 입에 대고 맛을 본다.) 어디 보자. 이게 뭐냐? 떫은 맛이 나는 것도 같고, 어디 보자. (상자 속에서 옛날 아버지 잡기장을 꺼내 읽어 본다.) 아버지, 미안해요. (다시 상자를 뒤지며 세탁대 밑에서 소주병을 꺼내며 먼지를 닦아 한 모금 마신다.) 세상이 어떤 세상인데 세탁소를 하나? (또 한 모금 마신다.) 인간 강태국이가 세탁소 좀 하면서 살겠다는데 그게 그렇게도 이 세상에 맞지 않는 짓인가? 이 때 많은 세상 한 귀퉁이 때 좀 빼면서, 그거 하나 지키면서 보람 있게 살아 보겠다는데 왜 흔들어? 돈이 뭐야? 돈이 세상의 전부야? 느이놈들이 다 몰라줘도 나 세탁소 한다. 그게 내 일이거든…….

– 「오아시스 세탁소 습격 사건」, 김정숙 –

16. 이와 같은 글에 대한 설명으로 알맞지 <u>않은</u> 것은?

① 장면(S#) 단위로 구분한다.
② 현재화된 인생표현의 글이다.
③ 대사와 지시문 위주로 구성되었다.
④ 시간과 공간의 제약이 있다.

17. 이 글을 연극으로 공연할 때, 연출자가 지시할 내용으로 적절하지 <u>않은</u> 것은?

① '강태국'을 제외한 나머지 사람들의 의상을 모두 화려한 색으로 준비해 주세요.
② 사람들이 세탁소에 숨어 있을 때는 서로의 모습이 보이지 않는 것처럼 연기해 주세요.
③ 사람들이 세탁소에 잠입하는 부분에서는 빠르고 긴장감이 느껴지는 음악을 틀어 주세요.
④ '강태국'이 독백을 하는 부분에서는 소주병을 소품으로 준비해 주세요.

18. 이 극에 드러난 '강태국'의 면모로 적절하지 <u>않은</u> 것은?

① 자기가 하는 일에 자부심을 지니고 있다.
② 새로운 도전을 두려워하며 현실에 안주하려고 한다.
③ 돈만 좇는 부조리한 세태 속에서도 순수하게 신념을 지키려 하고 있다.
④ 부조리한 세상에 바른 가치를 지키며 사는 일의 어려움을 호소하고 있다.

19. ㉠에 관련된 속담으로 가장 적절한 것은?

① 도둑이 제 발 저리다.
② 바늘 도둑이 소도둑 된다.
③ 닭 쫓던 개 지붕 쳐다본다.
④ 소 잃고 외양간 고친다.

※ [20-23] 다음 글을 읽고 물음에 답하시오.

(가) 중국 신장의 요구르트, 스페인 랑하론의 하몬, 우리나라 구례 양동 마을의 된장, 이 음식들의 공통점은 무엇일까? 이것들은 모두 발효 식품으로, 세계의 장수 마을을 다룬 어느 방송에서 각 마을의 장수 비결로 꼽은 음식들이다.

예상문제 05

발효 식품은 건강식품으로 널리 알려져 있다. 또한 다양한 발효 식품이 특유의 맛과 향으로 사람들의 입맛을 사로잡고 있다. 앞에서 소개한 요구르트, 하몬, 된장을 비롯하여 달콤하고 고소한 향으로 우리를 유혹하는 빵, 빵과 환상의 궁합을 자랑하는 치즈 등을 그 예로 들 수 있다. 이렇게 몸에도 좋고 맛도 좋은 식품을 만들어 내는 발효란 무엇일까? 그리고 발효 식품은 왜 건강에 좋을까? 먼저 발효의 개념을 알아보고, 우리나라의 전통 발효 식품을 중심으로 발효 식품의 우수성을 자세히 알아보자.

(나) 발효란 곰팡이나 효모와 같은 미생물이 탄수화물, 단백질 등을 분해하는 과정을 말한다. 미생물이 유기물에 작용하여 물질의 성질을 바꾸어 놓는다는 점에서 발효는 부패와 비슷하다. 하지만 발효는 우리에게 유용한 물질을 만드는 반면에, 부패는 우리에게 해로운 물질을 만들어 낸다는 점에서 차이가 있다. 그래서 발효된 물질은 사람이 안전하게 먹을 수 있지만, 부패한 물질은 식중독을 일으킬 수 있어서 함부로 먹을 수 없다.

(다) 그렇다면, 발효를 거쳐 만들어지는 전통 음식에는 무엇이 있을까? 가장 대표적인 전통 음식으로 김치를 꼽을 수 있다. 김치는 채소를 오래동안 저장해 놓고 먹기 위해 조상들이 생각해 낸 음식이다. 김치는 우리가 채소의 영양분을 계절에 상관없이 섭취할 수 있도록 해 주고, 발효 과정에서 좋은 성분으로 우리의 건강을 지키는 데도 도움을 준다.

(라) 김치 발효의 주역은 젖산균이다. 채소를 묽은 농도의 소금에 절이면 효소 작용이 일어나면서 당분과 아미노산이 생기고, 이를 먹이로 삼아 여러 미생물이 성장하면서 발효가 시작된다. 이때 김치 발효에 가장 중요한 역할을 하는 젖산균도 함께 성장하고 증식한다. 젖산균은 포도당을 분해하면서 젖산을 만들어 낸다. 젖산은 약한 산성 물질이어서 유해균이 증식하는 것을 억제하고, 김치가 잘 썩지 않게 한다. 그 덕분에 우리는 김치를 오래 두고 먹을 수 있다.

우리 김치가 우수한 것은 바로 이 젖산균과 젖산 때문이다. 젖산균과 젖산은 우리 몸 안에서 소화를 촉진하고 노폐물이 잘 배설될 수 있도록 돕는다. 또한 유해균이 번식하거나 발암 물질이 생성되는 것을 억제하기도 한다. 그래서 젖산균과 젖산이 풍부한 김치는 변비 및 대장암, 당뇨병 등을 예방하는 데에 효과적이다.

– 「지혜가 담긴 음식, 발효 식품」, 진소영 –

20. 이 글에서 설명하고 있는 내용이 <u>아닌</u> 것은?

① 발효의 개념
② 김치의 우수성
③ 발효와 부패의 차이점
④ 맛있는 김치를 담그는 전통 방식

21. 이 글의 구조를 고려할 때, (가)에 대한 설명으로 알맞지 <u>않은</u> 것은?

① 설명 대상을 밝히는 역할을 한다.
② 앞으로 전개될 내용을 소개하고 있다.
③ 질문을 통해 화제에 집중하도록 하고 있다.
④ 구체적으로 식품의 발효 과정을 설명하고 있다.

22. 다음 중 (나)에 쓰인 설명 방법으로 바르게 묶은 것은?

㉠ 구체적인 예를 들어 설명하는 방법 ㉡ 대상을 그 구성 요소로 나누어 설명하는 방법 ㉢ 대상의 개념, 뜻을 밝히며 설명하는 방법 ㉣ 둘 이상의 대상을 견주어 서로 간의 공통점 또는 차이점을 밝혀 설명하는 방법

① ㉠, ㉡　　② ㉠, ㉢　　③ ㉡, ㉢　　④ ㉢, ㉣

23. 김치에 대한 설명으로 <u>잘못된</u> 것은?

① 젖산은 김치가 잘 썩지 않게 하는 성분이다.
② 김치는 발효를 거쳐 만들어지는 전통 음식이다.
③ 김치의 발효 과정에서 증식하는 젖산균은 유해균이다.
④ 김치는 크고 작은 질병을 예방하는 데에 효과적이다.

예상문제 05

※ [24-25] 다음 글을 읽고 물음에 답하시오.

(가) 최근 밥상머리 교육이 주목받고 있다. 자녀의 인성과 학업에 유익하다는 이유 때문이다. 어른과 함께 식사하는 밥상머리에는 삶의 지혜가 풍성했다. 밥상머리에서는 올바른 식습관과 인성 함양이 저절로 이루어졌다. 그러나 밥상머리 교육을 강조하면서도 가장 기본적인 젓가락질 교육을 놓치고 있는 듯하다.

밥상머리 교육의 출발은 젓가락질 가르치기였다. 젓가락질을 못하면 못 배웠다는 흉을 들을 정도로 엄격히 가르쳤다. 그러므로 젓가락질하는 것만 보아도 밥상머리 교육을 제대로 받았는지 판단할 수 있었다. 그런데 요즘 어린이들은 어떤가. 서투른 젓가락질 때문에 후루룩거리며, 흘리며 먹는 경우가 많다. 기업들이 이런 사정을 눈치 채고 젓가락질 어려워하는 어린이들을 겨냥한 기능성 젓가락을 개발했다. 기능성 젓가락은 젓가락을 변형하여 젓가락질을 쉽게 하도록 만든 것이다. 하지만 이러한 기능성 젓가락은 편리함만 추구하고, 젓가락의 숨겨진 힘은 깨닫지 못한 장난처럼 보인다.

원래 젓가락은 막대기 두 개면 충분했다. 젓가락질 동작은 겉보기에는 단순하지만, 계속되는 뇌의 자극 과정이다. 젓가락질의 미세한 움직임은 유아기 및 어린이들의 성장 발육에도 아주 유익하다. 젓가락질을 바르게 하려면 손가락 각각의 관절과 근육의 정확성과 섬세함이 요구된다.

정교한 젓가락질 덕분에 우리나라는 손을 위주로 하는 운동 경기에서 세계 최고다. 양궁, 핸드볼, 골프, 야구 등의 경기력이 이를 입증한다. 국제 기능 올림픽 대회 우승, 한 치의 오차도 없는 용접 기술이 이루어 낸 세계적 수준의 조선 기술 역시 젓가락질에 뿌리를 두고 있다.

– 「젓가락으로 시작하는 밥상머리 교육」, 윤상원 –

(나) 식사할 때마다 젓가락질 때문에 어른들에게 한 소리씩 듣는다는 친구는 하소연합니다. 젓가락질을 못 배워도 밥만 잘 먹는다고. 그러고 보면 생각해 볼 만한 문제입니다. 정석에 가까운 젓가락질을 해야만 밥을 잘 먹을까? 표준 젓가락질을 따르지 않으면 식사 예절에 어긋나는 것일까?

국제표준화기구에도 등록되지 않은 젓가락 사용법을 가지고 '누가 젓가락질을 잘하네, 못하네' 따지는 도도한 움직임이 언제 비롯됐는지는 따져 볼 만합니다. 한국인의 젓가락 숟가락 문화를 20년 가까이 연구한 주영하 한국학중앙연구원 민속학 교수는 "얼마나 젓가락질을 잘하는지 따지는 것은 일본에서 들어온 풍속"이라고 설명합니다.

원래 한국 문화에서는 숟가락이 더 중요했다는 것입니다. 밥과 국만으로 연명한 조선 민중에게 젓가락은 호사스러운 물건이었습니다. 잘게 썬 밑반찬을 푸짐하게 차려 먹던 양반님네나 소장하는 희귀품이었던 것이지요. 실제 옛 풍속화를 보면 민초들이 숟가락을 들고 밥 먹는 풍경을 볼 수 있습니다. 젓가락은 양반가의 남자가 아니면 가진 경우가 드물었고 양반 여성들도 숟가락으로만 밥을 먹었습니다.

젓가락질을 잘 못하신다고요? 그래서 "젓가락질 못 배웠냐?"라고 구박을 받으신다고요? 그럴 때에는 당당히 이야기하세요. "한국인의 얼은 숟가락에 담습니다."라고

－「젓가락질 잘해야만 밥 잘 먹나요」, 엄지원 －

24. (가) 글에서 글쓴이의 관점을 뒷받침하는 근거에 해당하지 <u>않는</u> 것은?

① 젓가락질은 어린이의 성장과 발육에 유리하다.
② 밥상머리 교육의 출발점은 젓가락질 가르치기이다.
③ 정교한 젓가락질은 손을 쓰는 운동 경기에 도움을 준다.
④ 기능성 젓가락은 어린이들의 젓가락질 수준을 향상시킨다.

25. (나) 글에서 젓가락질에 대한 글쓴이의 관점으로 가장 적절한 것은?

① 젓가락질을 잘 못해도 괜찮다.
② 젓가락질을 할 때 삼국의 공통 표준이 마련되어 있다.
③ 젓가락질에는 한국인의 얼이 담겨 있다.
④ 올바른 젓가락질을 가르쳐야 한다.

중학교 졸업자격 검정고시

적중! 모/의/고/사 예상문제

국어

정답 및 해설

1회 예상문제 · 국어

1. ④	2. ③	3. ②	4. ②	5. ②
6. ②	7. ③	8. ①	9. ④	10. ②
11. ③	12. ①	13. ②	14. ②	15. ②
16. ④	17. ②	18. ①	19. ①	20. ③
21. ①	22. ②	23. ③	24. ①	25. ②

2. ① 동사 ② 수사 ④ 형용사

3. ② '봄이 오다' 와 '날씨가 따뜻하다'

4. 관용적 표현 : 둘 이상의 어휘로 구성되었으며 본래의 의미에서 멀어져 관습적으로 써 온 말

5. 문장의 주성분 : 주어, 목적어, 보어, 서술어
① 목적어 ② 부사어 ③ 주어 ④ 보어

6. ①, ③, ④ – 자음동화 ② – 음운의 축약

7. 피동문 : 주어가 다른 힘에 의해 어떤 일을 당하는 문장

8. ① 긍정문이므로 '절대로' 가 아닌 '반드시' 를 써야 함

9. 이 시는 일정한 음보가 쓰이지 않았다.

11. ① 직유법 ② 의인법 ③ 은유법 ④ 반어법

12. '사랑손님과 어머니' 는 서술자인 옥희가 작품 안에서 관찰자의 역할을 하고 있다.

13. '아버지 사진' 은 돌아가신 남편에 대해 옥희 어머니의 그리움을 유발시키는 매개체이며, '삶은 달걀' 은 사랑 아저씨에 대한 어머니의 관심을 드러낸다.

14. 아저씨는 옥희 어머니에게 호감을 가지고 있는 자신의 마음을 들킨 것 같아 당황하고 있다.

17. 신분을 사고 판 것으로 보아 신분제도가 있다.

19. 양반이 스스로를 낮추므로 사정을 모르는 군수가 당황한 것이다.

20. 이 글은 시나리오이다. 막과 장은 희곡에서 쓰인다.

23. 이 글은 설명문이다. ③은 논설문을 읽는 방법이다.

24. 칠교의 종류는 구분하지 않았다.

25. 칠교놀이는 성인들과 어린이들이 공동으로 즐기는 놀이이다.

2회 예상문제 · 국어

1. ④	2. ②	3. ④	4. ②	5. ②
6. ④	7. ①	8. ③	9. ③	10. ①
11. ①	12. ③	13. ④	14. ①	15. ④
16. ①	17. ④	18. ①	19. ②	20. ②
21. ④	22. ④	23. ③	24. ①	25. ①

1. ④ 속담 : 고생 끝에 낙이 온다.

2. 피동 표현 : 주어가 어떤 동작을 당함

3. 〈보기〉에서 설명하는 단어는 동사와 형용사이다.

4. ② 언어의 자의성 : 언어의 대상과 기호 사이에는 아무런 필연적 관계가 없이 자의대로 결합한 것이다.

5. ① 비록 그는 어릴지라도 생각은 깊다.
③ 새로 산 옷이 매우 예쁘구나.
④ 과학과 기술은 서로 다른 거야.

6. ① 목 빠지게 기다리다
② 발이 묶이다
③ 발 뻗고 자다

7. ① 국민 [궁민] – 자음동화
② 해돋이 [해도지] – 구개음화
③ 바느질 – 바늘의 'ㄹ' 탈락

8. ③ 밥을 – 목적어

9. 문제 상황은 책을 찾는 방법이 안내되어 있지 않아서 불편하다는 것인데 해결 방안은 책을 읽을 수 있는 공간을 마련해 달라고 요구하고 있어서 해결방안이 적절하지 않다.

10. 화자에게 어린 시절은 슬픈 기억이다. 그리움의 정서는 나타나지 않는다.

11. ① 청각적 심상
② 촉각적 심상, 후각적 심상
③ 후각적 심상
④ 시각적 심상

13. 수남이는 도둑질을 하면서 쾌감을 느낀 자신의 행동으로 인해 내적갈등이 심화된다.

16. 이 글은 시나리오이다. 시 · 공간의 제약이 거의 없다.

18. 경숙은 정욱에게 초원이를 지도해 달라고 간절하게 부탁한다.

19. 경숙이 정욱이가 지도해주면 3시간 이내 완주도 가능하다고 하자 정욱은 그것은 전직 마라톤 선수도 힘든 일이라고 하는 것이다.

20. 이 글은 정보를 전달하는 설명문이다.

21. ④ 펙틴은 인체에 해로운 물질을 몸 밖으로 배출시킨다.

22. ㉠을 기준으로 앞에서는 식물성 섬유의 효능이 밝혀지지 않아서 식물의 찌꺼기 정도로 여겼는데 ㉠ 다음에 식물성 섬유의 효능이 속속 밝혀지기 시작했다고 했으므로 역접의 접속어인 '하지만' 이 적절하다.

23. 창제된 28자 중 24자만 현재 남아있다.

24. 로마자와 한글의 차이점이므로 대조이다.

25. 한글은 배우기가 쉽고 컴퓨터나 휴대전화 문자 쓰기에도 적합하다.

3회 예상문제 · 국어

1. ①	2. ④	3. ②	4. ③	5. ②
6. ④	7. ②	8. ④	9. ①	10. ④
11. ③	12. ③	13. ②	14. ④	15. ①
16. ④	17. ④	18. ②	19. ④	20. ③
21. ③	22. ④	23. ①	24. ②	25. ④

1. 명사 : 사람이나 사물의 이름
대명사 : 사람이나 사물, 장소의 이름을 대신함
수사 : 수량이나 순서를 나타냄

2. 서술어 : 주어의 상태나 행위를 나타내는 말

3. ① 국민 [궁민] – 자음동화
② 해돋이 [해도지] – 구개음화
③ 바느질 – 음운의 탈락

4. ① 햇나물 – 접사 + 어근
② 개살구 – 접사 + 어근
③ 밤나무 – 어근 + 어근
④ 잠꾸러기 – 어근 + 접사

5. 언어의 역사성 – 언어는 시간의 흐름에 따라 변한다.

6. ④ '나는 동생과 함께 누나를 찾아다녔다' 또는 '나 혼자서 동생과 누나를 찾아다녔다' 두 가지 의미로 해석할 수 있다.

7. 어절 – 띄어쓰기 단위와 일치

8. ① 논설문, ② 설명문, ③ 소설, ④ 시

9. 수미상관 – 시의 처음과 끝이 같은 구성

10. ① 직유법, ② 은유법, ③ 풍유법, ④ 의인법

11. ① 시각적 심상, ② 청각적 심상, ③ 촉각적 심상, ④ 후각적 심상

12. ③ '오늘 – 나흘 전 – 오늘' 의 역순행적 구성이다.

16. 희곡은 연극의 대본으로 시간과 공간의 제약을 받는다.

18. ㉠은 인물의 표정이나 동작을 나타낸 지시문이다.

19. ④ 소설의 특징

20. 친구들을 숨겨 준 것이 아니라 친구들이 숨는 곳을 알려 주기도 했다.

22. 이 글은 설명문이다. 설명문은 정보를 전달하는 객관적인 글이며 3단 구성을 한다.

23. 정의 – 단어의 개념이나 뜻을 풀이하는 설명 방법이다.

25. 종이가 산성을 띠면 쉽게 변질되는 데 한지는 중성 종이이다.

4회 예상문제 · 국어

1. ②	2. ③	3. ④	4. ④	5. ③
6. ③	7. ④	8. ③	9. ②	10. ②
11. ②	12. ④	13. ③	14. ④	15. ①
16. ④	17. ④	18. ②	19. ①	20. ④
21. ①	22. ③	23. ②	24. ④	25. ④

1. '솔 + 나무'의 합성어로 'ㄹ'이 탈락되어 소나무이다.

2. ① 명사, ② 수사, ③ 동사, ④ 형용사

3. ① 강아지는 – 주어, ② 점심을 – 목적어, ③ 소방관이 – 보어, ④ 많이 – 부사어

5. ① 비가 온다. 바람이 분다
② 우리는 빌었다. 비가 온다.
③ 나는 닭백숙을 좋아한다.
④ 눈이 내린다. 도로가 미끄럽다.

8. ① '빡빡'의 'ㅃ'은 된소리이다.
② '깜깜'의 'ㄲ'은 된소리이다.
③ '탄탄'의 'ㅌ'은 거센소리이다.
④ '종종'의 'ㅈ'은 예사소리이다.

9. ① 개 + 살구 – 접사 + 어근, ② 봄 + 바람 – 어근 + 어근, ③ 풋 + 사랑 – 접사 + 어근, ④ 헛 + 소문 – 접사 + 어근

11. 표면적으로 의미가 모순되는 표현은 역설법이다.

12. ① 촉각적 심상, ② 시각적 심상, ③ 공감각적 심상, ④ 후각적 심상

13. 이 소설은 전지적 작가 시점이다. 작품 밖 서술자가 인물의 내면심리까지 서술하고 있다.

15. 김 첨지가 설렁탕을 사서 집에 들어갔을 때는 이미 아내가 죽은 후이다.

17. 겨울비는 소설의 분위기를 어둡게 하며 비극적인 사건을 암시한다.

18. (가) 3장 6구의 평시조
(나) 평시조보다 중장이 2구 이상 길어진 사설시조

19. ㉠은 임을 향한 화자의 마음을 비유한 소재이다.

21. 설의법 – 먹일 리가 있겠느냐는 의문형의 문장 표현

24. 멜라토닌은 면역 기능을 강화한다. 멜라토닌이 부족하면 면역 기능이 떨어진다.

25. (라)는 글의 결론에 해당하며 문제에 대한 해결 방안을 제시한다.

5회 예상문제 · 국어

1. ③	2. ②	3. ④	4. ①	5. ②
6. ④	7. ②	8. ②	9. ①	10. ④
11. ③	12. ③	13. ①	14. ④	15. ③
16. ①	17. ①	18. ②	19. ①	20. ④
21. ④	22. ④	23. ③	24. ④	25. ①

1. 장난질 - 장난(어근) + 질(접사)

3. ① 동사, ② 수사, ③ 형용사, ④ 대명사

4. ① 식혜를 - 목적어, ② 어른이 - 보어, ③ 식당으로 - 부사어, ④ 소리가 - 주어

5. 언어의 사회성 - 언어는 그 사회 구성원이 다함께 쓰는 약속된 기호이다.

7. ① 굳이 [구지] - 구개음화
② 국화 [구콰] - 음운의 축약
③ 따님 - 음운의 탈락
④ 밥물 [밤물] - 자음동화

8. 봄은 남과 북의 통일을 상징한다.

9. ㉠은 한반도를 둘러싼 외부 세력을 의미한다. ㉡, ㉢, ㉣은 한반도를 의미한다.

10. ① 도치법, ② 은유법, ③ 역설법, ④ 직유법

11. ① 수필, ② 희곡, ③ 소설, ④ 설명문

12. ⓐ, ⓑ, ⓓ는 홀로 남겨진 명선이를 의미한다. ⓒ는 산타클로스를 의미한다.

13. 이 소설의 시대적 배경은 6 · 25 전쟁 중이다.

16. 이 글은 연극의 대본인 희곡이다. ①은 시나리오의 특징이다.

17. 강태국을 제외한 사람들은 모두 검은 옷을 입고 있다.

21. (가)는 글의 머리말이다. 질문을 통해 독자의 호기심을 유발하며 중심 화제를 제시하고 있다.

22. (나)는 발효에 대한 정의와 발효와 부패의 공통점과 차이점을 비교 · 대조하고 있다.

23. 젖산균은 유익균이다.

24~25. (가)는 젓가락질의 가치와 젓가락질 예절을 배울 필요성을 주장하고 (나)는 젓가락질을 굳이 잘하지 않아도 상관없다는 글쓴이의 관점이 나타난다.

중학교 졸업자격 검정고시

적중! 모/의/고/사

예상문제

수학

예상문제 01

1. 24를 소인수분해하면 $2^a \times 3^b$ 이다. 이때, $a+b$의 값은?

① 1 ② 2 ③ 3 ④ 4

2. $-3+(-3)$의 값은?

① 0 ② 6 ③ -6 ④ 9

3. 일차방정식 $2x+1=x+2$의 해를 구하면?

① 1 ② 2 ③ 3 ④ 4

4. 아래 좌표평면에서 점 P의 좌표는?

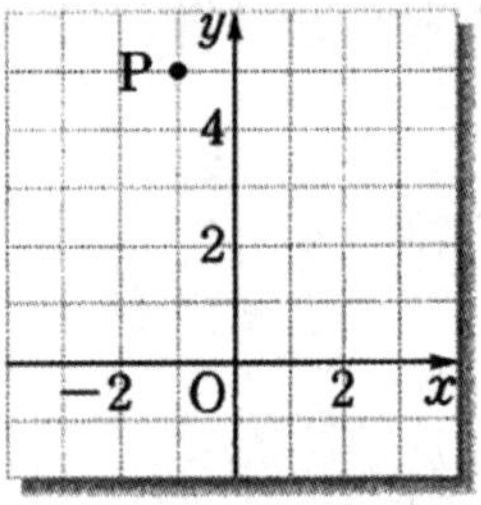

① (1, 5)
② (−1, 5)
③ (5, 1)
④ (−5, 1)

5. 학생 30명의 수학 성적에 대한 도수분포표이다. 수학 성적이 70미만인 학생 수는?

수학 성적(점)	도수(명)
50이상 ~ 60미만	2
60 ~ 70	8
70 ~ 80	10
80 ~ 90	7
90 ~ 100	3
합계	30

① 3
② 8
③ 10
④ 20

6. 다음 그림에서 $\angle x$의 크기는?

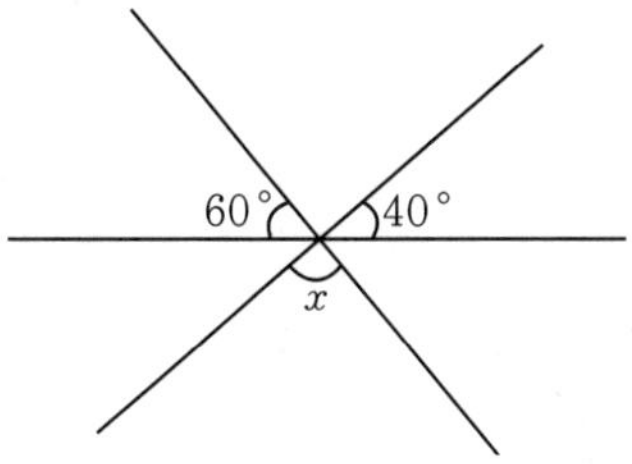

① 90°
② 80°
③ 70°
④ 60°

7. 다음 중 식을 바르게 계산한 것을 고르면?

① $a + a + a = a^3$
② $x^3 \times x^4 = x^{12}$
③ $x^8 \div x^2 = x^4$
④ $(x^3)^4 = x^{12}$

8. 연립방정식 $\begin{cases} x + y = 5 \\ x - y = 3 \end{cases}$을 풀면?

① $x = 1,\ y = 4$
② $x = 2,\ y = 3$
③ $x = 3,\ y = 2$
④ $x = 4,\ y = 1$

9. 일차부등식 $4x + 2 < 14$를 풀면?

① $x < 3$
② $x > 3$
③ $x < 4$
④ $x > 4$

10. 일차함수 $y = -x + 6$의 그래프가 다음과 같을 때, b의 값을 구하면?

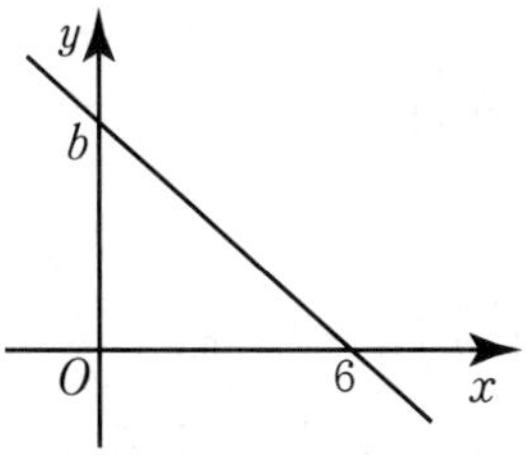

① -1
② 1
③ -6
④ 6

예상문제 01

11. 주머니 안에 1부터 8까지의 숫자가 적힌 구슬이 있다. 한 개를 골랐을 때, 짝수가 나올 확률은?

① $\frac{1}{4}$ ② $\frac{1}{3}$ ③ $\frac{3}{8}$ ④ $\frac{1}{2}$

12. 아래 그림과 같은 평행사변형에서 $x + y$의 값을 구하면?

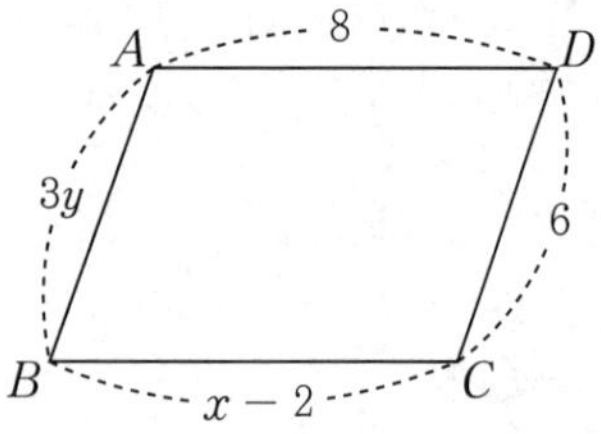

① 10
② 11
③ 12
④ 13

13. 무리수 $2\sqrt{3} = \sqrt{a}$로 표현할 수 있을 때, a의 값은?

① 8 ② 10 ③ 12 ④ 14

14. $(x + 5)^2$을 바르게 전개한 것은?

① $x^2 + 10x + 25$ ② $x^2 + 5x + 5$
③ $x^2 + 5x + 10$ ④ $x^2 + 10x + 10$

15. 이차방정식 $(x + 2)(x - 5) = 0$을 풀면?

① $x = 2$ 또는 $x = -5$ ② $x = -2$ 또는 $x = 5$
③ $x = 2$ 또는 $x = 5$ ④ $x = -2$ 또는 $x = -5$

16. 이차함수 $y = x^2$의 그래프에 대한 설명으로 옳은 것은?

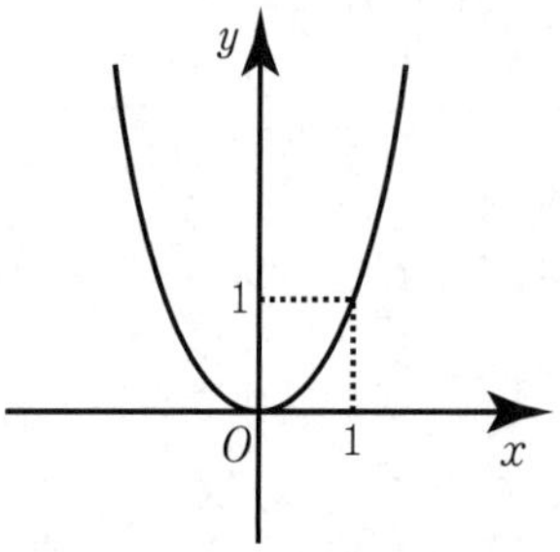

① 원점 (0, 0)을 지난다.
② 위로 볼록하다.
③ 꼭짓점의 좌표는 (1, 1)이다.
④ $y = 2x^2$의 그래프보다 폭이 좁다.

17. 다음 자료에서 중앙값을 구하면?

5, 2, 1, 0, 3

① 0 ② 1 ③ 2 ④ 3

18. $\angle C = 90°$인 직각삼각형 ABC에서 $\overline{AC} = 1cm$, $\overline{BC} = 1cm$일 때, $\overline{AB}$의 길이는?

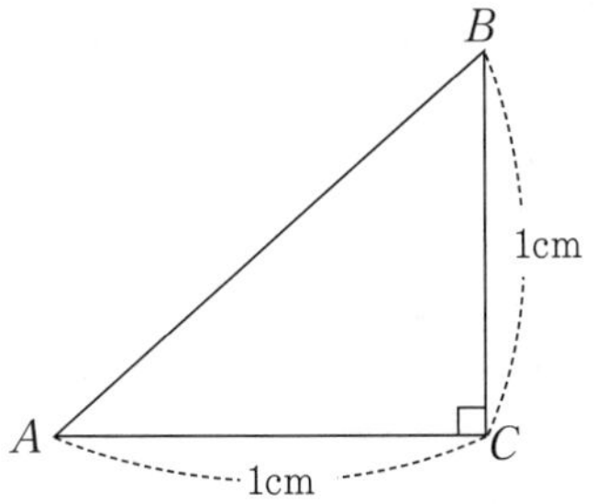

① 1cm

② $\sqrt{2}$ cm

③ 2cm

④ $2\sqrt{2}$ cm

19. $\angle C = 90°$인 직각삼각형 ABC에서 $\tan A$의 값은?

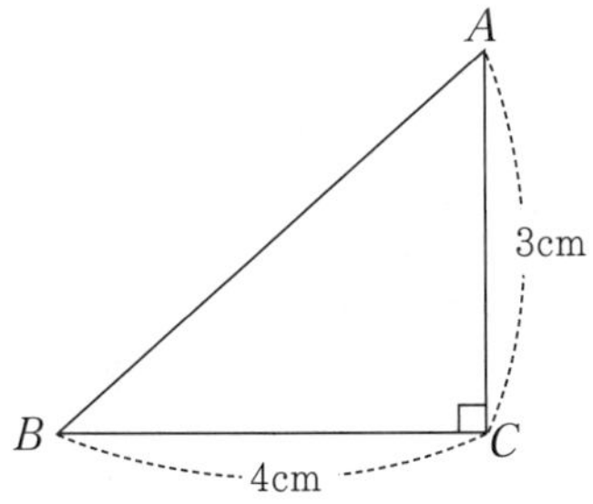

① $\frac{3}{5}$

② $\frac{4}{3}$

③ $\frac{4}{5}$

④ $\frac{3}{4}$

20. 원 O에서 x의 값은?

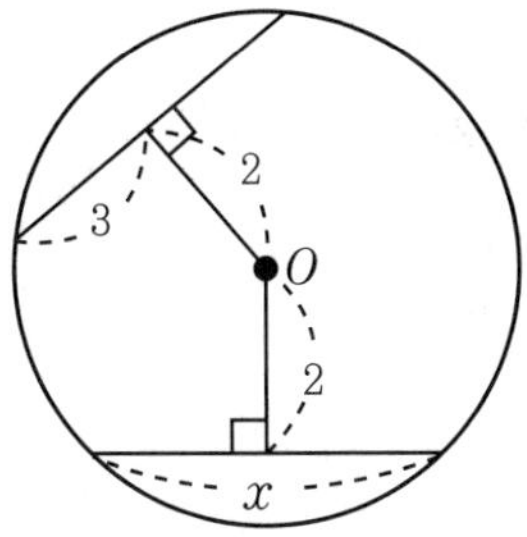

① 2

② 3

③ 5

④ 6

예상문제 02

1. 12를 소인수분해하면 $2^2 \times 3$이다. 이 때, 12의 약수가 <u>아닌</u> 것은?

① 1　　② 2×3　　③ 2^2　　④ 2×3^2

2. $(+5)+(-7)$의 값을 계산하면?

① 12　　② 2　　③ -2　　④ -12

3. 다음 문자를 사용한 식으로 알맞은 것은?

한 자루에 a원 하는 연필 5자루의 가격

① $5+a$　　② a^5　　③ $5a$　　④ 5^a

4. 일차방정식 $2x-1=-x+5$를 풀면?

① 0　　② 1　　③ 2　　④ 3

5. 다음 좌표평면의 위에 있는 점 P의 좌표는?

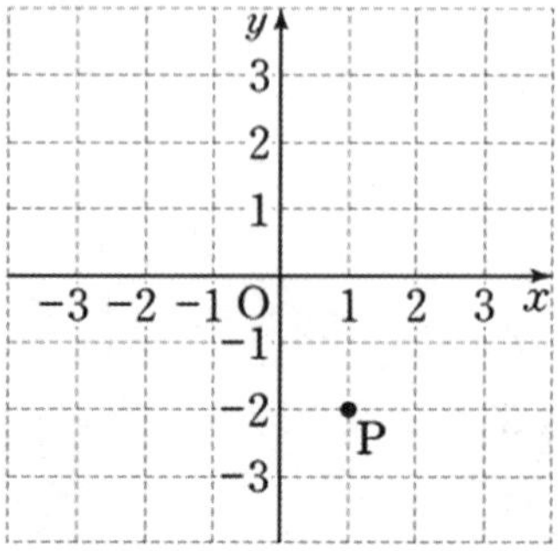

① $(1,\ -2)$
② $(-1,\ -2)$
③ $(-1,\ 2)$
④ $(1,\ 2)$

6. 다음은 어느 반 학생 13명의 봉사활동을 조사하여 줄기와 잎 그림으로 나타낸 것이다. 봉사활동 시간이 30시간 이상인 학생은 몇 명인가?

봉사활동 시간 (1/2는 12시간)

줄기	잎					
1	2	3	8			
2	0	3	3	6	7	8
3	1	2	5	6		

① 1명 ② 2명 ③ 3명 ④ 4명

7. 원 O에서 $\angle AOB = 30°$, $\overset{\frown}{AB} = 6cm$, $\overset{\frown}{CD} = 24cm$일 때, $\angle x$의 크기는?

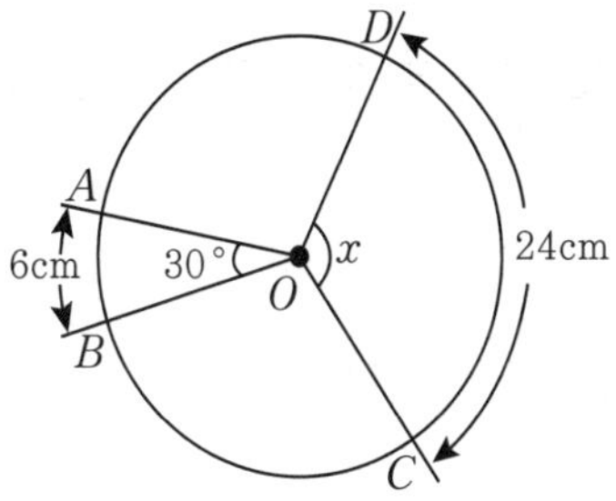

① 100°
② 110°
③ 120°
④ 130°

8. $a^2 \times b \times a \times b^3$을 계산하면?

① a^2b^3 ② a^2b^4 ③ a^3b^4 ④ a^3b^3

9. 다음 수직선을 나타내는 부등식의 해는?

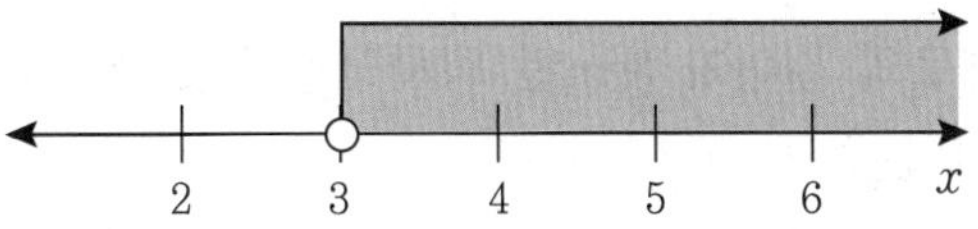

① $x - 1 > 2$ ② $x - 1 \geq 2$
③ $x - 1 < 2$ ④ $x - 1 \leq 2$

예상문제 02

10. 일차함수 $y = 2x + 1$에 대한 설명으로 옳은 것은?

① 기울기는 1이다.
② y절편은 2이다.
③ 점 (1, 3)을 지난다.
④ 제 4사분면을 지난다.

11. 동전 1개와 주사위 1개를 동시에 던질 때, 동전은 앞면이 나오고 주사위는 홀수의 눈이 나오는 경우의 수는?

① 3가지
② 4가지
③ 5가지
④ 6가지

12. 그림과 같이 이등변 삼각형 ABC에서 꼭지각 A의 이등분선과 밑변 BC와의 교점을 D라고 하자. $\overline{BC} = 10cm$일 때, $\overline{DC}$의 길이는?

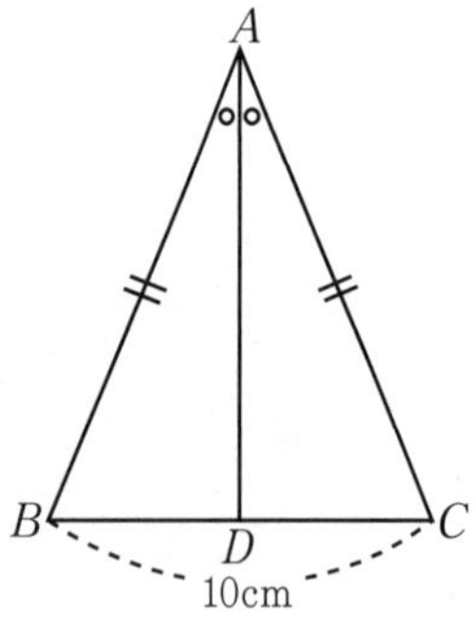

① 2cm
② 3cm
③ 4cm
④ 5cm

13. 가로의 길이가 5cm, 세로의 길이가 3cm인 직사각형이 있다. 이 직사각형과 넓이가 같은 정사각형의 한 변의 길이는?

① $\sqrt{8}$ cm ② $\sqrt{4}$ cm ③ $\sqrt{53}$ cm ④ $\sqrt{15}$ cm

14. 다항식 $(a+2)(a-2)$를 전개하면?

① a^2-4a+4　② a^2-4
③ a^2+4a+4　④ a^2+4

15. 이차방정식 $x^2-7x-2=0$의 두 근을 α, β라 할 때, $\alpha+\beta+\alpha\beta$의 값은?

① 2　② 13　③ 4　④ 5

16. 다음 자료의 최빈값을 구하여라.

7, 5, 8, 12, 10, 5, 12, 4, 12

① 10　② 12　③ 8　④ 7

17. 다음 중 이차함수 $y=-2(x-2)^2+12$의 그래프는?

①
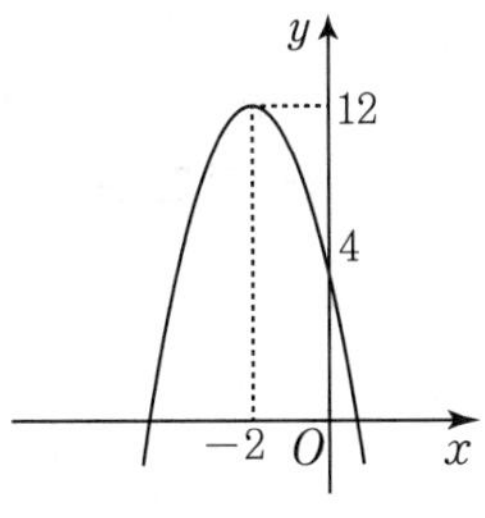

②
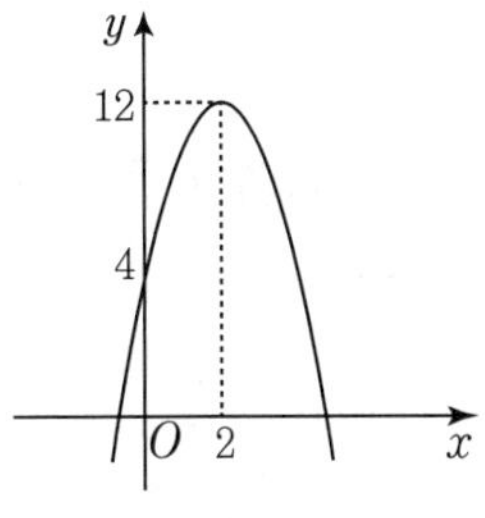

③
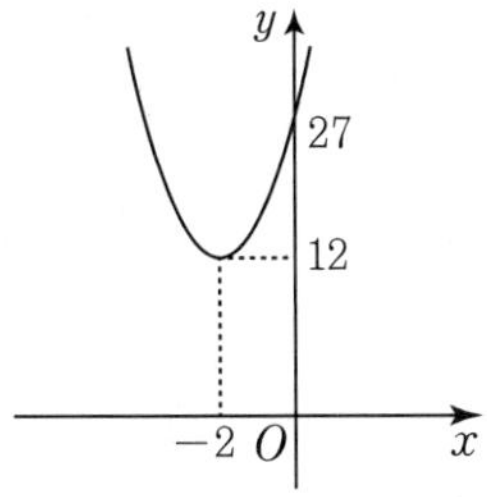

④
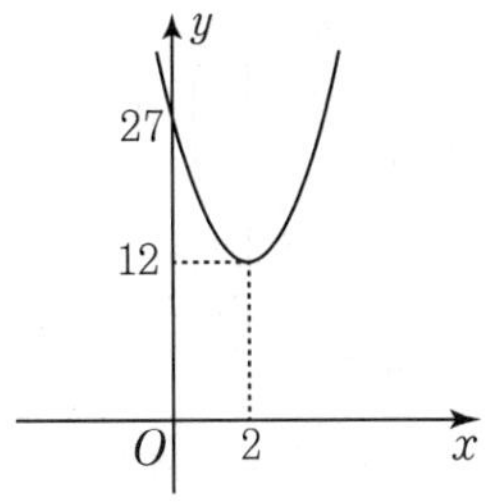

예상문제 02

18. $\angle C = 90°$인 직각삼각형 ABC에서 $\overline{AB} = 10cm$, $\overline{AC} = 6cm$일 때, $\overline{BC}$의 길이는?

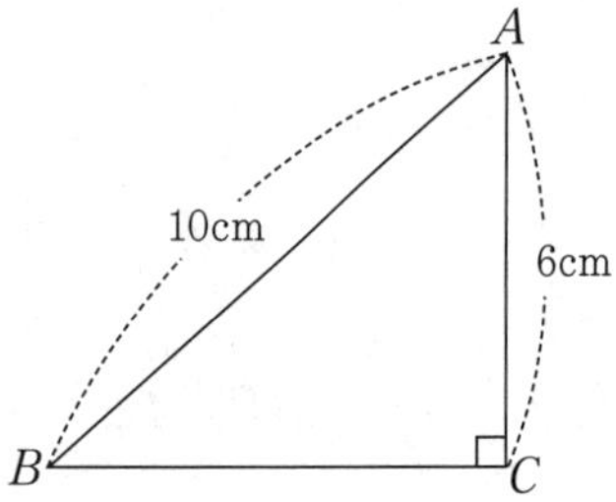

① 6cm
② 7cm
③ 8cm
④ 9cm

19. 다음 그림과 같은 직각삼각형 ABC에서 $\overline{AB} = 3$, $\overline{AC} = \sqrt{5}$일 때, 다음 중 옳은 것은?

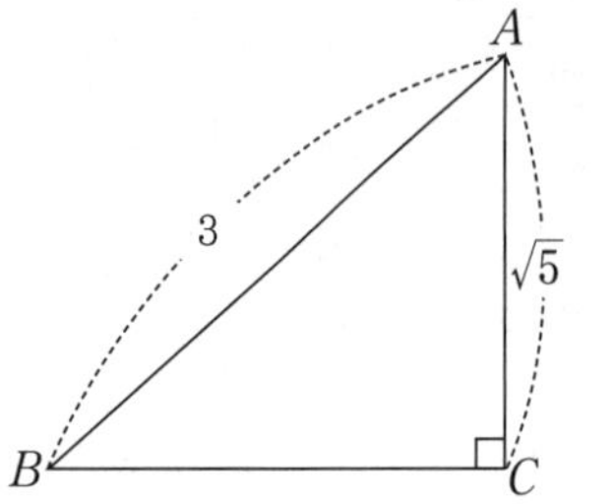

① $\sin A = \dfrac{3}{2}$
② $\sin B = \dfrac{\sqrt{5}}{3}$
③ $\cos A = \dfrac{2}{3}$
④ $\cos B = \dfrac{\sqrt{5}}{3}$

20. 원 O에서 호 AC에 대한 원주각의 크기를 $\angle x$, 호 AB에 대한 원주각의 크기를 $\angle y$라 할 때, $y - x$의 값은?

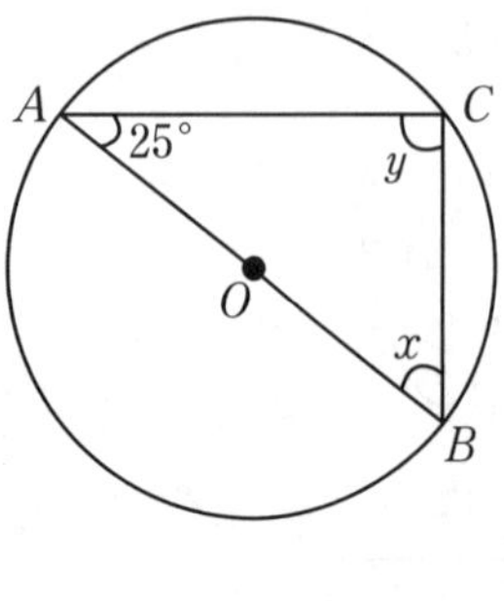

① 20°
② 25°
③ 30°
④ 35°

예상문제 03

1. 다음은 36을 소인수분해하는 과정이다. 각각 □ 안에 들어갈 수를 고르면?

$$\begin{array}{r|l} 2 & 36 \\ \hline 2 & 18 \\ \hline 3 & 9 \\ \hline & 3 \end{array}$$

$\therefore 36 = 2^{\square} \times 3^{\square}$

① 2, 2
② 1, 3
③ 2, 3
④ 1, 1

2. 다음 수 중에서 가장 큰 값은?

① $|-2|$ ② 1
③ $|3|$ ④ 0

3. $x = -1$일 때, $2x + 3$의 값은?

① -1 ② 1
③ 3 ④ 5

4. 좌표 (0, 3)은 좌표평면 어디 위에 있는가?

① 1사분면 ② 3사분면
③ x축 ④ y축

5. 그림은 방학동안 학생들이 실시한 봉사활동 시간을 히스토그램으로 나타낸 것이다. 봉사활동을 6시간 이상 12시간 미만으로 실시한 학생 수는?

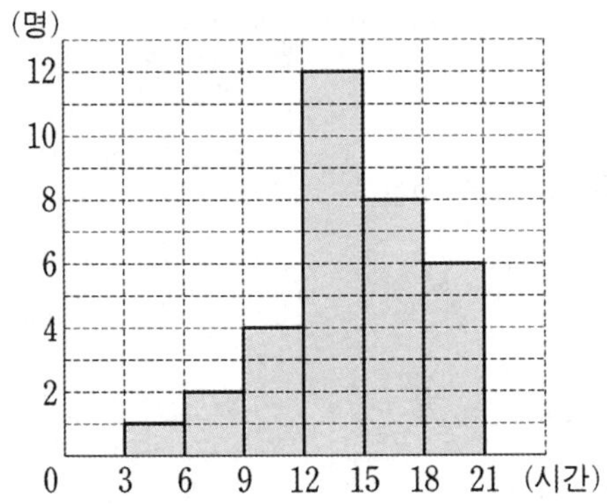

① 1명
② 3명
③ 6명
④ 9명

예상문제 03

6. 그림과 같이 원 O에서 $\angle AOB = 120°$, $\angle COD = 30°$, 호 CD의 길이가 4cm일 때, x의 값은?

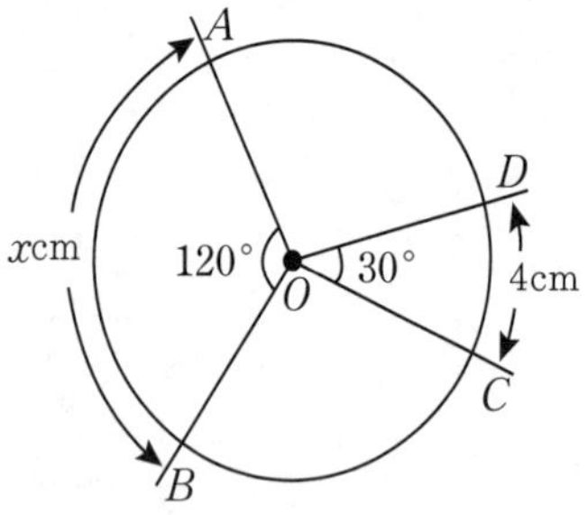

① 22
② 20
③ 18
④ 16

7. 분수 $\frac{13}{99}$을 순환소수로 나타내면 다음과 같다. 이 순환소수의 순환마디는?

$$\frac{13}{99} = 0.1313131313\cdots$$

① 1　② 13　③ 31　④ 131

8. 연립방정식 $\begin{cases} 3x - y = 6 \\ 7x + 2y = 1 \end{cases}$의 그래프가 아래 그림과 같을 때, 연립방정식의 해는?

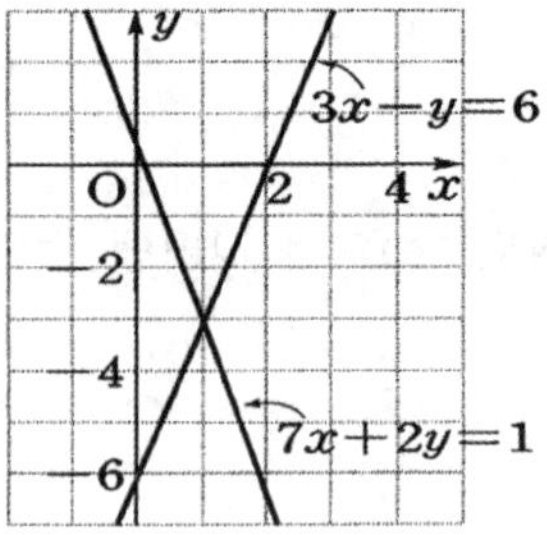

① $x = 1,\ y = -3$
② $x = 3,\ y = -1$
③ $x = -1,\ y = -3$
④ $x = -1,\ y = 3$

9. 다음 중 문장을 부등식으로 나타낸 것으로 옳지 않은 것은?

① x에서 3을 뺀 수는 x의 4배보다 작다. ⇒ $x - 3 < 4x$
② x와 8의 합은 10미만이다. ⇒ $x + 8 < 10$
③ x의 3배에서 5를 뺀 수는 −2이상이다. ⇒ $3x - 5 \geq -2$
④ x에서 1을 뺀 수의 2배는 8초과이다. ⇒ $2x - 1 < 8$

10. 그림은 일차함수 $y = ax + 2$의 그래프이다. a의 값은?

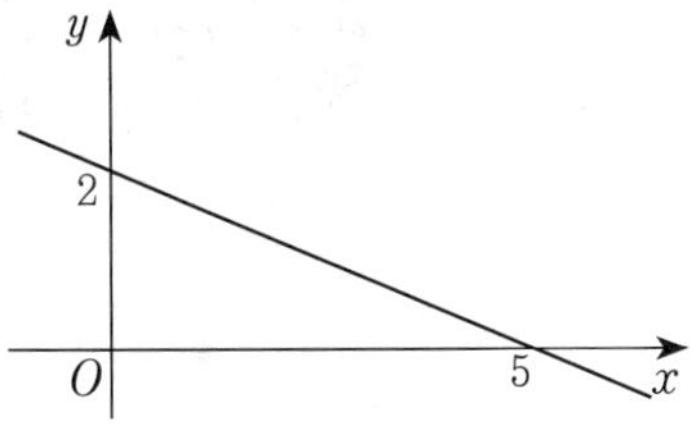

① $\frac{2}{5}$
② $-\frac{2}{5}$
③ 2
④ 5

11. 다음 그림과 같이 정사각형 9개로 이루어진 하나의 커다란 정사각형 과녁이 있다. 한발의 화살을 쏘았을 때, 색칠이 된 과녁을 맞힐 확률은? (단, 화살은 과녁을 빗나가거나, 테두리 선에 맞혀지지 않는다.)

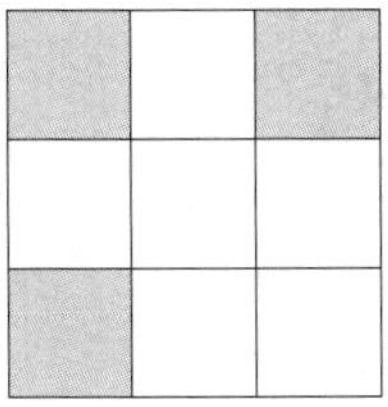

① 1
② 0
③ $\frac{1}{3}$
④ $\frac{2}{3}$

12. 이등변삼각형 ABC에서 x의 값을 구하면?

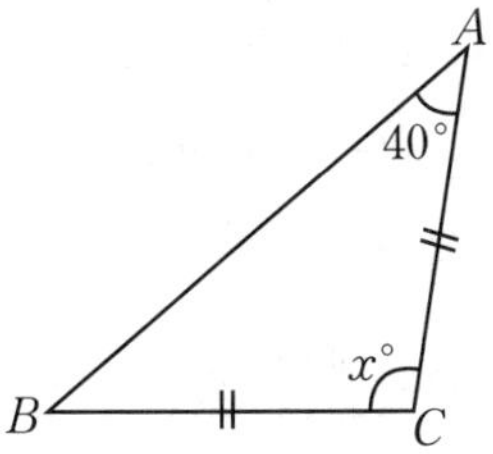

① 40
② 60
③ 80
④ 100

13. 다음 그림에서 점 O는 $\triangle ABC$의 외심이다. $\angle BAC = 63°$일 때, $\angle x$의 크기를 구하면?

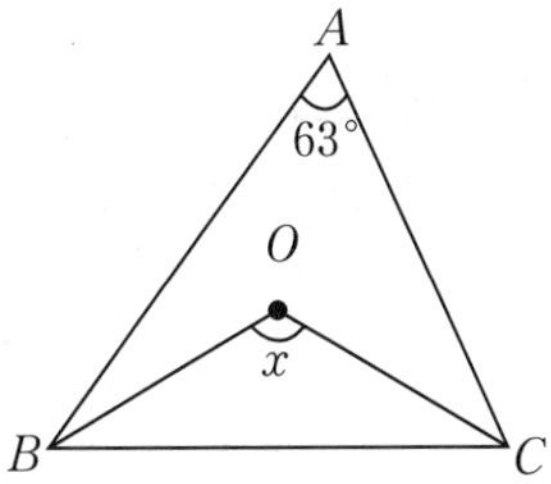

① 90°
② 112°
③ 126°
④ 140°

예상문제 03

14. 오른쪽 그림과 같이 반지름의 길이가 각각 3cm, 4cm인 두 구의 부피의 비는?

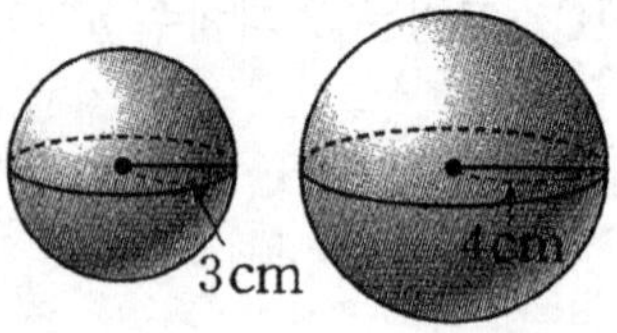

① 2 : 5　　② 3 : 4
③ 9 : 16　　④ 27 : 64

15. 12의 제곱근을 구하면?

① 12　　② $-2\sqrt{3}$
③ $2\sqrt{3}$　　④ $\pm 2\sqrt{3}$

16. 이차방정식 $(x+1)(x+2)=0$의 두 근을 a, b라 할 때, ab의 값은?

① 1　　② −2
③ −1　　④ 2

17. 다음 이차함수의 그래프에 대한 설명으로 옳은 것은?

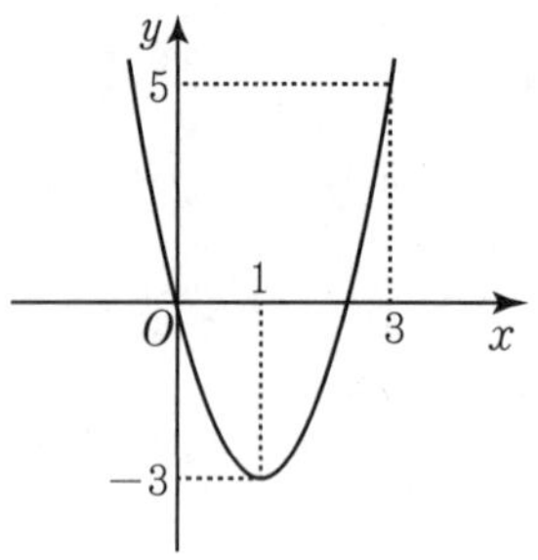

① 위로 볼록이다.
② 축의 방정식은 $x=-1$ 이다.
③ 점(3, 0)을 지난다.
④ 꼭짓점의 좌표는 제4사분면에 있다.

18. 다음 변량에서 표준편차를 구하면?

3, 4, 5, 6, 7

① 1　　② $\sqrt{2}$　　③ 2　　④ 5

19. 그림과 같이 $\angle C = 90°$인 직각삼각형에서 $\cos A$의 값을 구하면?

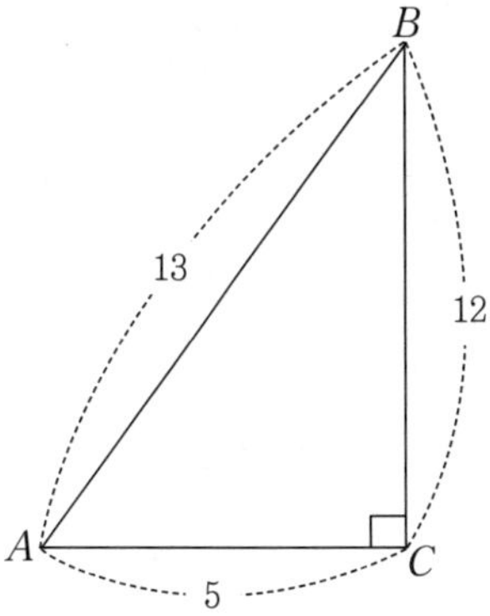

① $\frac{12}{5}$

② $\frac{5}{12}$

③ $\frac{12}{13}$

④ $\frac{5}{13}$

20. 원 O에서 x의 길이를 구하면?

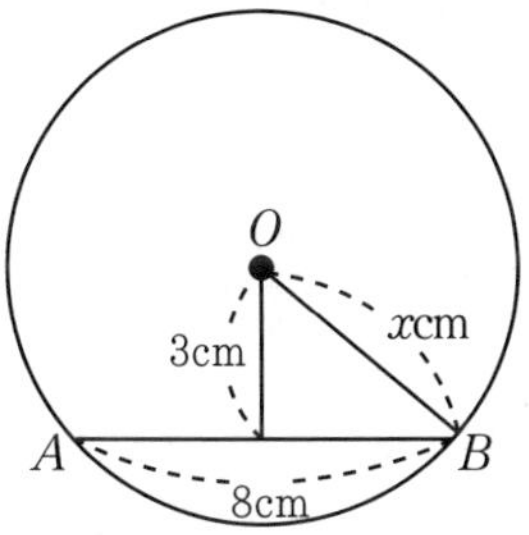

① 5

② 7

③ 10

④ 13

예상문제 04

1. 다음 두 수 8과 12의 최대공약수는?

① 1　② 2　③ 4　④ 6

2. 다음에서 가장 큰 수와 가장 작은 수의 합은?

$-3,\ -1,\ 0,\ 1,\ 3,\ 5$

① 0　② 2　③ 4　④ 8

3. 한 개에 500원 하는 과자 3개와 한 개에 1,200원 하는 음료수 x개를 구입하였더니 7,500원이었다. 이때, x의 값은?

① 1　② 3　③ 5　④ 7

4. 좌표평면 위의 두 점 P, Q의 x좌표를 각각 a, b라고 할 때, ab는?

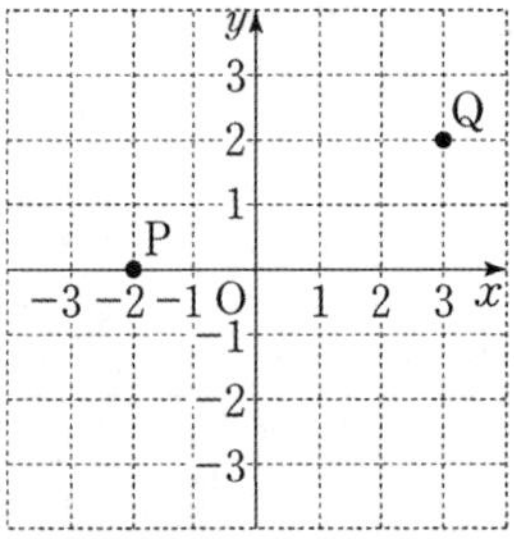

① 0
② −4
③ 6
④ −6

5. 오른쪽 표는 어느 중학교 1학년 학생 40명의 하루 평균 독서 시간을 조사한 것이다. 독서 시간이 1시간 이상 2시간 미만인 학생 수는 몇 명인가?

① 21명　② 22명
③ 23명　④ 24명

계급(분)	도수(명)
이상　미만	
0 ~ 30	6
30 ~ 60	8
60 ~ 90	14
90 ~ 120	9
120 ~ 150	2
150 ~ 180	1
계	40

6. 다음 그림에서 $l//m$일 때, $\angle x$의 값은?

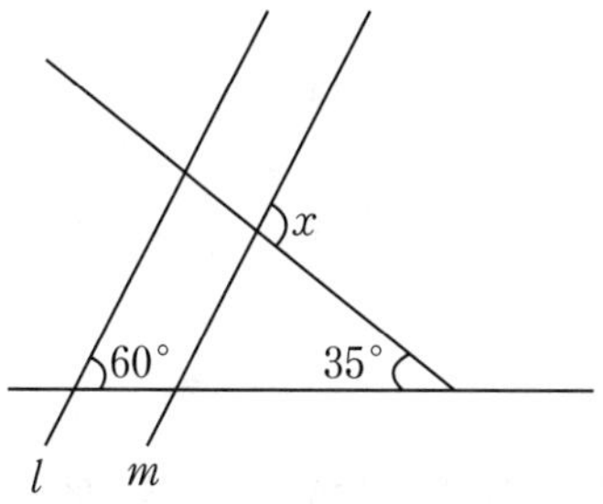

① 75°

② 85°

③ 95°

④ 105°

7. $2a^3b \times 3ab$를 간단히 하면?

① a^2　　② a^3b

③ $6a^4b^2$　　④ $6a^3b$

8. 연립방정식 $\begin{cases} 2x - y = 5 \\ x + 2y = 5 \end{cases}$를 풀면?

① $x = -1,\ y = -7$　　② $x = 1,\ y = -3$

③ $x = 2,\ y = 0$　　④ $x = 3,\ y = 1$

9. $a > b$일 때, 옳지 않은 것은?

① $a + 2 > b + 2$　　② $a - 2 < b - 2$

③ $a \times (-2) < b \times (-2)$　　④ $\frac{a}{2} > \frac{b}{2}$

10. 함수 $y = ax(a \neq 0)$의 그래프가 점 $(2, 4)$를 지날 때, a의 값을 구하면?

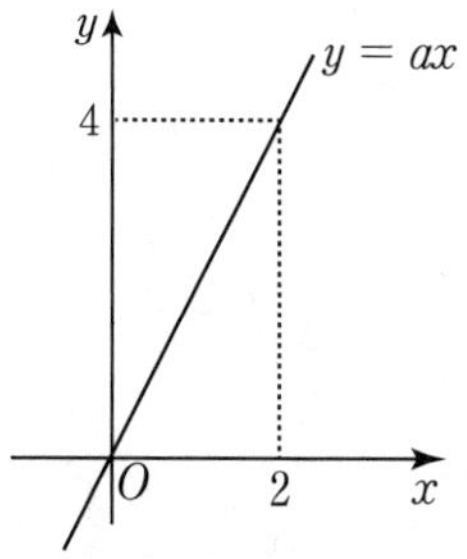

① 1

② 2

③ 3

④ 4

예상문제 04

11. 1, 2, 3, 4의 숫자가 각각 적힌 4장의 카드로 만들 수 있는 두 자리 정수는 모두 몇 가지인가?

① 14　　② 12

③ 10　　④ 8

12. 삼각형 ABC에서 $\overline{AB}$, $\overline{AC}$의 중점이 각각 M, N이고, $\overline{MN}=4$일 때, $\overline{BC}$의 길이는?

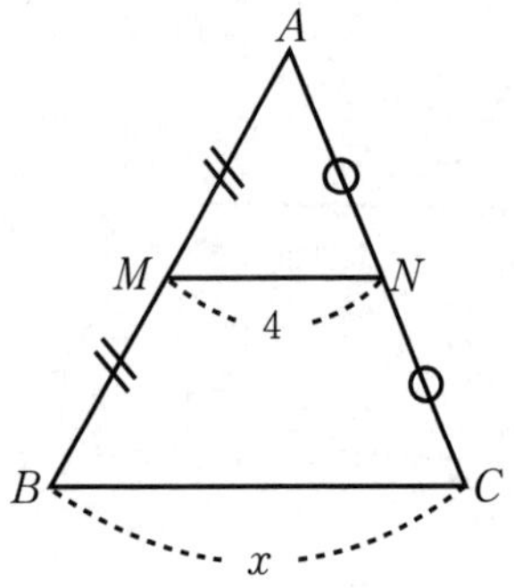

① 6

② 7

③ 8

④ 9

13. 다음 그림에서 $\triangle ABC \backsim \triangle DEF$일 때, $\overline{EF}$의 길이는?

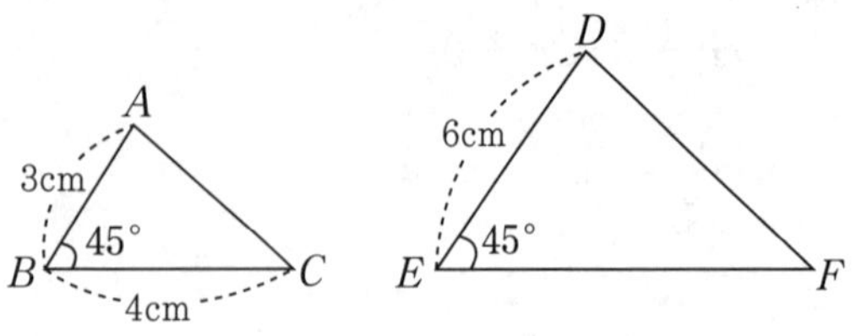

① 6cm

② 8cm

③ 10cm

④ 12cm

14. $6\sqrt{5}-3\sqrt{5}$의 값을 계산하면?

① $\sqrt{5}$　　② $2\sqrt{5}$

③ $3\sqrt{5}$　　④ $4\sqrt{5}$

15. 다항식 $x^2 - 16$을 인수분해하면?

① $(x-4)(x+4)$　　② $(x+4)^2$

③ $(x+1)(x-4)$　　④ $(x-4)^2$

16. 이차방정식 $(x+3)(x-2)=0$을 풀면?

① $x=3$ 또는 $x=2$　　② $x=-3$ 또는 $x=2$

③ $x=-3$ 또는 $x=-2$　　④ $x=3$ 또는 $x=-2$

17. 이차함수 $y=x^2$의 그래프에 대한 설명으로 옳지 <u>않은</u> 것은?

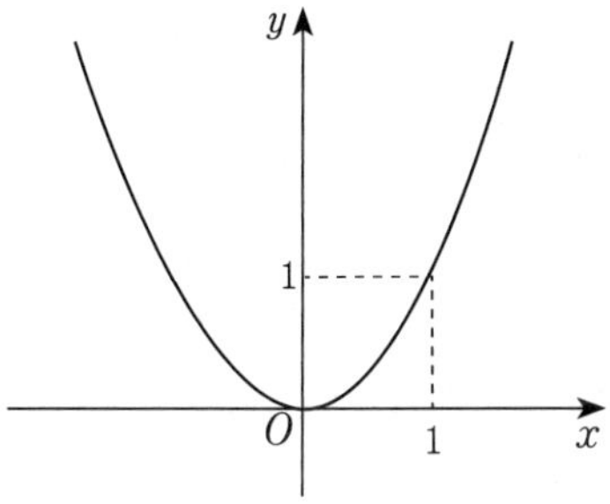

① 원점을 지난다.

② 아래로 볼록하다.

③ 꼭짓점의 좌표는 (1, 1)이다.

④ $x=2$이면 $y=4$이다.

18. 다음은 5개의 화살을 쏘아 얻은 점수이다. 평균은?

7, 5, 8, 9, 6

① 4　　② 5　　③ 6　　④ 7

19. 다음 그림에서 $x+y$의 값은?

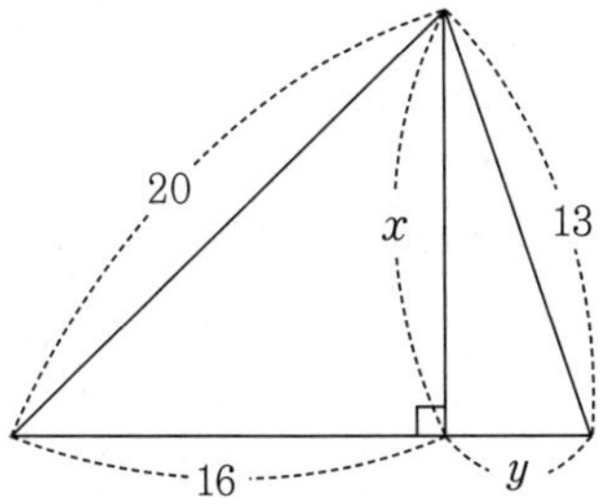

① 14

② 15

③ 16

④ 17

예상문제 04

20. 다음 그림과 같이 삼각형 ABC는 원 O에 외접하고, 점 D, E, F는 접점이다.
$\overline{AD}=2\text{cm}$, $\overline{BE}=5\text{cm}$, $\overline{CF}=3\text{cm}$일 때, 삼각형 ABC의 둘레의 길이는?

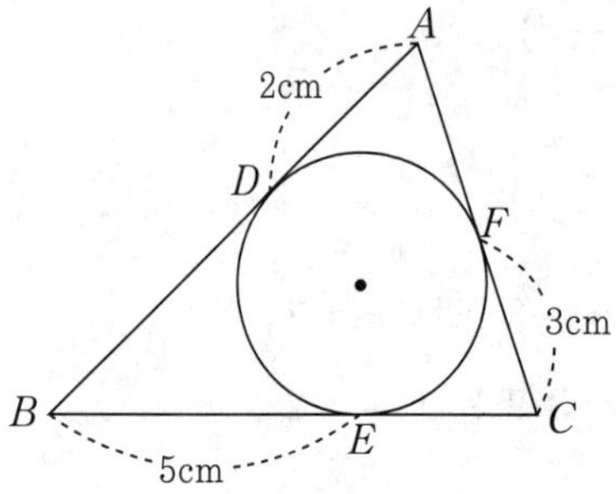

① 14cm
② 16cm
③ 18cm
④ 20cm

예상문제 05

1. 다음 중 계산이 옳지 <u>않은</u> 것은?

① $(+2)+(+3)=+5$

② $(+3)-(-2)=+1$

③ $(+2)\times(-3)=-6$

④ $(-12)\div(-3)=+4$

2. 일차방정식 $3x-2=x+4$를 풀면?

① $x=1$ ② $x=2$

③ $x=3$ ④ $x=4$

3. y가 x에 정비례할 때, 빈칸에 알맞은 수는?

x	1	2	3	4	5
y	4	8	12	( )	20

① 16 ② 17 ③ 18 ④ 19

4. 좌표평면에서 점 $(-1,\ -3)$이 위치하는 곳은?

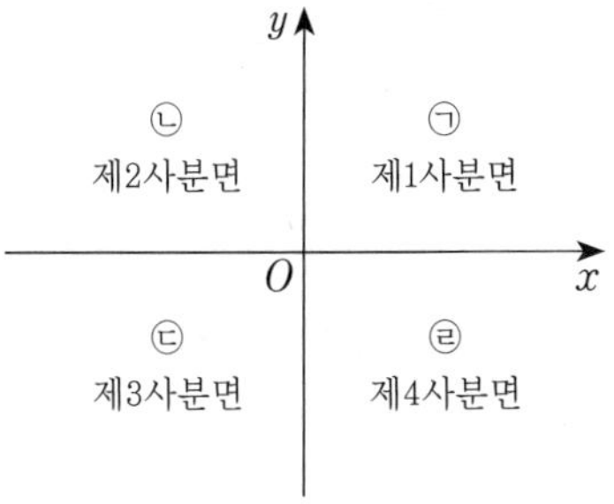

① ㉠

② ㉡

③ ㉢

④ ㉣

예상문제 05

5. 다음 그림의 원 O에서 $\angle AOB = 30°$, $\overset{\frown}{AB} = 2\text{cm}$, $\overset{\frown}{CD} = 4\text{cm}$일 때, $\angle x$의 크기는?

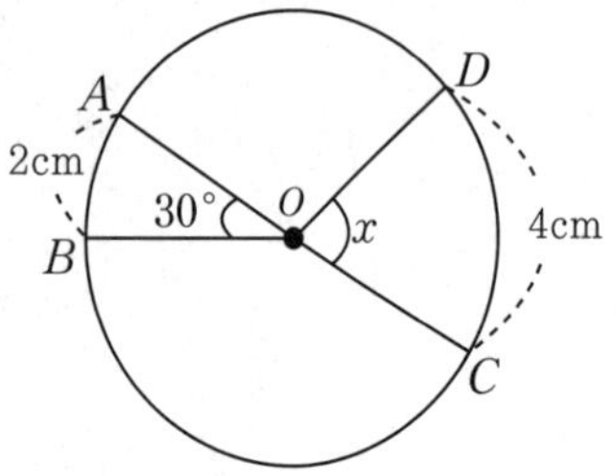

① 45°
② 50°
③ 60°
④ 90°

6. 삼각형 ABC에서 $\angle A = 45°$, $\angle B = 60°$일 때, $\angle x$의 크기는?

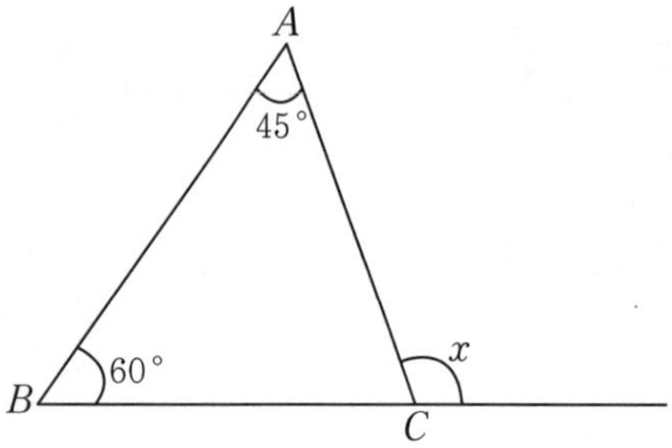

① 100°
② 105°
③ 110°
④ 115°

7. 다음 평면도형을 직선 l을 회전축으로 하여 1회전시킬 때 생기는 입체도형은?

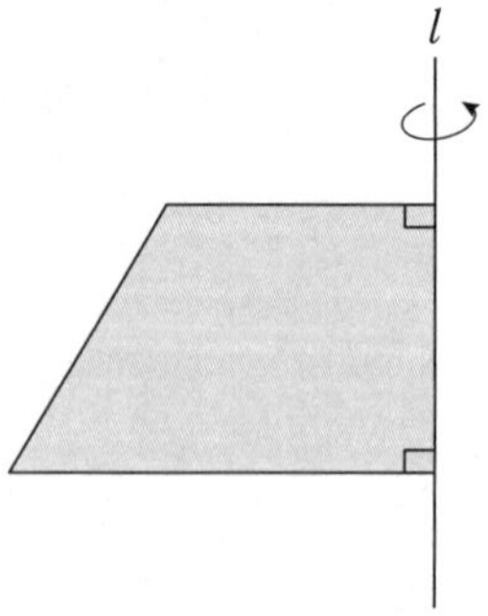

① 구
② 원뿔
③ 원뿔대
④ 사각기둥

8. 연립방정식 $\begin{cases} y = x + 1 \\ 2x + y = 7 \end{cases}$ 을 풀면?

① $\begin{cases} x = 2 \\ y = 3 \end{cases}$ ② $\begin{cases} x = 3 \\ y = 2 \end{cases}$ ③ $\begin{cases} x = 3 \\ y = 4 \end{cases}$ ④ $\begin{cases} x = 4 \\ y = 3 \end{cases}$

9. 일차부등식 $3x-2>2x-1$의 해를 구하면?

① $x>1$　② $x<1$
③ $x>-1$　④ $x<-1$

10. 일차함수 $y=-2x+b$의 그래프가 다음과 같을 때, b의 값은?

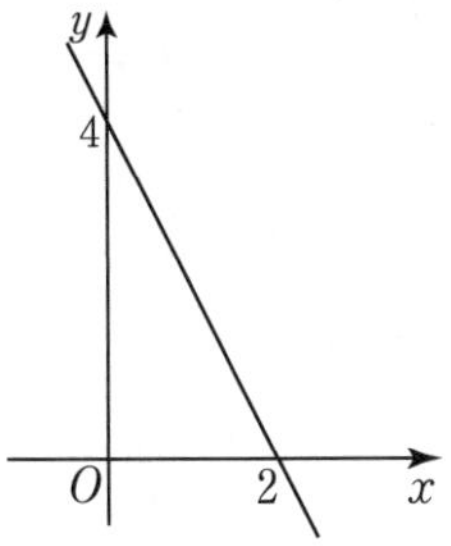

① -4
② -2
③ 2
④ 4

11. 1에서 6까지의 숫자가 각각 적힌 정육면체의 주사위를 한 번 던질 때, 4보다 큰 눈이 나올 확률은?

① $\frac{1}{2}$　② $\frac{1}{3}$　③ $\frac{1}{4}$　④ $\frac{1}{5}$

12. 평면도형에 대한 설명으로 옳지 <u>않은</u> 것은?

① 정사각형은 평행사변형이다.
② 이등변삼각형의 두 밑각의 크기는 같다.
③ 세 변의 길이가 같은 삼각형은 정삼각형이다.
④ 네 변의 길이가 같은 사각형은 직사각형이다.

13. $\sqrt{18}-2\sqrt{2}$를 간단히 하면?

① $\sqrt{2}$　② $2\sqrt{2}$　③ $\sqrt{10}$　④ $\sqrt{3}$

예상문제 05

14. $(x+3)(x-1)$을 바르게 전개한 것은?

① x^2-3　② x^2-2x-3
③ x^2+2x-3　④ x^2+3x-1

15. 다항식 x^2-x-6을 인수분해하면?

① $(x+3)(x+2)$　② $(x+3)(x-2)$
③ $(x-3)(x+2)$　④ $(x-3)(x-2)$

16. 이차방정식 $x^2+x+a=0$의 해가 1일 때, a의 값은?

① 2　② -2
③ 1　④ -1

17. 다음 이차함수의 꼭짓점의 좌표가 (0, 1)이고, 점 (1, 2)를 지나는 이차함수이다. 이 이차함수의 식은?

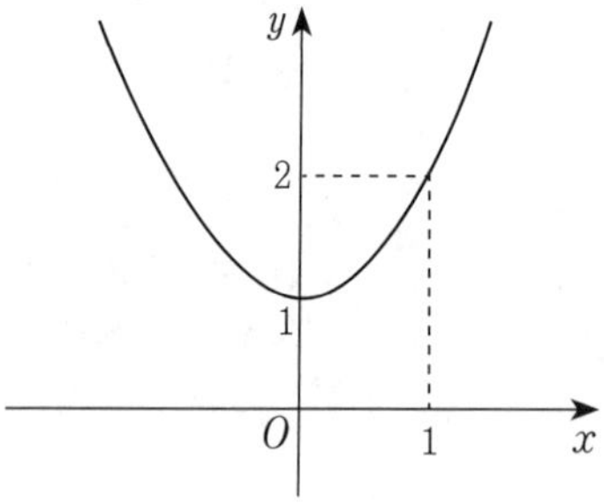

① $y=x^2+1$
② $y=-x^2+1$
③ $y=x^2-1$
④ $y=-x^2-1$

18. 다음은 학생 20명의 수학과 과학 성적에 관한 상관표이다. 과학 성적보다 수학 성적이 높은 학생 수는?

과학(점) \ 수학(점)	60	70	80	90	100	합계
100					1	1
90		2	1	2		5
80		1	3	1		5
70	1	2	4	1		8
60	1					1
합계	2	5	8	4	1	20

① 5명　② 6명
③ 7명　④ 8명

19. 다음 그림과 같이 직각삼각형 ABC에서 $cosB$의 값은?

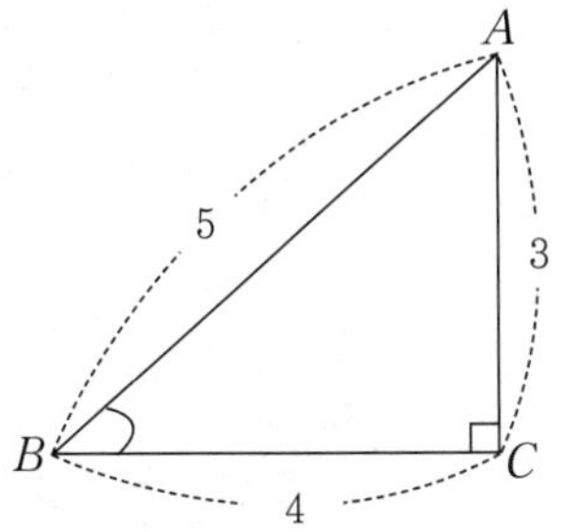

① $\frac{3}{5}$
② $\frac{4}{5}$
③ $\frac{3}{4}$
④ $\frac{4}{3}$

20. 다음 그림과 같이 $\overline{AP}$가 지름인 원 O에서 $\angle AOB = 80°$일 때, $\angle x$의 크기는?

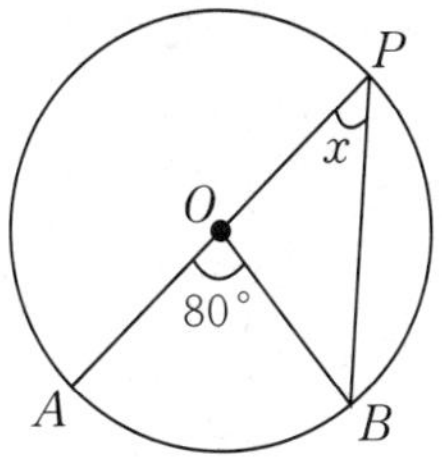

① $30°$
② $40°$
③ $50°$
④ $60°$

중학교 졸업자격 검정고시

적중! 모/의/고/사 예상문제

수학

정답 및 해설

1회 예상문제 · 수학

1. ④	2. ③	3. ①	4. ②	5. ③
6. ②	7. ④	8. ④	9. ①	10. ④
11. ④	12. ③	13. ③	14. ①	15. ②
16. ①	17. ③	18. ②	19. ②	20. ④

1. $24 = 2^3 \times 3^1$ 이므로 $24 = 2^a \times 3^b$ 에서
$a = 3$, $b = 1$ 따라서 $a + b = 4$

2. $-3 + (-3) = -3 - 3 = -6$

3. $2x + 1 = x + 2$에서 미지수 좌변으로 상수는 우변으로 이항하면 $2x - x = 2 - 1$ 따라서 $x = 1$

4. 점 P는 2사분면에 있는 점이므로 x좌표는 음수, y좌표는 양수이다. 따라서 $P(-1,\ 5)$

5. 70점 미만인 학생은 $50^{\text{이상}}\sim60^{\text{미만}}$: 2명, $60^{\text{이상}}\sim70^{\text{미만}}$: 8명이므로 총 10명이다.

6. 평각은 $180°$이고, 맞꼭지각을 이용하면
$x + 60° + 40° = 180°$ 따라서 $x = 80°$

7. ① $a + a + a = 3a$
② $x^3 \times x^4 = x^{3+4} = x^7$
③ $x^8 \div x^2 = x^{8-2} = x^6$

8. $\begin{cases} x + y = 5 \cdots\cdots ① \\ x - y = 3 \cdots\cdots ② \end{cases}$
① + ② =
$2x = 8$이 되며, $x = 4$이다.
이 값을 $x + y = 5$에 대입하면 $4 + y = 5$이므로
$y = 1$이 된다.

9. $4x + 2 < 14$에서 상수를 우변으로 이항하면 $4x < 12$가 되고, $x < 3$이 된다.

10. 일차함수 $y = -x + 6$에서 y절편이 6이므로 그래프에서 y축과 만나는 점인 b가 6이다. 따라서 $b = 6$

11. 1부터 8까지 수 중에서 짝수는 2, 4, 6, 8 총 4개다. 따라서 한 개를 골랐을 때,
짝수가 나올 확률은 $\frac{4}{8} = \frac{1}{2}$

12. 평행사변형은 마주보는 두 쌍의 대변의 길이가 각각 같으므로 $x - 2 = 8$, $3y = 6$ 이다.
따라서 $x = 10$, $y = 2$ 이므로 $10 + 2 = 12$

13. $2\sqrt{3} = \sqrt{4} \times \sqrt{3} = \sqrt{12}$ 이므로 $a = 12$

14. $(x + 5)^2 = x^2 + (2 \times 5 \times x) + 5^2$ 이므로 정리하면
$x^2 + 10x + 25$

15. $(x + 2)(x - 5) = 0$의 근은 $x + 2 = 0$ 또는 $x - 5 = 0$이므로 $x = -2$ 또는 $x = 5$

16. ① 원점 (0, 0)을 지난다. ② 아래로 볼록하다. ③ 꼭짓점의 좌표는 (0, 0)이다.
④ $y = 2x^2$ 의 그래프보다 폭이 넓다.

17. 중앙값이란 작은 수부터 차례대로 나열했을 때, 정 가운데에 있는 수를 의미한다.
따라서 0, 1, 2, 3, 5에서 중앙값은 2

18. 선분 AB의 길이를 x라 하면 피타고라스의 정리에 의하여 $x^2 = 1^2 + 1^2$ 이 되고, 정리하면 $x = \sqrt{2}$

19. $\tan A = \frac{\text{높이}}{\text{밑변}} = \frac{4}{3}$

20. 원의 중심에서 현까지 수선의 길이가 같으므로 위쪽과 아래쪽의 현의 길이는 같고, 현을 수직 이등분하므로 현의 길이는 $3 \times 2 = 6$

2회 예상문제 · 수학

1. ④	2. ③	3. ③	4. ③	5. ①
6. ④	7. ③	8. ③	9. ①	10. ③
11. ①	12. ④	13. ④	14. ②	15. ④
16. ②	17. ②	18. ③	19. ②	20. ②

1. $12 = 2^2 \times 3$에서 12의 약수는 1, 2, 3, 2^2, 2×3, $2^2 \times 3$이므로 2×3^2은 아니다.

2. $(+5) + (-7) = 5 - 7 = -2$

3. 한자루에 a원 하는 연필 5자루를 샀으므로
$a \times 5 = 5a$

4. $2x - 1 = -x + 5$에서 $2x + x = 5 + 1$이므로
$3x = 6$이므로 $x = 2$

5. 좌표평면에서 점 P는 4사분면에 위치해 있으므로 x좌표는 양수, y좌표는 음수이다. 따라서 $(1,\ -2)$가 정답이다.

6. 잎과 줄기 표를 보면 30시간 이상인 학생은 31, 32, 35, 36 시간으로 총 4명이다.

7. 호의 길이는 중심각의 크기에 비례하고, 호의 길이가 4배 더 길다.
따라서, 중심각의 크기는 4배가 크다.
$30° \times 4 = 120°$

8. $a^2 \times b \times a \times b^3 = a^3b^4$

9. 수직선을 보면 그 해가 $x > 3$이므로 보기 ①에서 $x - 1 > 2$는 $x > 3$이 된다.

10. $y = 2x + 1$에서 기울기는 2이며, y절편은 1이다.
x절편은 $0 = 2x + 1$에서 $x = -\frac{1}{2}$ 이다.
그래프를 그려보면 4사분면만 지나지 않는다. 그리고 $x = 1$이면 $y = 2 + 1 = 3$이 되므로 보기 ③이 정답이다.

11. 동전 1개를 던질 때, 앞면이 여러 가지 경우가 나오는 것이 아니라, 한 가지만 나오므로 1가지. 그리고, 주사위 하나를 던질 때, 홀수의 눈은 1, 3, 5 이렇게 3가지가 나온다. 따라서 동시에 발생하므로 $1 \times 3 = 3$가지.

12. 이등변 삼각형의 꼭지각에서 수선의 발을 그으면, 수직 이등분이 된다.
따라서 5cm

13. 직사각형의 넓이는 $5\text{cm} \times 3\text{cm} = 15\text{cm}^2$이므로, 정사각형의 넓이가 되기 위해서는
$x \times x = 15\text{cm}^2$이어야 한다. 따라서 $x = \sqrt{15}\,\text{cm}$

14. $(a + 2)(a - 2) = a^2 - 4$

15. $x^2 - 7x - 2 = 0$에서 두 근의 합
$\alpha + \beta = -\frac{-7}{1} = 7,\ \alpha\beta = \frac{-2}{1} = -2$이므로
$\alpha + \beta + \alpha\beta = 7 + (-2) = 5$

16. 최빈값은 자주 나오는 값이다. 따라서 12

17. 이차함수 $y = -2(x-2)^2 + 12$에서 최고차항의 계수가 음수이므로, 위로 볼록하고, 꼭짓점의 좌표는 (2, 12)이므로 ②가 정답이다.

18. 피타고라스의 정리에 의해서
$10^2 = \overline{BC}^2 + 6^2$이므로, $\overline{BC} = 8$

19. 피타고라스의 정리에 의해서
$3^2 = \overline{BC}^2 + (\sqrt{5})^2$이고, $\overline{BC} = 2$ 이다.
① $\sin A = \frac{2}{3}$ ② $\sin B = \frac{\sqrt{5}}{3}$
③ $\cos A = \frac{\sqrt{5}}{3}$ ④ $\cos B = \frac{2}{3}$ 이다.

20. 반원의 원주각은 중심각 180°의 절반인 90°이다.
따라서 $y = 90°$이고,
삼각형의 세 내각의 합은 180°이므로
$x + 25° + y = 180°,\ x = 65°$이다.
$y - x = 25°$

3회 예상문제 · 수학

1. ①	2. ③	3. ②	4. ④	5. ③
6. ④	7. ②	8. ①	9. ④	10. ②
11. ③	12. ④	13. ③	14. ④	15. ④
16. ④	17. ④	18. ②	19. ④	20. ①

1. $36 = 2 \times 2 \times 3 \times 3 = 2^2 \times 3^2$이 된다.

2. ① $|-2| = 2$, ② 1, ③ $|3| = 3$, ④ 0 중에서 가장 큰 수는 3이다.

3. $x = -1$일 때, $2x + 3 = 2 \times (-1) + 3 = 1$

4. 점 (0, 3)은 x좌표가 0이므로 y축 위에 있는 점이다.

5. 6시간 이상 9시간 미만은 2명, 9시간 이상 12시간 미만은 4명이므로 총 6명

6. 중심각의 크기가 4배이므로, 호의 길이도 4배이다. 따라서 $x = 4 \times 4 = 16$

7. 순환마디는 소수점이 반복되는 숫자를 뜻하므로 13이다.

8. 연립방정식의 그래프적인 의미는 두 직선의 교점의 좌표이다. 따라서 x좌표는 1, y좌표는 -3

9. ④는 $2(x - 1) > 8$로 고쳐야 한다.

10. 기울기의 정의는 $\frac{y\text{증가량}}{x\text{증가량}}$ 이므로 그래프에서 $\frac{2}{-5} = -\frac{2}{5}$이다.

11. 총 9개의 정사각형 중에서 색칠이 된 과녁은 3개이므로 $\frac{3}{9} = \frac{1}{3}$이 된다.

12. 이등변삼각형의 두 밑각은 같으므로 각 B의 크기는 $40°$ 이다.
따라서 삼각형의 세 내각의 크기는 $180°$이므로
$x = 100$

13. 각 O는 각 A의 두 배이므로 $126°$

14. 닮음비의 각각 3제곱의 비가 부피의 비이다.
따라서 $3^3 : 4^3 = 27 : 64$

15. 12의 제곱근은 $\pm\sqrt{12} = \pm 2\sqrt{3}$

16. $(x + 1)(x + 2) = 0$의 두 근은 $x = -1$ 또는 $x = -2$ 이므로 두 근의 곱인 $ab = 2$ 이다.

17. 그래프를 보면, ① 아래로 볼록인 이차함수이며,
② 축의 방정식은 $x = 1$이다.
③ 점 (3, 5)를 지나며, ④ 꼭짓점의 좌표는 $(1, -3)$으로 제 4사분면에 있다.

18. 표준편차 $= \sqrt{\text{분산}}$ 이다. 분산을 구하기 위해서는 먼저 평균을 구해야 한다.
평균 $= \frac{3 + 4 + 5 + 6 + 7}{5} = 5$이며,
분산 $= \frac{(3-5)^2 + (4-5)^2 + (5-5)^2 + (6-5)^2 + (7-5)^2}{5} = 2$
이다.
따라서, 표준편차는 $\sqrt{2}$ 이다.

19. $\cos A = \frac{5}{13}$

20. 원의 중심에서 현까지 수선의 발을 그으면 현이 수직이등분된다.
따라서 직각삼각형에서 밑변은 4cm이므로 피타고라스의 정리에 따라서 $x^2 = 4^2 + 3^2$
이므로 $x = 5$

4회 예상문제 · 수학

1. ③	2. ②	3. ③	4. ④	5. ③
6. ③	7. ③	8. ④	9. ②	10. ②
11. ②	12. ③	13. ②	14. ③	15. ①
16. ②	17. ③	18. ④	19. ④	20. ④

1. 8의 약수 : 1, 2, 4, 8
12의 약수 : 1, 2, 3, 4, 6, 12
최대공약수는 4 이다.

2. 가장 큰 수는 5, 가장 작은 수는 -3이므로
$5 + (-3) = 2$

3. 한 개에 500원하는 과자 3개이면 1,500원이다. 그리고, 총 7,500원을 지불했으니 6,000원을 더 사야한다. 따라서, 1,200원 음료 5개를 구입해야 한다.

4. 좌표평면의 점 P의 x좌표는 -2이며, 점 Q의 x좌표는 3이다. 따라서 두 좌표를 곱하는 식인 $ab = -6$

5. 표에서 1시간 이상 2시간 미만은 각각 14명과 9명이므로 총 23명이다.

6. 직선 l과 m은 서로 평행하므로 직선 m으로 만들어지는 삼각형의 나머지 아랫각은 $60°$이다. 따라서 외각은 이웃하지 않는 두 내각의 합과 같으므로 각 x는
$35° + 60° = 95°$이다.

7. $2a^3b \times 3ab = 6a^4b^2$

8. 위의 식 $2x - y = 5$ 양변에 $\times 2$를 하면 $4x - 2y = 10$이 된다. 아래식 $x + 2y = 5$와 더해보면 $5x = 15$가 되며, $x = 3$이 된다. $x = 3$을 준식 $x + 2y = 5$에 대입하면
$y = 1$이 된다.

9. $a > b$일 때 양변에 음수를 곱하거나 나누지 않는 이상 부등호의 방향은 그대로 유지된다.
따라서 ② $a - 2 > b - 2$가 옳다.

10. $y = ax$의 그래프가 점 (2, 4)를 지나므로 $4 = 2a$, 따라서 $a = 2$

11. 1, 2, 3, 4 카드 중에서 십의 자리숫자는 4가지 경우, 일의 자리 숫자는 십의 자리 숫자를 제외한 나머지 3가지 경우이므로 $4 \times 3 = 12$ 가지이다.

12. 삼각형의 중점연결은 밑변이 중점의 연결된 선보다 2배 더 길다.

13. 두 삼각형의 닮음비가 $1 : 2$이므로 밑변의 길이도 $1 : 2$이다. 따라서, $4 \times 2 = 8$

14. $6\sqrt{5} - 3\sqrt{5} = (6 - 3)\sqrt{5} = 3\sqrt{5}$

15. $x^2 - 16 = (x + 4)(x - 4)$ 또는 $(x - 4)(x + 4)$이다.

16. $(x + 3)(x - 2) = 0$에서 두 근은 $x = -3$ 또는 $x = 2$이다.

17. 꼭짓점의 좌표는 원점 (0, 0)이다.

18. 평균 $= \dfrac{7 + 5 + 8 + 9 + 6}{5} = \dfrac{35}{5} = 7$

19. 피타고라스의 정리에 의하여 $20^2 = 16^2 + x^2$에서
$x = 12$이고, 다른 직각삼각형에서 $13^2 = 12^2 + y^2$에서
$y = 5$이다. 따라서 $x + y = 17$

20. 원의 접선의 길이에서 선분 AD와 선분 AF가 같으며, 선분 CF와 선분 CE가 같고, 선분 BD와 선분 BE가 같다. 따라서 삼각형 ABC의 둘레의 길이는
$(2 + 3 + 5) \times 2 = 20$

5회 예상문제 · 수학

1. ②	2. ③	3. ①	4. ③	5. ③
6. ②	7. ③	8. ①	9. ①	10. ④
11. ②	12. ④	13. ①	14. ③	15. ③
16. ②	17. ①	18. ②	19. ②	20. ②

1. ② $(+3) - (-2) = 3 + 2 = 5$

2. $3x - 2 = x + 4$에서 $3x - x = 4 + 2$이며, $2x = 6$이므로 $x = 3$

3. y가 4배씩 커지므로 $x = 4$일 때, $y = 16$

4. 점 $(-1, -3)$은 제 3사분면에 위치한 점이다.

5. 호의 길이가 2배이기 때문에 중심각의 크기도 2배가 된다. 따라서 $60°$

6. 외각 x는 이웃하지않는 두 내각의 합과 같다. 따라서 $105°$

7. 1회전 시키면 원뿔대가 된다.

8. $y = x + 1$을 $2x + y = 7$에 대입하면,
$2x + x + 1 = 7$이 되고, $3x = 6$, $x = 2$가 된다.
$x = 2$를 $y = x + 1$에 대입하면 $y = 3$

9. $3x - 2 > 2x - 1$ 을 풀면, $x > 1$

10. 일차함수 $y = -2x + b$에서 y절편이 b이며, 그래프에서 y축과 만나는 교점이 4이므로 $b = 4$

11. 주사위 눈금은 총 6개이며 4보다 큰 눈은 5, 6이므로
$\frac{2}{6} = \frac{1}{3}$

12. ④ 네변의 길이가 같은 사각형은 마름모와 정사각형이다. 직사각형은 마주 보는 변끼리 같고, 네 각이 직각인 사각형이다.

13. $\sqrt{18} - 2\sqrt{2} = 3\sqrt{2} - 2\sqrt{2} = \sqrt{2}$

14. $(x + 3)(x - 1) =$
$x^2 - x + 3x - 3 = x^2 + 2x - 3$

15. $x^2 - x - 6$을 인수분해하면 $(x - 3)(x + 2)$가 된다.

16. $x^2 + x + a = 0$에서 해가 1이라 했으므로
$x = 1$을 대입하면 $1 + 1 + a = 0$
$a = -2$

17. 꼭짓점의 좌표가 (0, 1)이고, 점 (1, 2)를 지나므로,
$y = x^2 + 1$이다.

18. 과학 점수 60에서 수학 점수 100까지 대각선을 그으면 대각선 아래쪽의 숫자가 수학 점수가 과학 점수보다 높은 학생수이다. 4명, 1명, 1명 이므로 총 6명.

19. $\cos B = \frac{4}{5}$

20. 각 x는 원주각이다. 따라서 중심각의 절반이므로 $40°$

중학교 졸업자격 검정고시

적중! 모/의/고/사

예상문제

영어

예상문제 01

1. 다음을 모두 포함할 수 있는 단어로 가장 적절한 것은?

rainy	sunny	foggy	windy	snowy

① color ② weather ③ animal ④ season

2. 두 단어의 의미 관계가 나머지 셋과 <u>다른</u> 것은?

① young – old ② rich – poor
③ big – small ④ good – nice

3. 빈칸에 들어갈 말로 알맞은 것은?

> The girl is my friend. _______ is very kind.

① He ② She ③ You ④ They

4. 빈칸에 공통으로 들어갈 말로 알맞은 것은?

> · I live _____ Seoul.
> · I am interested _____ English.

① by ② in ③ on ④ to

5. 다음 대화에서 A의 대답으로 가장 적절한 것은?

> A : May I help you?
> B : Yes, please. I'm looking for a dress for my sister.
> A : ______________________________.

① What time is it? ② Where does he live?
③ What are you doing? ④ What color does she like?

6. 그림 속 아이들의 상황을 표현한 것으로 알맞은 것은?

① They are sitting on a bench.
② They are eating hamburgers.
③ They are playing with a ball.
④ They are swimming in a pool.

7. 빈칸에 공통으로 들어갈 말로 가장 적절한 것을 고르시오.

· I' m _______ for a book.
· My puppy is _______ at the door.

① taking ② looking ③ making ④ finding

8. 대화의 빈칸에 들어갈 말로 알맞은 것은?

A : _______ time is it now?
B : It is 9 a.m.

① Who ② Why ③ What ④ Where

9. 다음 대화의 상황으로 가장 알맞은 것은?

A : How about going to a museum?
B : That sounds great. What time shall we meet?
A : How about at six?
B : Okay. See you then.

① 안부 묻기 ② 물건 사기
③ 길 안내하기 ④ 약속 정하기

예상문제 01

10. 다음 대화의 빈칸에 들어갈 가장 알맞은 말은?

A : ________ often do you go shopping?
B : Once a month.

① How ② Who ③ Why ④ What

11. 다음 대화에 나타난 B의 심정으로 가장 알맞은 것은?

A : You look sad. What's wrong with you?
B : I lost the tennis match again.

① 기쁨 ② 기대 ③ 속상함 ④ 두려움

12. 다음 대화의 빈칸에 들어갈 말로 적절하지 않은 것은?

A : May I speak to Mike, please?
B : ______________.

① Speaking ② Me, too
③ Mike's speaking ④ This is he

13. 다음 대화가 이루어지는 장소로 알맞은 것은?

A : Can I see your movie ticket, please?
B : Here you are.
A : Thank you. Please go into Theater 1. Enjoy the movie.

① 영화관 ② 경찰서
③ 학교 ④ 박물관

14. 다음 빈칸에 들어갈 말로 적절하지 <u>않은</u> 것은?

> A : ______________?
> B : Sounds great.

① Shall we go for a walk ② How about playing soccer
③ When do you study English ④ What about going fishing

15. 다음 대화에서 밑줄 친 말의 의도로 가장 적절한 것은?

> A : Hi, Suzie. What happened?
> B : I think I have a toothache.
> A : Oh, then <u>you should see a doctor right away</u>.
> B : Okay, that's a good idea. Thanks.

① 사과하기 ② 칭찬하기 ③ 조언하기 ④ 감사하기

16. 다음 대화에서 B가 생일파티에 갈 수 <u>없는</u> 이유는?

> A : Can you come to David's birthday party?
> B : Oh, when is it?
> A : Tonight.
> B : Oh, I can't. I have to visit my grandmother.

① 시험공부를 해야 해서 ② 할머니 댁을 방문해야 해서
③ 운동을 해야 해서 ④ 친구와 약속이 있어서

17. 다음 글에서 글쓴이의 심경으로 가장 알맞은 것은?

> When I was young, I mostly stayed home alone. My parents were so busy that they couldn't be with me during the week. I was lonely at that time.

① 기대함 ② 외로움 ③ 당황함 ④ 행복함

예상문제 01

18. 주어진 말에 이어질 두 사람의 대화를 〈보기〉에서 찾아 순서대로 가장 적절하게 배열한 것은?

Why are you going to Jeju island?

〈보기〉

(A) That's great. How long will you stay there?

(B) I'm going there for a vacation.

(C) For three days.

① (A) – (C) – (B)　② (B) – (A) – (C)

③ (C) – (A) – (B)　④ (C) – (B) – (A)

19. 다음 글의 흐름으로 보아 주어진 문장이 들어가기에 가장 적절한 곳은?

But she is active and energetic these days.

(①) This is my dog, Maple. (②) When I first got her, she was quiet and not active. (③) She wants to play with my family and go for a walk. (④)

20. 다음 글의 주장으로 가장 알맞은 것은?

Trees are very important to us. They help clean the air we breathe, filter the water we drink. So, we should take care of trees.

① 대중교통을 이용하자.　② 물을 아껴 쓰자.

③ 나무를 보호하자.　④ 나무 베는 방법

21. 다음 글을 읽고 알 수 <u>없는</u> 것은?

My name is Sumi. I'm fourteen. I'm a middle school student. My favorite subject is math. My hobby is reading a book. There are five people in my family.

① 나이　② 좋아하는 과목

③ 취미　④ 좋아하는 운동

22. 다음 대화의 주제로 가장 적절한 것은?

A : James, what do you do on Sundays?
B : I play basketball. How about you?
A : I go to an English class every Sunday.
B : That sounds interesting.

① 새로운 학교 생활
② 농구 동아리 홍보
③ 영어 공부 방법
④ 일요일마다 하는 일

23. 다음 글의 주제로 가장 적절한 것은?

It is important to follow the rules when you visit this art museum. First, don't take a picture. Second, don't eat any food inside the museum. Finally, never run and make a noise.

① 미술관 방문시 규칙 사항
② 미술관 직원 모집
③ 음식 먹을 때 주의사항
④ 사진 찍는 방법

24. 다음 글의 주제로 알맞은 것은?

Everyone needs friends. It is nice to have a friend to talk, laugh, and do things with. We feel very alone when we have no friends.

① 대화의 중요성
② 사랑의 위대함
③ 친구의 필요성
④ 가족의 소중함

25. 다음 글을 쓴 목적으로 알맞은 것은?

I'd like to make spaghetti for dinner tonight. Can you go to the supermarket for me? Please get a few potatoes and tomatoes. We also need a little salt. Thanks.

① 초대
② 책망
③ 사과
④ 부탁

예상문제 02

1. 다음을 모두 포함할 수 있는 단어로 가장 적절한 것은?

beef　salad　bread　sandwich

① weather　② food　③ season　④ job

2. 두 단어의 의미 관계가 나머지 셋과 <u>다른</u> 것은?

① food – pizza　② color – red
③ body – foot　④ bird – cat

3. 다음 대화의 빈칸에 들어갈 말로 알맞은 것은?

A : Is this your book? B : Yes, it ________.

① am　② will　③ are　④ is

[4-8] 대화의 빈칸에 들어갈 말로 알맞은 것은?

4.

Seho : Hi, Jim. This is my friend, Grace. Jim : ____________________. Grace : Nice to meet you, too.

① See you later　② Nice to meet you
③ Fine, thanks　④ Good bye

5.

A : You look tired. What happened? B : I didn't __________ well last night.

① eat　② play　③ sleep　④ have

6.

A : How ________ is this cap?
B : It's 10 dollars.

① far ② much ③ many ④ long

7.

A : I think exercising is important.
B : ____________________. It gives you energy and power for the day.

① It is impossible
② Sorry, but I can't
③ No, I'm not
④ I agree with you

8.

A : ________ are we going to meet?
B : Let's meet at the library.

① Who ② What ③ Why ④ Where

9. 다음 대화 직후 A가 할 일로 가장 알맞은 것은?

A : Are you busy? I can help you.
B : Yes, please. Can you walk my dog?
A : Sure!

① 은행가기
② 책 빌려 주기
③ 개 산책시키기
④ 음식 만들기

10. 다음 빈칸에 들어갈 말로 적절한 것은?

I ________ to Busan last Saturday.

① went ② will go ③ go ④ gone

예상문제 02

11. 다음 대화에서 밑줄 친 부분이 가리키는 표지판은?

> A : Can I take a picture in this art museum?
> B : No, you must not. Look at the sign. It says you can't take a photo here.

① 
② 
③ 
④ 

12. 다음 글의 목적으로 알맞은 것은?

> Hello, everybody. I am Eunju from America. I am a middle school student. I like playing tennis a lot. So I want to become a tennis player in the future.

① 안내　② 소개　③ 감사　④ 불평

13. 다음 빈칸에 공통으로 들어갈 말은?

> A : Who is your ________ singer?
> B : I like BTS most. I love their powerful dancing. What about you?
> A : My ________ singer is the Beatles.

① friendly　② favorite　③ famous　④ funny

14. 다음 대화가 일어나는 장소로 알맞은 것은?

> A : May I help you?
> B : I want to dry-clean this dress.
> A : OK, please pick it up in 3 days.

① 박물관　② 문구점　③ 경찰서　④ 세탁소

15. 다음 대화의 주제로 가장 적절한 것은?

A : Why are you so happy?
B : I have a new puppy.
A : Are you happy with it?
B : Yeah, the dog is really cute.

① 좋아하는 취미
② 새로 온 애완견
③ 동물원 방문
④ 새 친구 사귀기

16. 다음 대화에서 B가 바지를 구입하지 <u>못한</u> 이유는?

A : Did you buy new pants?
B : No, they were expensive.

① 바지가 많아서
② 가격이 비싸서
③ 맞는 사이즈가 없어서
④ 마음에 들지 않아서

17. 다음 글 바로 뒤에 이어질 내용으로 가장 적절한 것은?

Work is important, but everyone needs free time, too. People can do anything they want to do in their free time. Some people like to play sports.

① 일의 중요성
② 스포츠의 장점
③ 여가 시간에 즐길 수 있는 것들
④ 공부를 잘 하는 방법

18. 다음 빈칸에 들어갈 말로 가장 적절한 것은?

In our ________ club, we make a lot of food such as cookies, cakes, and pies. Sometimes, we give our food to other people who needs it.

① cooking
② movie
③ music
④ drama

예상문제 02

19. 다음 대화에서 밑줄 친 말의 의도로 가장 적절한 것은?

> A : How is your family?
> B : They are fine, thanks.

① 거절하기 ② 감사하기
③ 안부 묻기 ④ 권유하기

20. A에 대한 B의 응답으로 적절하지 않은 것은?

> A : Thank you for your gift.
> B : ________________.

① You're welcome ② I'm afraid I can't
③ It's my pleasure ④ I'm glad you like it

21. 다음 글에서 글쓴이의 심정으로 가장 알맞은 것은?

> I'm from America. I'm not good at Korean so I can't understand it at all. I feel terrible.

① 당당함 ② 답답함 ③ 만족함 ④ 행복함

22. 다음 글에서 Allen이 겪은 일은?

> Allen studied very hard for the exam. He was ready to get a good grade. But when he took the exam, he unfortunately made many mistakes.

① 가방을 잃어버림 ② 시험에서 실수를 많이 함
③ 시험을 잘 봄 ④ 친구와 다툼

23. 다음 대화의 주제로 알맞은 것은?

> A : What do you want to be in the future?
> B : I want to be an artist. How about you?
> A : I want to be a teacher.

① 장래 희망 ② 취미 활동 ③ 학교 생활 ④ 환경 보호

24. 다음 글을 쓴 목적으로 가장 적절한 것은?

> Dear Mr. Young,
> I have something to tell you. My parents always say I should be a doctor but I want to be a chef. I like cooking a lot. What should I do?

① 수리 요청 ② 고민 상담
③ 불평 접수 ④ 약속 확인

25. Jenny의 여동생에 대한 설명에서 언급되지 <u>않은</u> 것은?

> My name is Jenny. I am going to tell you about my younger sister. She is kind and has many friends. She also studies hard. I love my sister.

① 친절하다. ② 친구가 많다.
③ 공부를 열심히 한다. ④ 유머러스하다.

예상문제 03

1. 다음을 모두 포함할 수 있는 단어로 가장 적절한 것은?

America	Canada	China	Italy

① color ② fruit ③ animal ④ country

2. 두 단어의 의미 관계가 나머지 셋과 <u>다른</u> 것은?

① wet – dry ② noisy – quiet
③ true – false ④ all – every

3. 빈칸에 들어갈 말로 가장 적절한 것은?

> There ______ four pencils on my desk.

① is ② was ③ are ④ be

[4-6] 대화의 빈칸에 들어갈 말로 가장 적절한 것을 고르시오.

4.

> A : ________ you like cookies?
> B : Yes, I do.

① Is ② Do ③ Are ④ Does

5.

> A : How ________ does it take from here to the library?
> B : It takes 5 minutes on foot.

① long ② far ③ old ④ often

6.

> A : ____________?
> B : He is from Mexico.

① Who is she
② How old is he
③ What do you do
④ Where is he from

7. 다음 밑줄 친 말의 의도로 알맞은 것은?

> A : I won the first prize in the piano contest.
> B : <u>Excellent! Congratulations!</u>

① 사과하기 ② 권유하기 ③ 불평하기 ④ 축하하기

8. 다음 대화 중 자연스러운 것은?

① A : How are you?
B : She is OK.

② A : How was your trip?
B : He is happy.

③ A : May I speak to Jim?
B : No, thanks.

④ A : What time is it?
B : It is 8 p.m. now.

9. 다음 대화에서 B의 응답으로 알맞지 <u>않은</u> 것은?

> A : It's time to leave now. See you next time.
> B : ____________________.

① See you soon
② Glad to meet you
③ Have a nice day
④ See you later

예상문제 03

10. 다음은 Jane이 학교 생활을 위해 방과 후 계획표를 작성한 것이다. Jane이 수요일에 할 일은?

Monday	Tuesday	Wednesday	Thursday	Friday
Playing soccer	Book club	Practicing the violin	Computer game	Walking the dog

① 축구하기
② 책 동아리에 가기
③ 바이올린 연습
④ 개 산책시키기

11. Wendy에 대한 설명과 일치하지 <u>않는</u> 것은?

Wendy is a teenager. She is kind and friendly. She likes reading a book and cooking for her family. She wants to be a cook in the future.

① 십대이다.
② 친절하고 상냥하다.
③ 독서와 요리하는 것을 좋아한다.
④ 선생님이 되는 것이 꿈이다.

12. 다음 대화의 주제로 가장 적절한 것은?

A : I traveled to Busan last week.
B : Did you have fun?
A : Yes, I did. You should go there someday.

① 축구 하기
② 책 읽기
③ 부산 여행
④ 공부하기

13. 다음 대화가 일어나는 장소로 알맞은 것은?

A : May I help you?
B : Can I book a room for 3 nights?
A : Sure, we have a standard room.

① 은행 ② 도서관 ③ 호텔 ④ 우체국

14. 다음 대화의 주제로 알맞은 것은?

A : What is your dream in the future?
B : I want to be a nurse.
A : Your dream will come true.

① 취미 생활　② 교우 관계
③ 병원 소개　④ 장래 희망

15. 다음 대화의 상황으로 가장 알맞은 것은?

A : Excuse me, where is the drug store?
B : Go straight for two blocks. It's on your left.
A : Thank you.

① 사과하기　② 물건 사기
③ 길 묻고 답하기　④ 인물 묘사하기

16. 다음 글에서 글쓴이가 주장하는 내용으로 가장 알맞은 것은?

Here are some ways to save energy : Turn off the water while brushing your teeth. Walk short distances instead of driving your car.

① 물을 자주 마시자.　② 에너지를 절약하자.
③ 교통 법규를 지키자.　④ 안전 운전하자.

17. 다음 상황에서 은희가 해야 할 일로 적절한 것은?

Eunhee doesn't have many friends. She is too shy to talk to other students. So she wants to ask for help.

① 조용하게 지낼 필요가 있다.　② 용기를 내어 친구에게 다가간다.
③ 친구를 만들 필요가 없다.　④ 공부를 열심히 해야 한다.

예상문제 03

18. 다음 대화에서 이번 주 토요일에 두 사람이 함께 할 활동은?

> A : Shall we go shopping this Saturday?
> B : That's a good idea.
> A : Great. How about meeting at 3p.m.?

① 영화 보러가기 ② 쇼핑하기
③ 미술관가기 ④ 산책가기

19. 다음 대화에서 빈칸에 알맞은 것은?

> A : I like the 'Parasite' movie. How about you?
> B : So ______ I.

① am ② do ③ does ④ did

20. 다음 빈칸에 공통으로 들어갈 말로 알맞은 것은?

> · I am pround ______ my son.
> · The glass is full ______ milk.

① of ② by ③ out ④ in

21. 다음 소풍 공지에 제시되지 않은 것은?

> · Bring your food.
> · Don't be late.
> · Come with your friend.

① 음식 챙겨오기 ② 늦지 않기
③ 걸어서 오기 ④ 친구와 함께 오기

22. 다음 주어진 말에 이어질 두 사람의 대화를 〈보기〉에서 찾아 순서대로 가장 적절하게 배열한 것은?

> Welcome to NANA's Restaurant! May I take your order?

〈보기〉

(A) Sure, one cola, please.

(B) I'd like to order a cheese burger.

(C) OK. Do you want a drink?

① (B) − (A) − (C)
② (B) − (C) − (A)
③ (C) − (A) − (B)
④ (C) − (B) − (A)

23. 다음 초대장을 보고 알 수 없는 것은?

> Mina's birthday party!
> Date : 9th, May
> Where : BBQ restaurant
> Call me 080-111-0000

① 날짜
② 장소
③ 연락처
④ 참석 인원

24. 다음 글의 주제로 가장 적절한 것은?

> A virus is dangerous. But there are some ways to get away from the virus. First, we should wear masks. Second, wash our hands often for 30 seconds. Finally, keep two meters distance from people.

① 사람들과 잘 지내는 방법
② 집을 항상 청결하게 유지하는 방법
③ 바이러스로부터 안전하기 위한 방법
④ 건강관리를 위해 식단을 조절하는 방법

예상문제 03

25. 다음 글의 주제로 가장 적절한 것은?

> Books give a lot of things to us. We can learn about the world and various people. If you are interested in history, read history books. You can go into the world of the past.

① 만화 책을 많이 보면 안된다.
② 책을 통해 세상과 사람에 대해 배울 수 있다.
③ 수학 공부를 열심히 해야 한다.
④ 건강관리를 위해 운동을 해야 한다.

예상문제 04

1. 다음을 모두 포함할 수 있는 단어로 가장 적절한 것은?

golf	soccer	baseball	basketball	tennis

① color ② sports ③ subject ④ season

2. 두 단어의 의미 관계가 나머지 셋과 <u>다른</u> 것은?

① job－teacher
② animal－cat
③ flower－rose
④ summer－winter

[3-5] 대화의 빈칸에 들어갈 말로 알맞은 것은?

3.

A : Can you speak English?
B : No, ________. I can only speak Korean.

① I am ② I can't ③ she is ④ you aren't

4.

A : How ________ books do you have?
B : I have two books.

① long ② many ③ old ④ tall

5.

A : I have a headache because I didn't sleep well last night.
B : You'd ________ take some medicine.

① rest ② worse ③ better ④ should

예상문제 04

6. 다음 빈칸에 공통으로 들어갈 말로 가장 적절한 것은?

· The desk is covered _______ dust.
· I went shopping _______ my friend.

① by ② on ③ from ④ with

7. 다음은 Jenny의 취미 생활표이다. Jenny가 금요일에 하는 취미 활동은?

Monday	Tuesday	Wednesday	Thursday	Friday
Reading a book	Bowling	Computer game	Swimming	Cooking

① 독서 ② 컴퓨터 게임 ③ 수영 ④ 요리

8. 다음 대화에서 A의 질문으로 가장 적절한 것은?

A : ______________________?
B : I am feeling bad because I fought with my friend.

① How's your mother
② How are you feeling
③ Where is your sister
④ What's your favorite subject

9. 다음 대화의 내용으로 가장 적절한 것은?

A : What hobby do you have?
B : I usually read a book when I am free.

① 동아리 활동 ② 좋아하는 색깔
③ 취미 생활 ④ 영화보기

[10~12] 대화의 빈칸에 들어갈 말로 가장 적절한 것을 고르시오.

10.

A : ________ is your birthday?
B : It is March 15th.

① Why ② Who ③ Where ④ When

11.

A : What ________ of food do you like?
B : I like chicken soup.

① set ② kind ③ do ④ mix

12.

A : ________ you visit your grandmother yesterday?
B : Yes, I did.

① Are ② Did ③ When ④ What

13. 다음 대화의 빈칸에 공통으로 들어갈 말로 알맞은 것은?

A : ______ often do you go shopping?
B : Once a month.
A : ______ much are these socks?
B : 2 dollars each.

① How ② What ③ When ④ Which

예상문제 04

14. 다음 그림 속 Mary의 행동을 표현한 것으로 알맞은 것은?

① Mary is watching TV.
② Mary is walking a dog.
③ Mary is playing baseball.
④ Mary is doing homework.

15. 다음 글을 쓴 목적으로 알맞은 것은?

> Dear Sujan,
> I want to invite you to my birthday party on May 5th. Let's have fun together in my house. Please let me know if you can come. Jane

① 감사 ② 초대 ③ 사과 ④ 위로

16. 다음 메모에서 Jina가 해야 할 일이 <u>아닌</u> 것은?

> 〈To do lists〉
> · Feed the dog
> · Do homework
> · Play the piano

① 개 먹이주기 ② 숙제하기 ③ 바이올린 연습 ④ 피아노 치기

17. 다음 대화의 주제로 알맞은 것은?

> A : What was your favorite trip?
> B : It was Hawaii with my family. How about you?
> A : My favorite travel time was in Jeju island.

① 취미 ② 여행지 ③ 희망 직업 ④ 가족 소개

18. 다음 대화에서 밑줄 친 A 말의 의도로 알맞은 것은?

> A : What's wrong with you?
> B : I caught a cold.
> A : <u>Why don't you see a doctor</u>?
> B : OK, I will.

① 거절하기　② 축하하기　③ 사과하기　④ 제안하기

19. 다음 글의 주장으로 가장 적절한 것은?

> Washing your hands is one of the easiest and most important ways to protect yourself. It can help you to stay healthy and stop the spread of bacteria and viruses.

① 손을 깨끗이 씻자.
② 신선한 공기를 마시자.
③ 교통법규를 지키자.
④ 강을 깨끗하게 보존하자.

20. 다음 대화에서 밑줄 친 말의 의도로 알맞은 것은?

> A : How was your science test?
> B : It was so hard. I don't think I did very well.
> A : <u>Don't worry. You'll do better next time</u>.

① 승낙하기　② 격려하기　③ 초대하기　④ 허락하기

21. 다음 글에서 Joi에 대한 설명으로 언급되지 <u>않은</u> 것은?

> Hello! My name is Joi. I live in Canada. I live with my dad, mom, sister, and a pet called Collie. My hobby is reading a book. I want to be a nurse in the future.

① 사는 곳　② 가족　③ 좋아하는 과목　④ 장래 희망

예상문제 04

22. 다음 글의 주제로 알맞은 것은?

> We have one of the biggest cities in Korea. It is Seoul. It is a beautiful city to visit. It has a big market called Namdea-mun and great night views of downtown.

① 한국의 공휴일
② 한국의 도시
③ 한국의 사계절
④ 한국의 전통문화

23. 다음 글의 흐름과 관련이 <u>없는</u> 문장은?

> Today is Children's Day. ① My younger brother and I go to a park and ride a bicycle. ② My brother is so happy to have a great time. ③ I don't like to read a book. ④ It is one of the happiest days with my brother.

24. 다음 글에서 설명하고 있는 계절은?

> In Korea, it starts in the month of September with cool and fresh air. The best time to see the leaves is October. The leaves turn red and yellow in this season.

① spring ② summer ③ fall ④ winter

25. 다음 글의 제목으로 가장 알맞은 것은?

> Swimming is my favorite sport. It makes me feel very healthy and balanced. It is one of the most popular sports that can be enjoyed by all ages. Swimming allows you to move your whole body.

① My Favorite Sport : Swimming
② Losing weight
③ Unhappy life
④ Air pollution

예상문제 05

1. 다음을 모두 포함할 수 있는 단어로 가장 적절한 것은?

dog cow pig elephant fox

① color ② fruit ③ animal ④ country

2. 두 단어의 의미 관계가 나머지 셋과 <u>다른</u> 것은?

① rude – polite
② noisy – quiet
③ lazy – diligent
④ wise – clever

[3~7] 대화의 빈칸에 들어갈 말로 가장 적절한 것을 고르시오.

3.

A : How do you go to school? B : ________________.

① On foot
② At seven
③ In Seoul
④ Ten minutes

4.

She will ______ to church this Sunday.

① go ② to go ③ goes ④ going

5.

I don't know ______ to swim.

① why ② where ③ when ④ how

예상문제 05

6.

A : What happened?

B : I didn't pass my math test because it was too __________.

① famous ② easy ③ difficult ④ sad

7.

A : You look down. What happened?

B : I ________ a terrible toothache.

① do ② have ③ meet ④ go

8. 다음 대화가 이루어진 장소로 알맞은 곳은?

A : Please keep quiet. Many people are reading books in this library now.

B : Oh, I am sorry.

① 식당 ② 영화관 ③ 약국 ④ 도서관

9. 다음 대화에서 밑줄 친 말의 의도로 가장 적절한 것은?

A : Our team lost the soccer match yesterday.

B : <u>Cheer up. Your team will do better next time</u>.

① 사과하기 ② 격려하기 ③ 조언하기 ④ 감사하기

10. 다음 대화 직후 Sam이 Mina를 위해 할 일은?

Mina : These desks are too heavy.

Sam : Can I help to carry them?

Mina : Thank you.

① 책상 들어주기 ② 숙제하기 ③ 책 읽어주기 ④ 설거지하기

[11~13] 다음 빈칸에 들어갈 말로 가장 적절한 것을 고르시오.

11.

A : ________ is the library closed?

B : It is closed at 7:00 p.m.

① Which ② Who ③ What ④ When

12.

A : _______ day is it today?

B : It is Friday.

① How ② Who ③ What ④ That

13.

My family ________ to Canada last year.

① goes ② went ③ will go ④ go

14. 다음 대화의 주제로 가장 적절한 것은?

A : What did you do during the weekend?

B : I visited my grandparents. How about you?

A : I went to a library on Saturday.

① 좋아하는 책
② 좋아하는 운동
③ 주말에 한 일
④ 좋아하는 요일

15. 밑줄 친 It이 설명하는 것은?

It has a lot of bread. It bakes bread and cookies. These days, we can buy coffee there, too.

① bank ② post office ③ gym ④ bakery

예상문제 05

16. 다음 글 바로 뒤에 이어질 내용으로 가장 알맞은 것은?

> Today, nature is getting sick. Many experts say it is due to pollution of the earth. Have you ever tried to do something to make nature better? Here are some ideas.

① 건강한 운동 방법
② 몸에 좋은 음식들
③ 공부 잘하는 방법
④ 환경 보호 실천 방법

17. 다음 글에서 'Henry'가 오늘 한 일이 <u>아닌</u> 것은?

> Today is Henry's mother's birthday. In the morning, he cleaned the house. He and his mother went to a movie and ate dinner at a hotel. They had a good time.

① 집 청소 ② 영화 보기 ③ 저녁먹기 ④ 친구 만나기

18. 다음은 무엇을 위한 조언인가?

> · Eat healthy food.
> · Do exercise regularly.
> · Wash your hands before meals.

① 건강 지키기 ② 성적 올리기 ③ 환경 지키기 ④ 음식 만들기

19. 다음 주어진 말에 이어질 대화의 순서로 가장 알맞은 것은?

> Sumi, you look so sad. What's wrong?

〈보기〉

> (A) OK, I will.
> (B) I lost my bag in a bus.
> (C) You should call the bus company.

① (A) – (B) – (C)
② (B) – (A) – (C)
③ (B) – (C) – (A)
④ (C) – (A) – (B)

20. 다음 글의 주제로 가장 알맞은 것은?

My family and I went to ltaly last summer. We stayed there for 5 days and enjoyed our outdoor activities. We had a great time. Someday, I want to go there again.

① 일의 중요성
② 가족과 여름 휴가
③ 봉사활동의 중요성
④ 운동의 중요성

21. 다음 글의 주제로 가장 알맞은 것은?

People cut down the trees, and built houses and buildings. Now we have few trees and few birds. Also, the air is bad these days. It is important for us to take care of the trees around us and to save them.

① 새들을 사랑하자.
② 공기를 정화하자.
③ 집안을 청소하자.
④ 나무를 잘 돌보자.

22. 다음 글의 빈칸에 들어갈 말로 가장 알맞은 것은?

Mr. Kim has one little daughter who just entered a school. He knows how to teach her well. Mr. Kim decided to teach her ___________. So now she is interested in books.

① how to sing
② how to run
③ how to swim
④ how to read and write

예상문제 05

23. 다음 글에서 알 수 있는 정보가 아닌 것은?

Job Offer

· Two men will do gardening work.

· Must be experienced.

· Call : 003-647-5768

① 구인 인원 ② 경험 여부 ③ 근무 시간 ④ 연락처

24. 다음 글의 빈칸에 알맞은 것은?

Each hand has five fingers at the end of it. We use them to ________ up things. We also use our fingers for counting, pointing, and doing many other things.

① talk ② pick ③ help ④ think

25. 밑줄 친 It(it)은 무엇에 관한 설명인가?

It changes its color at times. During a clear day it is very blue, and on a rainy day it is *gray. At night it seems black.

* gray : 잿빛의, 회색의

① sky ② sun ③ star ④ ground

중학교 졸업자격 검정고시

적중! 모/의/고/사 예상문제

영어

정답 및 해설

1회 예상문제 · 영어

1. ②	2. ④	3. ②	4. ②	5. ④
6. ③	7. ②	8. ③	9. ④	10. ①
11. ③	12. ②	13. ①	14. ③	15. ③
16. ②	17. ②	18. ②	19. ③	20. ③
21. ④	22. ④	23. ①	24. ③	25. ④

1. 비오는, 화창한, 안개낀, 바람부는, 눈오는 – 날씨

2. ① 젊은 – 나이든 (반의어)
② 부유한 – 가난한 (반의어)
③ 큰 – 작은 (반의어)
④ 좋은 – 좋은 (동의어)

3. 그 소녀는 내 친구다. 그녀는 매우 친절하다.

4. live in : ~에 살다. 나는 서울에 산다.
be interested in : ~에 관심이 있다.
나는 영어에 관심이 있다.

5. A : 도와드릴까요?
B : 네, 저는 제 여동생을 위한 드레스를 찾고 있어요.
A : 그 분은 어떤 색을 좋아하나요?

6. 그들은 공을 가지고 놀고 있다.

7. look for : ~을 찾다. 나는 책 한 권을 찾고 있어.
look at : ~을 보다. 내 강아지는 문을 바라보고 있다.

8. What time ~? : 몇 시인가요?
A : 지금 몇 시인가요?
B : 오전 9시입니다.

9. A : 박물관에 가는 게 어때?
B : 좋은 생각이다. 몇 시에 만날까?
A : 6시 어때?
B : 좋아, 그때 보자.

10. How often ~? : 얼마나 자주
A : 얼마나 자주 쇼핑하니?
B : 한 달에 한번.

11. A : 너 슬퍼 보이는구나. 무슨 일 있니?
B : 테니스 경기에서 또 졌어요.

12. A : 마이크씨와 통화할 수 있을까요?
B : ① 전화 받았습니다. ② 저도요.
③ 제가 마이크입니다.
④ 제가 마이크입니다.
(me too) 나도 그래라는 표현은 적합하지 않다.

13. A : 영화표 좀 보여주시겠어요?
B : 여기있습니다.
A : 네 감사합니다. 1번 영화관으로 가세요. 즐거운 관람되세요.

14. A : 우리 산책갈까?
(축구하는 게 어때?, 낚시 가는 거 어때?)
B : 좋은 생각이야.

15. A : 안녕, 수지야. 무슨 일 있니?
B : 나 치통이 있는 거 같아.
A : 그럼, 너 즉시 의사한테 가는 게 좋을거야. (조언)
B : 응, 좋은 생각이야. 고마워.

16. A : 너 데이빗 생일 파티에 올거니?
B : 오, 언젠데?
A : 오늘 밤이야.
B : 아, 난 안될 거 같아. 할머니댁을 방문해야 하거든.

17. 내가 어렸을 때, 나는 주로 집에 혼자 있었다. 나의 부모님은 너무 바쁘셔서 주중에는 나와 함께 하실 수 없었다. 나는 그 당시에 많이 외로웠다. (외로움)

18. 왜 너는 제주도에 가니?
(B) 휴가거든.
(A) 좋겠다. 거기에 얼마 동안 있을거니?
(C) 3일 동안 있을거야.

19. 이 개는 메이플이다. 내가 그 개를 처음 데려왔을 때, 조

용하고 활동적이지 않았다. (그러나 그녀(메이플)는 요즘에 활동적이고 에너지가 넘친다.) 그녀(메이플)는 가족과 어울리길 원하고 산책을 가고 싶어한다.

20. 나무는 우리에게 매우 중요하다. 나무는 우리가 숨쉬는 공기를 깨끗하게 하며, 우리가 마시는 물을 걸러준다. 그러므로 우리는 나무를 보호해야 한다. (나무를 보호하자.)

21. 내 이름은 수미다. 나는 14살이다. 나는 중학생이다. 내가 가장 좋아하는 과목은 수학이고, 나의 취미는 책을 읽는 것이다. 우리 가족은 다섯 식구이다.

22. A : 제임스, 일요일마다 너는 뭐하니?
B : 나는 농구를 해. 넌?
A : 나는 매주 일요일마다 영어 수업을 들어.
B : 흥미롭네.
(일요일마다 하는 일에 대한 질문과 답변이다.)

23. 당신이 미술관을 방문할 때 규칙을 따르는 것은 중요하다. 먼저, 사진을 찍지 말아라. 두 번째, 미술관 내부에서 음식 섭취를 하지 말아라. 마지막으로 달리거나 소음을 내서는 안된다. (미술관 방문시 규칙 사항)

24. 모든 사람은 친구가 필요하다. 대화하고 웃고 함께 무언가를 할 수 있는 친구를 갖는 것이 좋다. 우리는 친구가 없으면 매우 외로움을 느낀다. (친구의 필요성)

25. 나는 저녁으로 스파게티를 만들고 싶단다. 너는 슈퍼마켓에 들를 수 있니? 약간의 감자와 토마토를 사렴. 또한, 약간의 소금도 필요하구나. 고마워. (부탁)

2회 예상문제 · 영어

1. ②	2. ④	3. ④	4. ②	5. ③
6. ②	7. ④	8. ④	9. ③	10. ①
11. ①	12. ②	13. ②	14. ④	15. ②
16. ②	17. ③	18. ①	19. ③	20. ②
21. ②	22. ②	23. ①	24. ②	25. ④

1. 소고기, 샐러드, 빵, 샌드위치 – 음식

2. ① 음식 – 피자 (대분류-소분류)
② 색깔 – 빨강 (대분류-소분류)
③ 신체 – 발 (대분류-소분류)
④ 새 – 고양이 (같은 범주)

3. A : 이것은 너의 책이니?
B : 응, 내 거야.

4. 세호 : 짐아, 안녕. 내 친구 그레이스야.
짐 : 만나서 반가워.
그레이스 : 나도 만나서 반가워.

5. A : 너 피곤해 보여. 무슨 일 있니?
B : 난 어젯밤에 잠을 잘 못잤어. (sleep)

6. How much~? : (가격 물을 때) 얼마인가요?
A : 이 모자 얼마인가요?
B : 10달러입니다.

7. I agree with you : 동의합니다.
A : 저는 운동이 중요하다고 생각해요.
B : 저도 동의해요. 운동은 그 날의 에너지와 힘을 주죠.

8. A : 우리 어디서 만날까?
B : 도서관에서 만나자.

9. A : 너 바쁘니? 내가 널 도와줄게.
B : 그래, 우리 개를 산책시켜줄래?
A : 물론이지!

10. 나는 지난 주 토요일에 부산에 갔어. (과거시점에서는 과거동사 went)

11. A : 이 미술관에서 사진을 찍어도 되나요?
B : 아니요. 안됩니다. 저 표지판을 보세요. 여기서 사진찍지 말라고 말하네요.

12. 모두 안녕하세요. 저는 미국에서 온 은주라고 합니다. 저는 중학생이고, 테니스 치는 것을 매우 좋아합니다. 그래서 저는 미래에 테니스 선수가 되고 싶습니다.

13. (favorite – 가장 좋아하는)

A : 네가 가장 좋아하는 가수가 누구니?
B : 나는 BTS를 가장 좋아해. 나는 그들의 파워풀한 춤이 맘에 들어. 넌?
A : 내가 가장 좋아하는 가수는 비틀즈야.

14. A : 도와드릴까요?
B : 이 드레스를 드라이클리닝 하고 싶어요.
A : 네, 3일 뒤에 찾으러 오세요.

15. A : 너 왜 그렇게 행복하니?
B : 새로운 강아지를 갖게 됐어.
A : 강아지랑 있으면 행복하니?
B : 응, 정말 귀여워.

16. A : 너 새 바지 샀니?
B : 아니, 너무 비싸.

17. 일은 중요하지만 모두가 여가 시간을 필요로 한다. 사람들은 그들의 여가시간에 하고 싶은 것을 할 수 있다. 어떤 이들은 운동 하길 좋아한다. (여가 시간에 즐길 수 있는 것들)

18. 요리 동아리에서, 우리는 쿠키, 케이크, 파이와 같은 많은 음식을 만듭니다. 가끔 우리는 필요한 사람들에게 우리의 음식을 제공합니다.

19. A : 너의 가족은 어떻게 지내?
B : 다들 잘 지내, 고마워.

20. A : 선물 고마워.
B : ① 천만에.
② 유감이지만 안돼.
③ 천만에.
④ 너가 맘에 든다니 기쁘다.

21. 나는 미국에서 왔고 한국어에 약하다. 그래서 나는 전혀 한국말을 이해할 수 없다. 끔찍한 심정이다. (답답함)

22. 알렌은 시험을 위해 매우 열심히 공부했다. 그는 좋은 성적을 받을 준비가 됐지만, 그가 시험을 쳤을 때 안타깝게도 많은 실수를 했다.

23. A : 넌 미래에 뭘 하고 싶니?
B : 난 화가가 되길 원해. 넌?
A : 난 선생님이 되고 싶어.

24. 영 선생님께,
저는 선생님께 드릴 말씀이 있어요. 저의 부모님은 제가 의사가 되어야 한다고 항상 말씀하세요. 근데 저는 요리사가 되고 싶어요. 저는 요리하는 걸 정말 좋아하거든요. 어떻게 해야할까요? (고민 상담)

25. 저의 이름은 제니입니다. 제 여동생에 대해 말씀드릴게요. 여동생은 친절하고 친구가 많아요. 여동생은 공부도 열심히해요. 저는 제 동생을 사랑해요.

3회 예상문제 · 영어

1. ④	2. ④	3. ③	4. ②	5. ①
6. ④	7. ④	8. ④	9. ②	10. ③
11. ④	12. ③	13. ③	14. ④	15. ③
16. ②	17. ②	18. ②	19. ②	20. ①
21. ③	22. ②	23. ④	24. ③	25. ②

1. 미국, 캐나다, 중국, 이탈리아 – 나라

2. ① 젖은 – 건조한 (반의어)
② 시끄러운 – 조용한 (반의어)
③ 진실한 – 거짓의 (반의어)
④ 모든 – 모든 (동의어)

3. There is (~가 있다) 뒤에는 단수 주어
There are (~가 있다) 뒤에는 복수 주어
내 책상 위에는 네 개의 연필이 있다.

4. A : 너는 쿠키를 좋아하니?
B : 응, 좋아해.

5. How long ~? : (시간이) 얼마나 걸리나요?
A : 여기에서 도서관까지 시간이 얼마나 걸리나요?
B : 걸어서 5분 걸려요.

6. A : 그는 어디 출신인가요?
B : 그는 멕시코에서 왔습니다.

7. A : 저는 피아노 대회에서 일등을 했어요.
B : 멋지다! 축하해!

8. ① A : 너는 어떻게 지내니?
B : 그녀는 괜찮아.
② A : 너의 여행은 어땠니?
B : 그는 행복해.
③ A : 짐과 통화할 수 있을까요?
B : 아뇨, 괜찮습니다.
④ A : 몇 시인가요?
B : 지금은 오후 8시입니다.

9. A : 지금 가야할 때에요. 다음에 봐요.
① 곧 봐요.
② 만나서 반가워요.
③ 좋은 하루 보내세요.
④ 다음에 봐요.

10. 수요일 : 바이올린 연습

11. 웬디는 십대이고 친절하고 상냥하다. 그녀는 독서와 그녀의 가족을 위해 요리하는 것을 좋아한다. 그녀는 미래에 요리사가 되길 원한다.

12. A : 지난 주에 부산을 여행했어.
B : 재밌었니?
A : 응. 너도 언젠가는 가봐.

13. A : 도와드릴까요?
B : 3박을 예약할 수 있나요?
A : 물론이죠. 스탠다드룸이 있습니다.

14. A : 장래 희망이 뭐니?
B : 나는 간호사가 되고 싶어.
A : 너의 꿈이 실현될거야.

15. A : 실례합니다. 약국이 어디있나요?
B : 두 블럭 쭉 가시면 왼쪽에 있습니다.
A : 고맙습니다.

16. 여기에 에너지를 절약할 몇 가지 방법이 있다. 이를 닦는 동안 물을 잠궈라. 차로 운전하는 것 대신에 단거리는 걸어라. (에너지를 절약하자.)

17. 은희는 친구가 많지 않다. 그녀는 너무 부끄러움을 많이 타서 다른 학생들과 대화를 할 수 없다. 그녀는 도움을 요청하고 싶다. (용기를 내어 친구에게 다가간다.)

18. A : 우리 이번 주 토요일에 쇼핑 갈까?
B : 좋은 생각이야.
A : 좋아. 오후 3시에 보는 거 어때?

19. A : 나는 '기생충' 영화가 좋아. 넌 어때?
B : 나도 그래.

20. be proud of : ~을 자랑스러워하다. 나는 나의 아들이 자랑스럽다.
be full of : ~로 가득차다. 그 유리컵은 우유로 가득 차 있다.

21. · 음식을 챙겨오세요.
· 늦지 마세요.
· 친구와 함께 오세요.

22. 나나 레스토랑에 오신걸 환영합니다. 주문하시겠어요?
(B) 저는 치즈버거로 주문하겠습니다.
(C) 네, 음료도 원하시나요?
(A) 네, 콜라로 주세요.

23. 미나의 생일 파티!
날짜 : 5월 9일
장소 : BBQ 레스토랑
연락처 : 080-111-0000

24. 바이러스는 위험하다. 그러나 바이러스로부터 피할 몇 가지 방법이 있다. 먼저, 마스크를 쓴다. 두 번째, 30초 동안 자주 손을 씻는다. 마지막으로 사람들로부터 2미터 거리를 유지한다. (바이러스로부터 안전하기 위한 방법)

25. 책은 우리에게 많은 것을 준다. 우리는 세상과 다양한 사람들에 대해서 배울 수 있다. 만일 역사에 관심이 있다면, 역사책을 읽어라. 그럼 과거의 세계로 들어갈 수 있다. (책을 통해 세상과 사람에 대해 배울 수 있다.)

4회 예상문제 · 영어

1. ②	2. ④	3. ②	4. ②	5. ③
6. ④	7. ④	8. ②	9. ③	10. ④
11. ②	12. ②	13. ①	14. ②	15. ②
16. ③	17. ②	18. ④	19. ①	20. ②
21. ③	22. ②	23. ③	24. ③	25. ①

1. 골프, 축구, 야구, 농구, 테니스 - 운동

2. ① 직업 - 선생님 (대분류-소분류)
② 동물 - 고양이 (대분류-소분류)
③ 꽃 - 장미 (대분류-소분류)
④ 여름 - 겨울 (같은 범주)

3. A : 넌 영어를 말할 수 있니?
B : 아니, 난 단지 한국어만 할 수 있어.

4. How many ~? : (수) 얼마나 많이 (뒤에는 셀 수 있는 명사의 복수만 가능)
A : 얼마나 많은 책을 가지고 있니?
B : 두 권의 책을 가지고 있어.

5. had better 동사원형 : ~하는 편이 낫다.
A : 나는 어젯밤에 잠을 잘 못자서 두통이 있어.
B : 너는 약을 먹는 편이 낫겠어.

6. be covered with : ~로 덮여 있다. 그 책상은 먼지로 덮여 있다.
with : ~와 함께 나는 내 친구와 함께 쇼핑을 갔다.

7. 금요일에 하는 취미 활동 : 요리

8. A : 너 기분은 좀 어떠니?
B : 난 친구와 싸워서 기분이 안좋아.

9. A : 넌 어떤 취미를 가지니?
B : 난 주로 쉴 때 책을 읽어.

10. A : 너의 생일은 언제니?
B : 3월 15일이야.

11. What kind of ~? : 어떤 종류의 ~?
A : 넌 어떤 종류의 음식을 좋아하니?
B : 난 삼계탕을 좋아해.

12. A : 너는 어제 할머니댁을 방문했니?
B : 응, 그랬어.

13. How often ~? : 얼마나 자주 ~? (횟수 물을 경우)
A : 얼마나 자주 쇼핑을 가니?
B : 한 달에 한번
How much ~? 얼마인가요? (가격 물을 경우)
A : 이 양말은 얼마인가요?
B : 각각 2달러입니다.

14. 메리는 개를 산책시키는 중이다.

15. 수잔에게,
나는 5월 5일 나의 생일 파티에 너를 초대하고 싶어. 우리 집에서 재밌게 보내자. 너가 올 수 있으면 나에게 알려주렴.
제인 (초대)

16. 해야 할 목록
· 개 사료 먹이기
· 숙제하기
· 피아노 치기

17. A : 너가 가장 좋았던 여행은 어디였니?
B : 가족과 함께 간 하와이였어. 너는?
A : 내가 가장 좋았던 여행은 제주도였어.

18. A : 너에게 무슨 문제 있니?
B : 감기에 걸렸어.
A : 의사한테 가보는 게 어때? (제안)
B : 응, 그럴게.

19. 손을 씻는 것은 가장 쉽고 가장 중요한 일 중의 하나이다. 그것은 건강함을 유지하도록 하며 박테리아나 바이러스의 퍼짐을 막아준다. (손을 깨끗이 씻자.)

20. A : 너의 과학 시험은 어땠니?
B : 어려웠어. 나는 잘 못본 것 같아.
A : 걱정마. 다음 번에 더 잘 할거야.(격려)

21. 안녕하세요. 저의 이름은 조이입니다. 저는 캐나다에 살아요. 저는 아빠, 엄마, 여동생과 콜리라 불리는 애완 동물과 함께 살아요. 저의 취미는 독서이고, 저는 미래에 간호사가 되고 싶습니다. (좋아하는 과목 언급 없음)

22. 우리는 한국에서 가장 큰 대도시 중의 하나를 가지고 있습니다. 그곳은 서울입니다. 그 곳은 방문하기 아름다운 도시입니다. 서울은 남대문이라 불리는 큰 시장이 있고 도시의 멋진 야경을 가지고 있습니다. (한국의 도시)

23. 오늘은 어린이날이다. 나의 남동생과 나는 공원에 가서 자전거를 탔다. 나의 남동생은 좋은 시간을 보내서 매우 행복해 했다.(나는 독서를 좋아하지 않는다.) 그날은 나의 남동생과 함께 보낸 가장 행복한 날 중의 하나이다.

24. 한국에서, 그 계절은 시원하고 신선한 공기로 9월을 시작합니다. 나뭇잎을 볼 최적의 시기는 10월입니다. 이 시기의 잎들은 붉고 노랗게 물듭니다. (가을)

25. 수영은 저의 가장 좋아하는 운동입니다. 그것은 저를 건강하게 해주며 균형을 잡게 해줍니다. 수영은 모든 연령대가 즐길 수 있는 가장 인기 있는 운동 중의 하나입니다. 수영은 전신이 움직이도록 해줍니다. (My Favorite Sport : Swimming)

5회 예상문제 · 영어

1. ③	2. ④	3. ①	4. ①	5. ④
6. ③	7. ②	8. ④	9. ②	10. ①
11. ④	12. ③	13. ②	14. ③	15. ④
16. ④	17. ④	18. ①	19. ③	20. ②
21. ④	22. ④	23. ③	24. ②	25. ①

1. 개, 소, 돼지, 코끼리, 여우 – 동물

2. ① 무례한 – 공손한 (반의어)
② 시끄러운 – 조용한 (반의어)
③ 게으른 – 부지런한 (반의어)
④ 똑똑한 – 똑똑한 (동의어)

3. A : 너는 학교에 어떻게 가니?
B : 걸어서 가.

4. 그녀는 이번 주 일요일에 교회에 갈 것이다.

5. how to 동사원형 : ~하는 방법
나는 수영하는 방법을 모른다.

6. A : 무슨 일 있니?
B : 나는 수학 시험이 어려워서 통과하지 못했어.

7. A : 너 기분이 안 좋아 보인다. 무슨 일 있니?
B : 끔찍한 치통을 가졌어.

8. A : 조용해 주세요. 많은 사람들이 이 도서관에서 지금 책을 읽잖아요.
B : 오, 죄송합니다.

9. A : 우리 팀은 어제 축구 경기에서 졌어.
B : 기운내. 너희팀은 다음 번에 더 잘 할거야.(격려)

10. A : 이 책상들은 너무 무거워.
B : 내가 드는 것을 도와줄까?
A : 고마워.

11. A : 도서관은 언제 닫니?
B : 오후 7시에 닫아.

12. A : 오늘 무슨 요일이니?
B : 금요일이야.

13. 나의 가족은 작년에 캐나다에 갔어. (과거시점에서는 과거동사 went)

14. A : 주말 동안 뭐했니?
B : 조부모님댁에 방문했어. 너는?
A : 난 토요일에 도서관에 갔어.

15. 그것은 많은 빵을 가지고 있다. 그것은 빵과 쿠키를 굽

는다. 요즘에는 거기에서 역시 커피도 살 수 있다. (bakery : 빵집)

16. 오늘날 자연이 아파하고 있다. 많은 전문가들은 그것이 지구의 오염때문이라고 말한다. 당신은 자연이 더 나아지기 위해 어떤 것을 하고자 노력하는가? 여기에 몇 가지 아이디어들이 있다. (환경 보호 실천 방법)

17. 오늘은 헨리의 어머니 생신이다. 오늘 아침, 그는 집을 청소했다. 헨리와 그의 어머니는 영화를 보고 호텔에서 저녁을 먹었다. 좋은 시간을 보냈다. (친구 만나기 언급 없음)

18. · 건강에 좋은 음식을 먹어라.
· 규칙적으로 운동 해라.
· 식사 전에 손을 씻어라.

19. 수미야, 오늘 좀 슬퍼 보이는데 무슨 일 있니?
(B) 버스에서 가방을 잃어버렸어.
(C) 버스 회사에 전화해 봐.
(A) 응, 그럴게.

20. 나의 가족과 나는 지난 여름 이탈리아에 갔다. 우리는 5일 동안 거기에서 지냈다. 야외 활동을 즐겼다. 우린 좋은 시간을 보냈다. 나는 언젠가 다시 가길 원한다. (가족과 여름 휴가)

21. 사람들은 나무를 베고 집과 건물을 짓는다. 이제 우리는 나무와 새들이 적다. 또한 요즘 공기는 좋지 않다. 우리가 우리 주변의 나무를 돌보고 지키는 것이 중요하다. (나무를 잘 돌보자.)

22. 김 선생님에게는 학교에 막 입학한 어린 딸이 있다. 그는 그녀를 어떻게 가르치는지 잘 안다. 김 선생님은 그녀가 글을 읽고 쓰는 방법을 가르치기로 했다. 그래서 그 어린 딸은 책에 관심이 많다.

23. 일자리 제공
· 두 남자는 정원 일을 할 것입니다.
· 경험이 있어야 합니다.
· 연락처 : 003-647-5768

24. 각각의 손은 그 마디 끝에 다섯 개의 손가락을 가집니다. 우리는 그것을 집기 위해 사용합니다. 또한 세고, 가리키고, 다른 많은 것들을 하기 위해 우리의 손가락을 사용합니다.

25. 그것은 때때로 색을 바꾼다. 청명한 날에는 매우 파랗고, 비오는 날에는 잿빛이다. 밤에는 검게 보인다. (하늘)

중학교 졸업자격 검정고시

적중! 모/의/고/사

예상문제

사회

예상문제 01

1. 다음 설명에 해당하는 것은?

> 지표면의 전체 또는 일부를 일정 비율로 줄여 약속된 기호로 평면 위에 지리 정보를 표현한 것이다.

① 지도　　② 통계　　③ 방송　　④ 신문 기사

2. 위도의 영향으로 볼 수 없는 것은?

① 기후대별 기온이 다르게 나타난다.
② 북반구와 남반구는 계절이 반대이다.
③ 우리나라와 영국은 표준시가 다르다.
④ 우리나라는 계절의 변화가 나타난다.

3. 좁은 지역의 위치를 표현하기 위해 활용할 수 있는 것을 〈보기〉에서 고르면?

〈보기〉

> ㉠ 위도　　㉡ 경도　　㉢ 랜드마크　　㉣ 행정구역

① ㉠, ㉡　　② ㉡, ㉢　　③ ㉡, ㉣　　④ ㉢, ㉣

4. 지리정보시스템(GIS)의 활용 분야로 옳지 않은 것은?

① 학교 급식의 만족도 조사　　② 교통 안내 시스템
③ 도시 계획 수립　　④ 산사태 정보 시스템

5. 다음 학생들의 대화 내용에 해당하는 기후는?

① 사바나 기후
② 지중해성 기후
③ 서안 해양성 기후
④ 타이가 기후

6. 다음이 설명하는 지형은?

> · 조류의 퇴적 작용으로 형성
> · 썰물 때는 드러나지만, 밀물 때는 물에 잠긴다.
> · 오염 물질 정화, 어업 및 양식업의 터전
> · 다양한 생물종이 서식하는 생태계의 보고

① 갯벌　　② 사빈　　③ 사주　　④ 석호

7. 다음 〈보기〉의 설명에 해당하는 자연재해는?

〈보기〉

> · 해저 지진의 결과로 발생한다.
> · 엄청난 양의 바닷물로 인해 발생하는 압력과 높은 파도로 인명 피해, 항만 시설과 제방 파괴 등의 피해가 있다.

① 태풍　　② 홍수　　③ 가뭄　　④ 지진 해일

8. 다음에서 설명하는 자원의 특성은?

> 자원은 지구상에 고르게 분포하지 않고 특정 지역에 치우쳐 분포한다. 특히, 석유는 전 세계 매장량의 절반 이상이 페르시아만 연안에 집중되어 있다.

① 가변성　　② 상대성　　③ 편재성　　④ 유한성

9. 다음 중 (가)자원에 대해 옳은 것을 〈보기〉에서 고른 것은?

〈보기〉

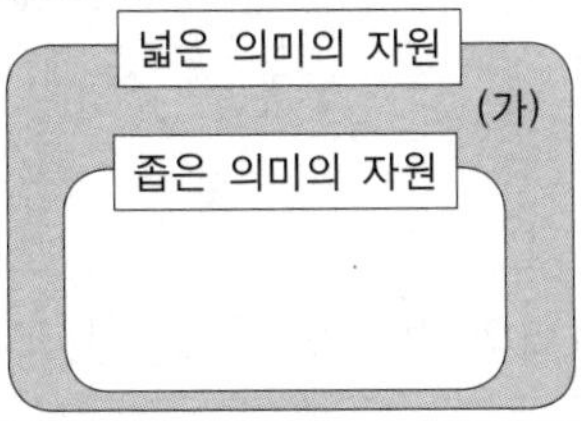

ㄱ. 인적 자원
ㄴ. 천연 자원
ㄷ. 식량 자원
ㄹ. 문화적 자원

① ㄱ　　② ㄱ, ㄴ
③ ㄱ, ㄴ, ㄹ　　④ ㄱ, ㄴ, ㄷ, ㄹ

예상문제 01

10. 다음에서 설명하는 알맞은 용어는?

> 개인이 속한 사회의 행동양식과 규범 등의 문화를 학습하고, 독특한 개성을 형성해 가는 과정을 의미한다.

① 사회화　　② 재사회화
③ 탈사회화　　④ 사회적 상호작용

11. 다음 자료에 나타난 문화 이해 태도는?

> 티베트의 조장 풍습, 힌두교에서 소를 신성하게 여기는 것, 이슬람교에서 돼지고기를 금기하는 것은 그들의 입장에서 이해해야하며 문화의 우열을 평가하지 말고 차이를 존중해야한다.

① 문화 제국주의　　② 문화 사대주의
③ 문화 상대주의　　④ 자문화 중심주의

12. 다음 설명에 해당하는 민주 정치의 기본 원리는?

> 국민의 자유와 권리를 보장하기 위하여 헌법을 제정하고, 모든 국가 기관과 국민은 헌법에 따라야 한다는 원리이다.

① 국민 주권의 원리　　② 국민 자치의 원리
③ 입헌주의의 원리　　④ 권력 분립의 원리

13. 다음에서 설명하는 재판의 종류는?

> 절도나 폭행 등의 범죄 행위에 대하여 죄의 유무와 형벌의 정도를 결정한다.

① 헌법 재판　　② 행정 재판　　③ 민사 재판　　④ 형사 재판

14. 최근 우리나라의 사회 변동 모습으로 옳지 않은 것은?

① 정보와 지식이 중시되는 정보화 사회
② 농업화로 인해 도시화가 빠르게 진행된 사회
③ 평균 수명 증가로 인한 고령화 사회
④ 국제결혼 증가 등으로 인한 다문화 사회

15. 다음은 기본권의 제한 규정에 관한 것이다. 밑줄 친 내용 중 잘못된 것은?

> 국민의 모든 자유와 권리는 ① 국가안전보장, ② 질서 유지, 또는 공공복리를 위하여 필요한 경우에 한하여 ③ 법률로써 제한할 수 있다고 규정하고 있다. 그러나 이 경우에도 ④ 자유와 권리의 본질적인 내용은 침해할 수 있다고 하여, 국민의 기본권이 국가 권력에 의해 부당하게 침해되지 않도록 하고 있다.

16. 그림과 같이 구성되는 정부 형태에 해당하지 않는 국가는?

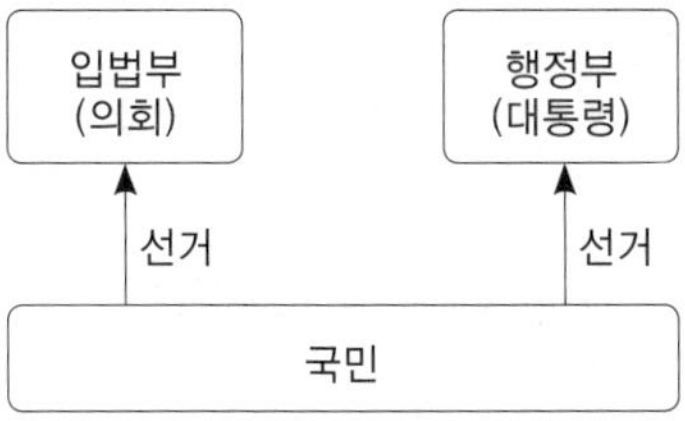

① 한국
② 미국
③ 영국
④ 러시아

17. 그래프와 같이 수요 곡선이 이동했을 때, 균형 가격과 균형 거래량의 변화로 옳은 것은? (단, 다른 조건은 일정함.)

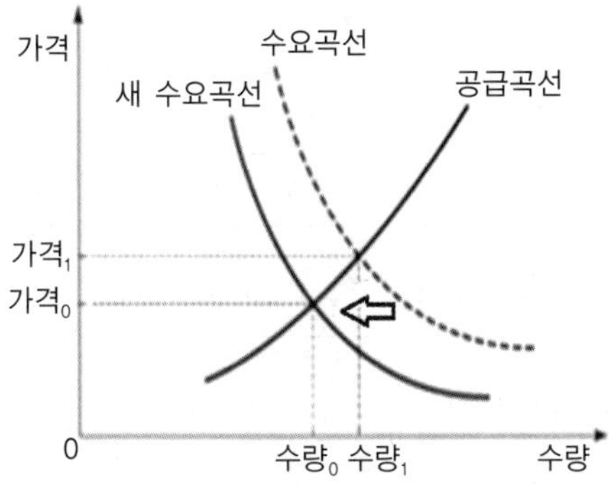

	균형 가격	균형 거래량
①	상승	감소
②	하락	증가
③	상승	증가
④	하락	감소

예상문제 01

18. 〈보기〉에서 실업의 종류와 그 원인이 알맞게 연결된 것은?

〈보기〉

ㄱ. 마찰적 실업 - 더 나은 일자리를 얻기 위한 일시적 실업
ㄴ. 계절적 실업 - 일할 의사와 능력의 부재
ㄷ. 경기적 실업 - 계절에 따라 생기는 실업
ㄹ. 구조적 실업 - 기술 혁신에 따른 산업 구조 변동에 의한 실업

① ㄱ, ㄴ　② ㄱ, ㄹ　③ ㄴ, ㄷ　④ ㄷ, ㄹ

19. 다음 〈보기〉의 상황이 발생했을 때 가장 유리한 사람은?

〈보기〉

· 물가가 지속적으로 오르는 현상
· 화폐 가치가 하락하여 경제생활에 영향을 줌

① 현금 자산가
② 부동산을 소유한 실물 자산가
③ 고정급을 받는 직장인
④ 채권자

20. 다음 〈보기〉 중 선진국에서 나타나는 인구 문제로 옳은 것을 모두 고른 것은?

〈보기〉

ㄱ. 인구 고령화
ㄴ. 낮은 합계 출산율
ㄷ. 높은 인구 성장
ㄹ. 남아선호사상

① ㄱ, ㄴ　② ㄱ, ㄷ　③ ㄴ, ㄷ　④ ㄷ, ㄹ

21. 다음 〈보기〉의 특징이 나타나는 지역은?

〈보기〉

· 중심 업무 지구 형성　· 고층 건물 밀집　· 인구 공동화 현상

① 도심　② 부도심　③ 그린벨트　④ 위성도시

22. 다음 내용의 공통된 원인으로 가장 적절한 것은?

> · 해수면 상승으로 투발루의 국토가 침수됨
> · 극지방과 고산지역의 빙하 감소
> · 태풍의 대형화
> · 북극곰의 개체 수 급감

① 황사 ② 오존층 파괴 ③ 산성비 ④ 지구 온난화

23. 그림은 우리나라 영역의 범위를 나타낸 모식도이다. 각 부분의 명칭을 옳게 연결한 것은?

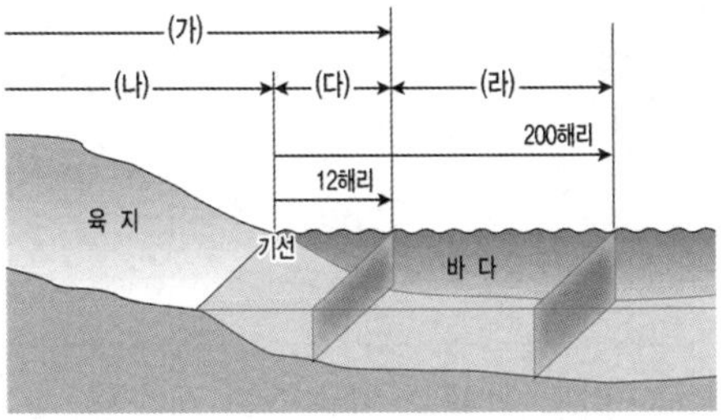

① (가) : 영토
② (나) : 배타적 경제수역
③ (다) : 영해
④ (라) : 영공

24. 우리나라 통일의 필요성으로 옳지 <u>않은</u> 것은?

① 국토를 효율적으로 이용할 수 있다.
② 주변 국가와의 영토 분쟁에서 이기기 위해서이다.
③ 분단에 따른 비용을 줄여 경제적으로 발전할 수 있다.
④ 동북아시아의 긴장감을 해소하고 세계 평화에 이바지한다.

25. 다음 〈보기〉의 설명에 해당하는 용어로 가장 적절한 것은?

〈보기〉

> 개발도상국의 생산자에게 정당한 가격을 주고 상품을 구매하는 윤리적 무역이다. 주요 대상 상품으로 커피, 카카오, 의류 등이 있다.

① 중계 무역 ② 공정 무역 ③ 보호 무역 ④ 자유 무역

예상문제 02

1. 위도에 따라 나타나는 현상에 대한 설명으로 옳은 것은?

① 극지방은 상대적으로 태양을 많이 받는다.
② 지구의 공전으로 위도에 따른 시간 차이가 발생한다.
③ 저위도 지방은 일년 내내 기온이 낮다.
④ 중위도 지방은 계절의 변화가 뚜렷하다.

2. 다음 〈보기〉와 같은 상징물을 일컫는 말은?

〈보기〉
· 파리 "에펠탑"　　　· 뉴욕 "자유의 여신상"
· 호주 "오페라하우스"

① 행정구역　　② 랜드마크
③ 본초자오선　　④ 지리적 표시제

3. 다음에서 설명하는 것은?

인공위성을 활용하여 사용자의 위치를 경도 · 위도 좌표로 알려주는 시스템

① 원격 탐사　　② 지리 정보 시스템
③ 위성 위치 확인 시스템　　④ 본초자오선

4. 제주도와 관련 있는 내용이 <u>아닌</u> 것은?

① 천지　　② 화산섬
③ 용암 동굴　　④ 오름

5. 다음에서 설명하는 농업은?

열대기후 + 유럽인의 자본과 기술 + 원주민의 값싼 노동력
⇒ 커피, 카카오, 바나나, 사탕수수 등 재배

① 수목 농업　　② 화전 농업
③ 플랜테이션 농업　　④ 혼합 농업

6. 다음 지도에 표시된 지역의 갈등 원인이 되는 종교를 〈보기〉에서 고른 것은?

〈보기〉

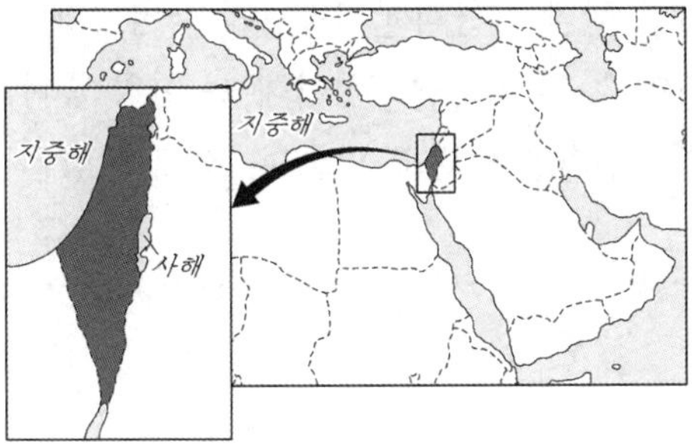

ㄱ. 유대교
ㄴ. 힌두교
ㄷ. 크리스트교
ㄹ. 이슬람교

① ㄱ, ㄴ　② ㄱ, ㄹ　③ ㄴ, ㄹ　④ ㄷ, ㄹ

7. 다음 〈보기〉에서 설명하는 자연재해는?

〈보기〉

· 열대 지역 바다에서 발생하여 중위도 지방으로 이동하는 열대 저기압으로 우리나라에 영향을 준다.
· 발생지역에 따라 이름이 다양하다.
· 강한 바람과 집중 호우로 인한 피해를 가져온다.

① 홍수　② 가뭄　③ 태풍　④ 지진

8. 다음 지도와 같이 국제적 이동을 하는 자원은?

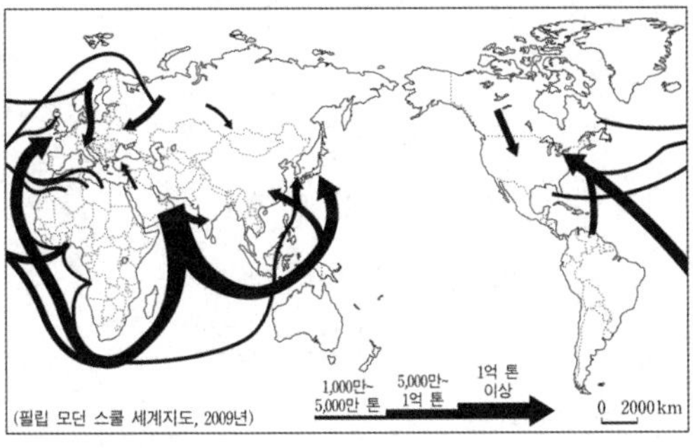

① 석유
② 석탄
③ 천연가스
④ 희토류

예상문제 02

9. 다음 ㉠~㉣의 지위 중 성격이 다른 하나는?

> 제 이름은 "신난다"입니다. 저는 ㉠ 한양 과학 고등학교 3학년 학생입니다. 큰 오빠 "신선해"는 한양 전자에 다니는 ㉡ 회사원이고, ㉢ 남동생 "신기해"는 한양 중학교 학생입니다. 저는 학교에서는 ㉣ 컴퓨터 동아리 부회장을 맡고 있으며, 장래 희망은 컴퓨터 분야의 전문가입니다.

① ㉠　　② ㉡　　③ ㉢　　④ ㉣

10. 다음 중 문화의 사례에 해당하는 것은?

① 긴장하면 다리를 떤다.
② 자기 전에 화장실을 간다.
③ 졸릴 때 하품을 한다.
④ 만나면 반갑다고 악수를 한다.

11. 다음과 관련 있는 조직은?

> · 정권 획득을 목표로 선거에 후보자를 추천한다.
> · 정치적으로 견해를 같이하는 사람들의 집단이다.

① 정당　　② 대중매체　　③ 이익집단　　④ 시민단체

12. 그림은 민주주의의 근본 이념인 (가)를 나타낸 것이다. (가)는 무엇인가?

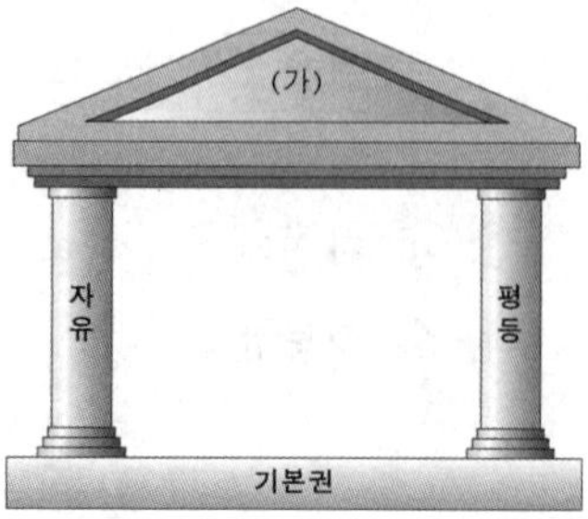

① 권력 분립
② 다수결의 원칙
③ 인간의 존엄성 실현
④ 국민 자치의 원리

13. 다음 설명과 같은 배경으로 등장한 법은?

자본주의가 발달하면서 빈부 격차, 노사 갈등 등 사회문제가 발생하자 개인 간의 생활 영역에 국가가 개입하여 사회적 약자를 보호할 필요성이 점차 커졌다.

① 형법　② 사회법　③ 소송법　④ 민법

14. 다음 표를 통해 예상할 수 있는 사회적 현상에 대한 대책이 <u>아닌</u> 것은?

〈연령별 인구 구성비의 추이〉

구분	2010년	2020년	2030년	2040년	2050년
0～14세 인구(%)	16.2	13.2	12.6	11.2	9.9
65세 이상 인구(%)	11.0	15.7	24.3	32.3	37.4

① 출산 장려 지원　② 근로자의 정년 연장
③ 노인 복지 정책 마련　④ 육아 휴직 제도의 축소

15. 다음 설명에 해당하는 국민의 기본권은?

· 국가의 의사 결정에 참여할 수 있는 권리이다. · 선거권, 공무 담임권, 국민 투표권이 해당된다.

① 참정권　② 사회권　③ 청구권　④ 자유권

16. 법원의 조직을 바르게 연결한 것은?

① 헌법 재판소 – 주로 특허 업무와 관련된 사건 재판을 한다.
② 대법원 – 모든 사건의 최종적인 재판을 담당한다.
③ 지방 법원 – 민사 사건에 한해서 재판을 한다.
④ 고등 법원 – 위헌법률심판, 탄핵심판, 헌법소원 심판 등을 담당한다.

예상문제 02

17. 다음 내용과 관련이 있는 경제 용어는?

> · 인어공주는 사랑하는 왕자를 만나기 위해 마녀에게 목소리를 주고 인간의 다리를 얻었다.
> · 한양이는 좋아하는 가수의 공연에 가는 대신 검정고시에 대비하여 도서관에서 공부를 하였다.

① 재화 ② 기회 비용
③ 경제 문제 ④ 자원의 희소성

18. 그래프에서 가격이 500원에서 600원으로 올리면 수요량의 변화는?

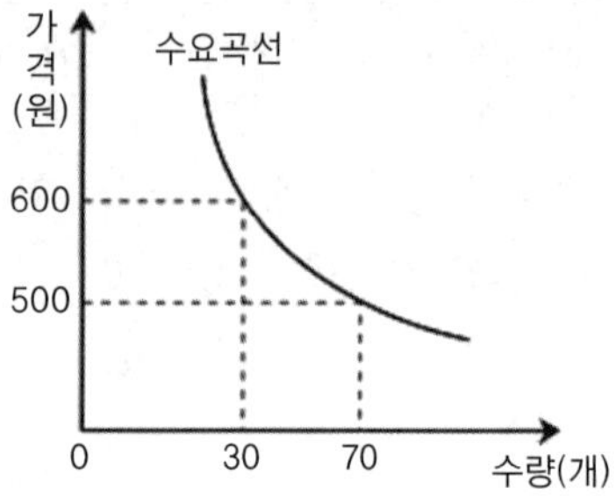

① 20개 감소
② 20개 증가
③ 40개 감소
④ 40개 증가

19. 다른 나라와 우리나라의 평균적인 생활수준을 비교하고자 할 때 필요한 경제 지표는?

① 국제 수지 ② 경제 성장률
③ 국내 총 생산 ④ 1인당 국내 총생산

20. 다음 설명에 해당하는 것은?

> · 서로 다른 두 나라 화폐의 교환 비율이다.
> · 일반적으로 외국 돈 1단위와 교환되는 자국 화폐의 비율로 표시한다.

① 환율 ② 실업률
③ 물가 상승률 ④ 경제 성장률

21. 다음 내용을 통해 알 수 있는 국제 사회의 특징은?

> 2016년 7월 유엔 국제 해양 재판소(PCA)에서는 중국이 주장하는 남중국해 영유권에 관해 필리핀의 손을 들어주는 판결을 내렸다. 중국은 이 판결을 인정할 수 없다며 인공섬 7곳에 무기를 배치하였으며 필리핀은 항의하였다.

① 중앙정부가 없다.
② 힘의 논리가 적용된다.
③ 모든 국가는 평등하다.
④ 국제 협력이 강화되고 있다.

22. 인구의 흡입 요인과 배출 요인을 〈보기〉에서 옳게 고른 것은?

〈보기〉

ㄱ. 풍부한 일자리
ㄴ. 정치적 안정
ㄷ. 자연재해
ㄹ. 전쟁

	흡입 요인	배출 요인
①	ㄱ, ㄴ	ㄷ, ㄹ
②	ㄱ, ㄹ	ㄴ, ㄷ
③	ㄷ, ㄹ	ㄱ, ㄴ
④	ㄴ, ㄷ	ㄱ, ㄹ

23. 다음 내용에서 설명하는 것은?

> · 세계 경제, 문화, 정치의 중심지로 뉴욕, 런던, 파리, 도쿄 등이 대표적 예이다.
> · 세계적 영향력을 가진 금융 기관, 다국적 기업의 본사, 각종 국제기구의 활동이 활발히 이루어지는 도시를 말한다.

① 대도시
② 세계도시
③ 생태도시
④ 공업도시

예상문제 02

24. 다국적 기업에 대한 설명으로 옳지 <u>않은</u> 것은?

① 세계 여러 국가를 대상으로 생산과 판매 활동을 하는 기업이다.
② 생산 공장은 주로 개발도상국에 있다.
③ 세계화로 더욱 발달하게 되었다.
④ 최근에는 공산품에만 집중되어 있다.

25. 다음 설명에 해당하는 곳은?

· 중국과 일본의 영토 분쟁 지역이다. · 중국의 영토였으나 청일 전쟁 후 일본 영토에 편입되었다. · 주변 해역에 석유와 천연가스가 대량으로 매장되어있다.

① 난사 군도 ② 시사 군도
③ 쿠릴 열도 ④ 센카쿠 열도

예상문제 03

1. 다음 지도의 기호와 명칭을 바르게 나타낸 것은?

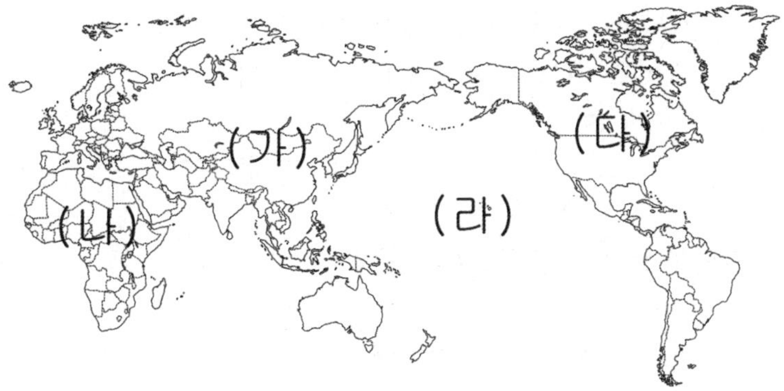

기호	명칭	기호	명칭
① (가)	유럽	② (나)	아시아
③ (다)	오세아니아	④ (라)	태평양

2. 다음 내용에 공통적으로 영향을 주는 요인은?

> · 본초자오선　　· 세계 표준시　　· 날짜 변경선

① 경도　② 위도　③ 기후　④ 언어

3. 서부 유럽 지역에서 발달한 농업에 관한 설명으로 옳은 것은?

> ㄱ. 오아시스 중심으로 밀, 대추야자 등을 재배한다.
> ㄴ. 포도, 올리브, 오렌지 등의 과수 재배가 활발하다.
> ㄷ. 곡물 재배, 가축 사육, 사료 등을 함께 한다.
> ㄹ. 대도시 주변에 낙농업과 원예 농업이 발달하였다.

① ㄱ, ㄴ　② ㄱ, ㄷ　③ ㄴ, ㄹ　④ ㄷ, ㄹ

예상문제 03

4. 다음 설명에 해당하는 기후는?

> · 적도 부근의 해발 고도가 높은 산지에는 일 년 내내 봄과 같은 온화한 날씨가 나타난다.
> · 안데스 산지의 키토, 보고타 등이 대표적 지역이다.

① 고산 기후　② 온대 기후　③ 한대 기후　④ 타이가 기후

5. 〈보기〉에서 해안의 퇴적 지형을 고른 것은?

〈보기〉

> ㄱ. 간석지　ㄴ. 해식애　ㄷ. 사구　ㄹ. 파식대

① ㄱ, ㄴ　② ㄱ, ㄷ　③ ㄴ, ㄹ　④ ㄷ, ㄹ

6. 지형 형성과 변화 중 지구의 내적 작용과 관계 깊은 것은?

① 침식 작용　② 풍화 작용　③ 화산 활동　④ 퇴적 작용

7. 다음 그림의 (가)에 해당하지 않는 것은?

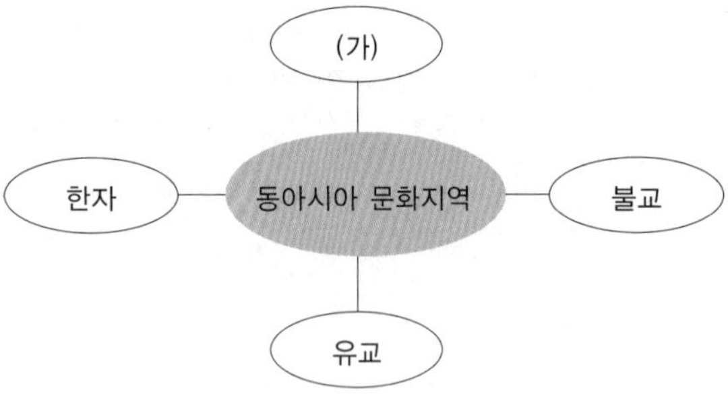

① 벼농사
② 유목
③ 한국
④ 중국

8. 다음 〈보기〉의 밑줄 친 A, B에 해당하는 자연재해를 바르게 나타낸 것은?

〈보기〉

> A는(은) 강수량이 많은 곳이나 하천 범람이 쉬운 곳에서 주로 발생한다. B는(은) 오랜 시간 동안 비가 내리지 않아 발생하며, 식량 감소 및 각종 용수 부족 현상을 일으킨다.

	A	B
①	홍수	가뭄
②	가뭄	홍수
③	화산	홍수
④	홍수	태풍

9. 다음에서 설명하고 있는 에너지 자원을 바르게 연결한 것은?

> (가) 강수량이 적고 일조량이 풍부한 지역에서 생산한다.
> (나) 화산지대에서 주로 생산되며, 아이슬란드가 대표적이다.
> (다) 강한 바람의 힘을 이용하여 전기를 생산한다.

	(가)	(나)	(다)
①	바이오	화력	풍력
②	풍력	지열	태양열
③	태양열	화력	바이오
④	태양열	지열	풍력

10. 다음 설명과 관련된 용어는?

> · 사회 변화나 새로운 환경에 적응하기 위해 이전과 다른 새로운 지식, 규범, 가치 등을 배우는 과정이다.
> · 정보 사회로의 변화에 따른 노인의 컴퓨터 활용 교육 등

① 세계화　② 사회화　③ 재사회화　④ 도시화

11. 다음 〈보기〉에 제시된 매체의 특징으로 옳지 <u>않은</u> 것은?

〈보기〉

> · 인터넷　· 스마트폰　· SNS　· UCC

① 쌍방향 의사소통이 가능하다.
② 시간과 공간의 제약을 크게 받는다.
③ 인쇄 매체에 비해 정보의 전달 속도가 빠르다.
④ 대중문화의 형성과 발달에 미치는 영향이 크다.

예상문제 03

12. 다음 중 (가)에 해당하는 것을 〈보기〉에서 고른 것은?

〈보기〉

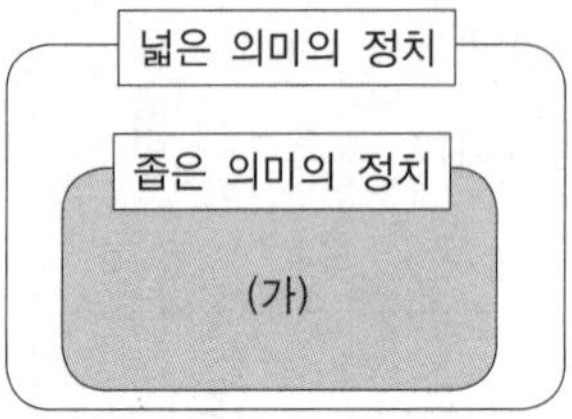

ㄱ. 노사 협상
ㄴ. 국회의원의 활동
ㄷ. 대통령의 외교활동
ㄹ. 학교에서의 학급 회의

① ㄱ, ㄴ　② ㄱ, ㄴ, ㄷ
③ ㄴ, ㄷ　④ ㄴ, ㄷ, ㄹ

13. 다음 〈보기〉의 밑줄 친 부분에 해당하는 내용으로 옳은 것은?

〈보기〉

우리나라는 대통령제를 기본으로, <u>의원 내각제의 요소</u> 일부를 반영하였다.

① 국무총리 제도
② 대통령의 법률안 거부권
③ 국회의 국정 감사 및 조사권
④ 대통령이 행정부의 수반 및 국가원수의 지위를 가짐

14. 다음의 제도들이 공통적으로 추구하는 목적은?

· 선거의 4대 원칙
· 선거구 법정주의
· 선거 공영제
· 선거 관리 위원회

① 투표율을 높이기 위해　② 신속한 선거
③ 공정한 선거　④ 당선자의 대표성 약화

15. 다음 〈보기〉의 내용에 공통적으로 적용되는 법은?

〈보기〉

· 국가의 통치조직과 운영원리 규정
· 국민의 권리와 의무를 규정
· 한 나라의 최고 법

① 형법　② 헌법　③ 사회법　④ 민법

16. 다음 설명에 해당하는 기본권은?

> · 국가에 인간다운 생활의 보장을 요구할 수 있는 권리
> · 인간다운 생활을 할 권리, 교육을 받을 권리, 쾌적한 환경에서 살 권리 등

① 사회권 ② 자유권 ③ 평등권 ④ 청구권

17. 우리나라 국회의 기능으로 옳지 <u>않은</u> 것은?

① 국정 감사 및 조사 실시
② 법률의 제정 및 집행
③ 국무총리 등의 임명에 대한 동의권
④ 행정부가 제출한 예산안을 심의 · 확정

18. 다음에 해당하는 경제 활동의 주체는?

> · 생산의 주체이다.
> · 이윤추구를 목적으로 한다.
> · 생산 요소를 제공한 대가로 임금, 지대, 이자 등을 지불한다.

① 가계 ② 기업 ③ 정부 ④ 외국

19. 다음 설명에서 김치 시장의 <u>균형 거래량</u>과 <u>균형 가격</u>의 예상 변화로 옳은 것은?

> 뉴스에서 바이러스 예방에 김치의 효능이 좋다는 연구결과를 방송하자 김치를 찾는 소비자들이 증가하였다.

	균형 거래량	균형 가격		균형 거래량	균형 가격
①	증가	상승	②	증가	하락
③	감소	상승	④	감소	하락

04 사회

예상문제 03

20. 다음에 해당하는 경제용어는?

> · 일정 기간 동안 한 나라 안에서 생산된 재화와 서비스의 최종 시장 가치의 합이다.
> · 한 나라의 경제 규모와 생산 능력을 보여준다.

① 국민 총 생산　② 국민 총 소득
③ 국내 총 생산　④ 1인당 국민 총 생산

21. 다음 〈보기〉와 같은 환율 변화로 인해 예상되는 현상으로 옳은 것을 모두 고르면?

〈보기〉

> 1달러=1,000원 ⇒ 1달러=1,200원

> ㄱ. 물가 하락　ㄴ. 환율 상승
> ㄷ. 수출의 증가와 수입의 감소　ㄹ. 외국인의 국내 여행 감소

① ㄱ　② ㄱ, ㄴ　③ ㄴ, ㄷ　④ ㄷ, ㄹ

22. 오늘날 우리나라가 안고 있는 인구 문제에 해당하는 것은?

① 평균 수명 감소　② 저출산
③ 농촌 인구 증가　④ 영아 사망률 증가

23. 도시화에 대한 설명으로 옳지 않은 것은?

① 도시화란 도시로 인구가 집중되는 현상이다.
② 가속화 단계에서 이촌 향도 현상이 나타난다.
③ 종착 단계에서는 역도시화 현상이 나타난다.
④ 우리나라는 현재 가속화 단계이다.

24. 우리나라와 중국이 갈등하고 있는 문제를 〈보기〉에서 고르면?

〈보기〉

ㄱ. 독도 영유권 문제	ㄴ. 야스쿠니 신사 참배 문제
ㄷ. 동북공정 문제	ㄹ. 불법 조업 문제

① ㄱ, ㄴ　② ㄱ, ㄹ　③ ㄴ, ㄷ　④ ㄷ, ㄹ

25. 다음과 같은 현상에 영향을 준 것으로 알맞은 것은?

· 해수면 상승으로 투발루 정부는 국민을 다른 나라로 이주시키는 정책을 추진하고 있다.
· 사과의 재배 북한계선이 북상하고 있다.
· 빙하의 감소와 해수면 상승

① 황사　② 오존층의 파괴
③ 지구 온난화　④ 생물종 다양성 감소

예상문제 04

1. 위도와 경도에 관한 설명으로 옳은 것은?

① 위도의 기준은 본초자오선이다.
② 경도의 기준은 적도이다.
③ 경도는 가상의 세로선이다.
④ 위도 남 · 북 각 90°가 만나는 곳을 날짜변경선이라 한다.

2. 다음 그래프가 나타내는 기후는?

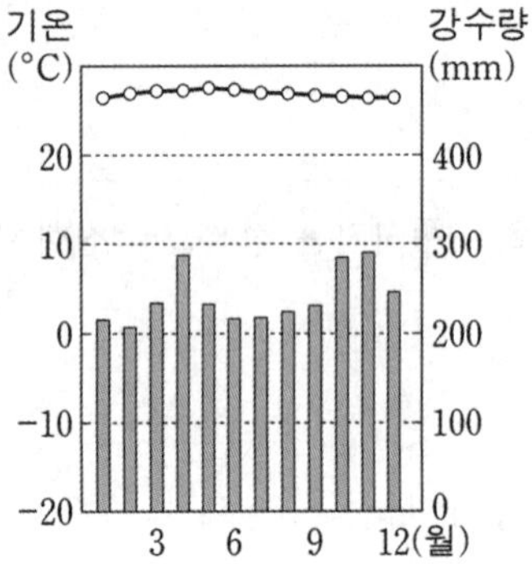

① 고산 기후
② 열대 기후
③ 냉대 기후
④ 온대 기후

3. 지도에 검게 표시된 지역의 자연 재해로 바른 것은?

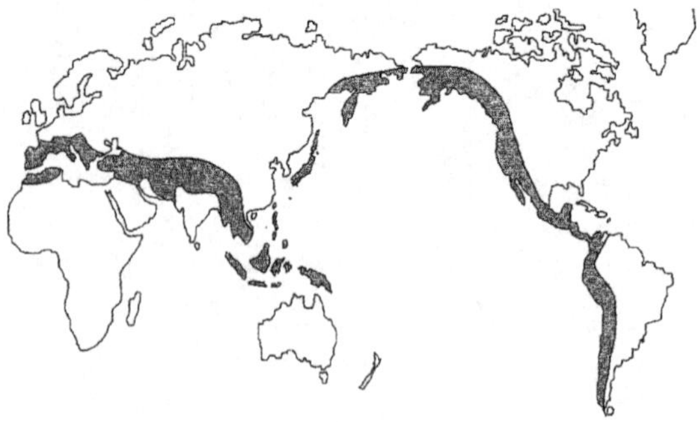

① 지진
② 홍수
③ 가뭄
④ 폭설

4. 다음 〈보기〉와 관계 깊은 종교는?

〈보기〉
· 라마단 · 쿠란 · 돼지고기와 술 금지

① 힌두교 ② 불교 ③ 이슬람교 ④ 크리스트교

5. 다음 지도와 같은 이동 분포를 보이는 식량자원으로 알맞은 것은?

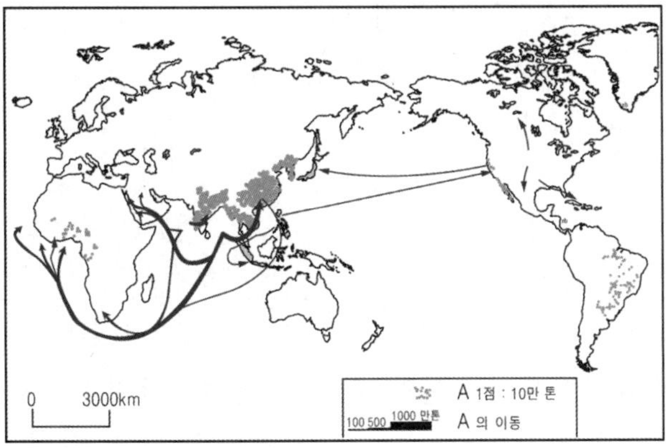

① 보리
② 밀
③ 쌀
④ 옥수수

6. (가), (나)에 해당하는 사회화 기관을 바르게 연결한 것은?

> (가) 가장 기초적인 사회화 기관으로 기본적 생활 방식을 배운다.
> (나) 공식적이고 지속적인 기관으로 지식, 태도 등을 학습한다.

	(가)	(나)
①	가정	학교
②	가정	또래 집단
③	학교	가정
④	또래 집단	학교

7. 방자와 향단이의 문화 이해 태도를 바르게 연결한 것은?

> 방자 : 뭐라고? 이슬람 신자들은 돼지고기를 금지해서 맛있는 삼겹살을 먹지 못하고, 힌두교 신자들은 소를 숭배해서 부드러운 안심도 먹지 못한다고? 이해 할 수가 없군....
> 향단 : 그들 나름에 이유가 있을 거야. 존중해 줘야해~

	방자	향단
①	문화 사대주의	문화 상대주의
②	문화 상대주의	자문화 중심주의
③	자문화 중심주의	문화 상대주의
④	자문화 중심주의	문화 사대주의

04 사회

예상문제 04

8. 민주 정치의 기본 원리로 적절하지 않은 것은?

① 입헌주의의 원리　　② 전제 정치의 원리
③ 국민 주권의 원리　　④ 권력 분립의 원리

9. 다음 설명에 해당하는 것은?

> · 풀뿌리 민주주의의 초석이다.
> · 지방의 정치와 행정을 그 지방 주민들 또는 주민의 대표자를 통해 자율적으로 처리해 나가도록 한 제도이다.
> · 국가 권력을 중앙 정부와 지방 자치 단체가 나누어 행사할 수 있게 하여 권력 남용을 방지하기 위한 것이다.

① 선거구 법정주의　　② 지방 자치 제도
③ 삼권 분립 제도　　④ 정치 과정

10. 다음 〈보기〉의 (가)와 (나)에 들어갈 재판으로 바르게 짝지은 것은?

> 〈보기〉
> 〈재판의 종류〉
> (가) – 금전 거래 등 개인 간의 관계에서 발생한 분쟁을 해결
> 원고의 소장 제출로 재판 시작
> (나) – 폭행이나 사기와 같이 사회 질서를 어지럽히는 범죄와 관련
> 검사가 공소를 제기하면서 재판 시작

	(가)	(나)
①	형사 재판	민사 재판
②	민사 재판	행정 재판
③	형사 재판	행정 재판
④	민사 재판	형사 재판

11. 다음 내용과 가장 관련이 깊은 환경 문제는?

· 오랜 가뭄과 지나친 농경지와 목축 등이 원인이다. · 아프리카의 사헬 지대가 대표적 지역이다.

① 사막화　② 지구 온난화　③ 황사　④ 산성비

12. 밑줄 친 '<u>노동 3권(근로 3권)</u>'에 해당하지 <u>않는</u> 것은?

우리 헌법은 경제적 약자인 근로자들이 사용자와 대등한 지위에서 근로 조건을 결정할 수 있도록 하기 위해 <u>노동 3권(근로 3권)</u>을 부여하고 있다.

① 단결권　② 단체 교섭권　③ 단체 행동권　④ 사회권

13. 다음과 같은 권한을 행사하는 국가 기관은?

· 각 지역에서 선거를 통해 선출한다. · 국민의 의사를 반영하여 법률을 제정하는 입법 기관이다. · 예산안을 심의하고 확정한다. · 국정 감사와 국정 조사를 한다.

① 헌법 재판소　② 정부　③ 국회　④ 법원

14. 다음 〈보기〉의 설명과 관련된 경제 용어는?

〈보기〉
· 어떤 것을 선택함으로써 포기한 대안 중에 가장 가치가 큰 것이다. · 사람마다 기호나 가치관이 다르기 때문에 달라질 수 있다.

① 편익　② 자원의 희소성
③ 재화　④ 기회비용

예상문제 04

15. 가상의 A제품에 대한 수요량과 공급량을 나타낸 도표이다. 시장(균형) 가격은 얼마인가?

가격(원)	300	400	500	600	700
수요량(개)	100	80	60	40	20
공급량(개)	20	40	60	80	100

① 300원 ② 400원 ③ 500원 ④ 600원

16. 실업자에 해당하지 <u>않는</u> 사람은?

① 결혼 후 아이 양육과 집안 살림을 하는 전업주부
② 여름이라 일할 수 없는 스키 강사
③ 자동화로 인해 회사를 그만둔 버스 안내양
④ 기존 직장을 그만두고 더 좋은 직장을 알아보는 사람

17. 다음에서 설명하는 경제 용어는?

> · 통화량의 증가로 물가가 지속적으로 오르는 현상
> · 화폐의 가치가 하락, 재화와 서비스의 가치 상승

① 국내 총 생산 ② 생산 요소
③ 인플레이션 ④ 기회비용

18. 우리나라와 주변국 간의 갈등 문제로 옳은 것은?

① 일본의 동북 공정을 통한 역사 왜곡 문제
② 일본의 독도 영유권 주장 문제
③ 중국의 야스쿠니 신사 참배 문제
④ 중국과 동해 표기를 둘러싼 문제

19. 인구의 국제 이동에 대한 옳은 설명을 〈보기〉에서 고른 것은?

〈보기〉

ㄱ. 오늘날 정치적 이동이 대부분이다.
ㄴ. 오늘날 선진국에서 개발도상국으로 인구가 많이 이동한다.
ㄷ. 오늘날 인구의 국제 이동은 경제적 목적이 대부분이다.
ㄹ. 아프리카 흑인들을 강제로 이주시키기도 했다.

① ㄱ, ㄴ ② ㄱ, ㄷ ③ ㄴ, ㄷ ④ ㄷ, ㄹ

20. 도시에서 다음과 같은 특징이 나타나는 지역은?

· 중심 업무 지구(C. B. D)
· 인구 공동화 현상
· 교통 체증
· 열섬 현상

① 도심 ② 부도심
③ 그린벨트 ④ 위성도시

21. 농업 생산의 기업화와 세계화에 대한 설명으로 옳지 않은 것은?

① 다양한 외국산 농산물의 구입
② 상품 작물의 재배 증가
③ 자급적 농업의 확대
④ 다량의 화학비료와 농약 사용

22. 다음과 같은 내용이 부각되는 환경 이슈로 가장 적절한 것은?

· 외출시 마스크 착용
· 장시간 실외 활동 자제
· 노후 화력 발전소의 운영
· 노후 경유차의 배기가스

① 미세먼지 ② 산성비
③ 지구 온난화 ④ 전자 쓰레기

예상문제 04

23. 영역에 대한 설명으로 옳지 <u>않은</u> 것은?

① 국가의 주권이 미치는 범위이다.
② 영토, 영해, 영공으로 이루어진다.
③ 대한 해협은 직선기선 3해리를 적용한다.
④ 간척사업을 하면 영해는 늘어난다.

24. 다음에서 설명하는 지역화 전략은?

> · 특정 장소가 가지고 있는 자연환경이나 역사적 · 문화적 특성을 활용하여 지역을 홍보하고 판매하는 것
> · 화천 산천어 축제, 김제 지평선 축제, 진주 남강 유등 축제 등

① 생태도시 ② 장소 마케팅
③ 지리적 표시제 ④ 랜드마크

25. 다음에서 설명하는 지역은?

> · 인도(힌두교)와 파키스탄(이슬람교)의 영토 분쟁이다.
> · 국제 연합의 중재로 분할 통치를 하지만 분쟁 중이다.

① 쿠릴 열도 ② 센카쿠 열도
③ 팔레스타인 ④ 카슈미르

예상문제 05

1. 다음에서 설명하는 정보는?

> · 지역의 자연적, 인문적 특성처럼 지표 공간과 관련된 정보를 말한다.
> · 과거에는 주로 종이 지도를 통해 얻음
> · 오늘날은 항공사진, 위성사진, TV, 인터넷 등 다양한 정보를 얻음

① 지리 정보
② 지도 정보
③ 위도
④ 본초자오선

2. 다음 〈보기〉의 A, B, C, D에 들어갈 말을 바르게 연결한 것은?

〈보기〉

> 적도를 기준으로 그은 가상의 가로선을 (A)라 하며, (B) 차이에 영향을 주며, 본초자오선을 기준으로 그은 가상의 세로선을 (C)라 하며, (D) 차이에 영향을 준다.

	A	B	C	D
①	위도	날짜변경선	경도	시간
②	위도	기후	경도	시간
③	경도	시간	위도	날짜변경선
④	경도	기후	위도	시간

3. 인간이 거주하기에 유리한 기후를 〈보기〉에서 고르면?

> ㄱ. 건조 기후
> ㄴ. 고산 기후
> ㄷ. 온대 기후
> ㄹ. 한대 기후

① ㄱ, ㄴ
② ㄴ, ㄷ
③ ㄷ, ㄹ
④ ㄴ, ㄷ, ㄹ

예상문제 05

4. 다음과 같이 나타나는 지역에 대한 설명으로 옳은 것을 모두 고른 것은?

ㄱ. 건조 기후	ㄴ. 이동식 화전 농업
ㄷ. 타이가 기후	ㄹ. 유목

① ㄱ, ㄴ　　② ㄱ, ㄹ
③ ㄴ, ㄷ　　④ ㄱ, ㄴ, ㄹ

5. 그림의 A에 해당하는 우리 나라의 지역은?

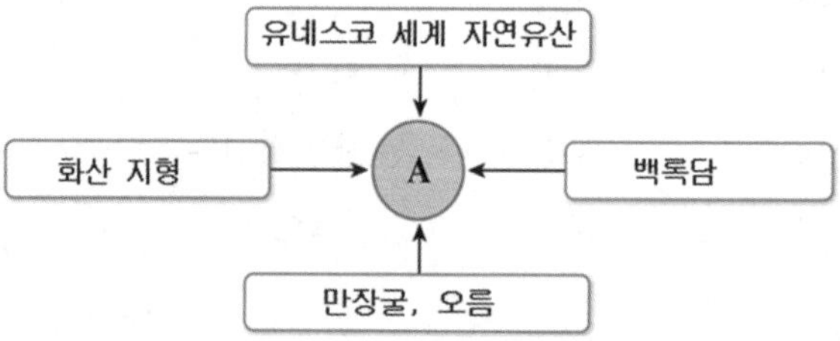

① 독도　　② 울릉도　　③ 간도　　④ 제주도

6. 다음 〈보기〉에서 산지 지역의 주민 생활로 적절한 것을 모두 고른 것은?

〈보기〉

ㄱ. 절벽과 갯벌을 이용한 관광산업이 발달하였다.
ㄴ. 농업 활동에 불리하여 가축 등을 사육한다.
ㄷ. 산지를 이용한 관광산업 발달
ㄹ. 빙하와 관련된 피오르 해안의 경치 관광

① ㄱ, ㄴ　　② ㄱ, ㄴ, ㄷ　　③ ㄴ, ㄷ　　④ ㄴ, ㄷ, ㄹ

7. 다음 〈보기〉에 해당하는 문화 변용의 유형은?

〈보기〉

· 돌침대 · 라이스 버거 · 불고기 피자

① 문화 갈등 ② 문화 전파
③ 문화 상대주의 ④ 문화 융합

8. 지형적 요인으로 발생하는 자연재해는?

① 지진 ② 태풍 ③ 홍수 ④ 가뭄

9. 다음 설명에 해당하는 것은?

자원을 보유하고 있는 국가가 자원을 무기로 삼아 자국의 정치적, 경제적 이익을 얻고자 하는 것이다.

① 자원의 유한성 ② 자원의 편재성
③ 자원 민족주의 ④ 자원의 희소성

10. 다음 설명에 해당하는 것은?

· 두 사람 이상의 모임
· 소속감을 느끼며, 지속적인 상호 작용을 하는 집단

① 사회 집단 ② 내집단
③ 외집단 ④ 준거 집단

11. 다음 내용과 관련 있는 문화의 특성은?

· 한국인은 밥을 먹지만 서양인은 빵을 주로 먹는다.
· 한국인은 숟가락과 젓가락을 사용하지만 서양인은 포크와 나이프를 사용한다.

① 학습성 ② 보편성 ③ 다양성 ④ 축적성

예상문제 05

12. (가)~(나)에 해당하는 정치과정의 주체가 바른 것은?

> (가) 자신들의 특수한 이익의 실현이 아닌 공익을 추구한다.
> (나) 정권 획득을 목적으로 한다.

	(가)	(나)
①	이익 집단	정당
②	정당	이익 집단
③	이익 집단	시민단체
④	시민단체	정당

13. 민주선거의 4원칙에 대한 설명으로 바른 것은?

> ㄱ. 보통 선거 : 일정한 나이가 되면 누구나 선거권을 갖는 것
> ㄴ. 평등 선거 : 재산, 성별 등 선거 참여 권리가 제한되지 않는 것
> ㄷ. 직접 선거 : 투표권을 가진 대표단이 직접 투표해야 한다는 것
> ㄹ. 비밀 선거 : 어느 후보자에게 투표 했는지 비밀로 할 수 있는 것

① ㄱ, ㄴ ② ㄴ, ㄷ ③ ㄱ, ㄹ ④ ㄷ, ㄹ

14. (가)~(다)에 해당하는 법의 종류를 바르게 연결한 것은?

> (가) 개인과 개인 사이에서 나타나는 생활 관계를 규율하는 법
> (나) 개인과 국가 간의 관계 혹은 국가 기관끼리의 관계를 적용한 법
> (다) 국가가 개인의 사적 생활에 개입한 법

	(가)	(나)	(다)
①	사법	공법	사회법
②	사법	사회법	공법
③	사회법	공법	사법
④	공법	사법	사회법

15. 현대 사회의 변동으로 거리가 먼 것은?

① 도시화 ② 농업화 ③ 산업화 ④ 정보화

16. (가), (나)에 해당하는 기관으로 옳은 것은?

> (가) 국민의 기본권 보장과 헌법 질서유지를 수호하는 기관이다.
> (나) 인권침해를 조사하여 법령이나 제도의 개선을 권고하는 기관이다.

	(가)	(나)
①	법원	국가 인권 위원회
②	헌법 재판소	법원
③	국가인권위원회	헌법 재판소
④	헌법 재판소	국가 인권 위원회

17. 행정부에 대한 설명으로 옳지 <u>않은</u> 것은?

① 법률을 제정하고 개정한다.
② 대통령을 정점으로 국무총리, 감사원 등으로 구성된다.
③ 행정 각부는 구체적인 행정 사무를 처리한다.
④ 법률을 집행하고 정책을 수립 · 실행하는 국가 기관이다.

18. A, B에 해당하는 경제 주체를 옳게 연결한 것은?

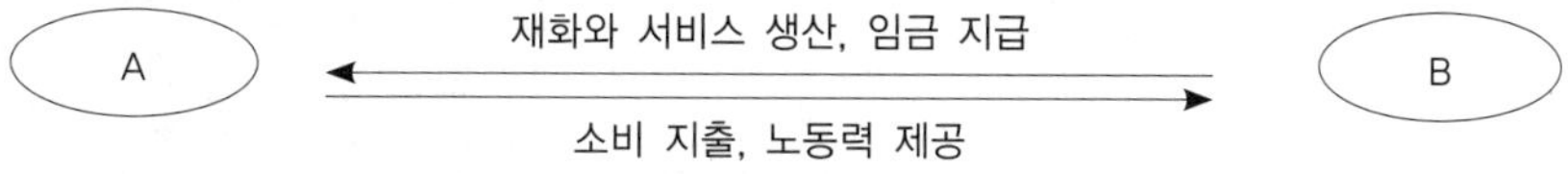

	A	B		A	B
①	기업	가계	②	가계	기업
③	기업	정부	④	정부	가계

04 사회

예상문제 05

19. 삼겹살의 수요 곡선을 다음과 같이 이동시킨 요인으로 옳은 것은?

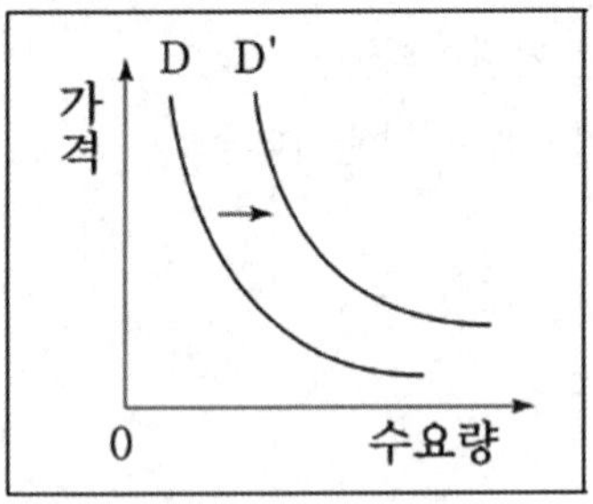

① 가격의 하락
② 소득의 증가
③ 공급자 수의 감소
④ 생산비의 증가

20. 두 사람의 대화 내용에 해당하는 실업을 바르게 연결한 것은?

춘향 : 바이러스 때문에 여행객이 줄어 00항공 승무원을 그만 두었어.
몽룡 : **회사의 급여가 적고 일도 많아서 급여도 많고 편한 회사를 찾고 있어.

	춘향	몽룡
①	구조적 실업	마찰적 실업
②	경기적 실업	구조적 실업
③	경기적 실업	마찰적 실업
④	계절적 실업	경기적 실업

21. 인플레이션이 발생했을 때 불리해지는 사람?

① 채무자
② 부동산 소유자
③ 저축한 사람
④ 수입업자

22. 국제 사회의 특징을 〈보기〉에서 고른 것은?

〈보기〉
ㄱ. 힘의 논리 작용
ㄴ. 자국의 이익 중시
ㄷ. 강제력을 지닌 중앙 정부의 존재
ㄹ. 국제 협력의 감소

① ㄱ, ㄴ ② ㄴ, ㄷ ③ ㄱ, ㄹ ④ ㄷ, ㄹ

23. (가), (나) 지역으로 적절한 것은?

(가) 고층건물이 많고 기업의 본사, 고급 상점 등이 모여 있다. (나) 대규모의 주택단지와 학교, 공장 등이 들어섰다.

	(가)	(나)
①	도심	부도심
②	도심	주변부
③	부도심	도심
④	주변부	도심

24. 다음 밑줄 친 '<u>이곳</u>'에 해당하는 것은?

· <u>이곳</u>은 영해 기선으로부터 200해리에 이르는 수역 중 영해를 제외한 수역을 의미한다. · <u>이곳</u>은 연안국에 독점적 권리를 인정하였으나, 타국 선박과 비행기의 통항권도 인정한다.

① 영토
② 영공
③ 영해
④ 배타적 경제수역

25. 독도에 대한 설명으로 옳지 <u>않은</u> 것은?

① 우리나라에서 해가 제일 먼저 떠오르는 곳이다.
② 난류의 영향으로 해양성 기후가 나타난다.
③ 해양 심층수, 메탄하이드레이트 등의 해저 자원이 풍부하다.
④ 현재 행정 구역상 강원도에 속한다.

중학교 졸업자격 검정고시

적중! 모/의/고/사 예상문제

사회

정답 및 해설

1회 예상문제 · 사회

1. ①	2. ③	3. ④	4. ①	5. ②
6. ①	7. ④	8. ③	9. ④	10. ①
11. ③	12. ③	13. ④	14. ②	15. ④
16. ③	17. ④	18. ②	19. ②	20. ①
21. ①	22. ④	23. ③	24. ②	25. ②

1. 지도에 관한 설명이다. ② 통계는 조사결과를 알기 쉽게 숫자로 나타낸 것을 말한다.

2. 위도는 적도를 중심으로 나눈 가로선이며, 위도별 태양에너지의 영향이 달라져 저위도는 덥고 고위도는 추워진다. 계절변화는 지구가 기울어져서 공전을 하기 때문이다.
③ "표준시" 관련은 경도에 해당한다.

3. 위도와 경도는 넓은 지역의 위치 표현이다.

4. GIS는 컴퓨터를 활용하여 공간 정보를 만들어 내는 시스템으로 공공시설이나 상점의 입지 같은 공간적 의사 결정은 물론 시설물의 관리나 재난 · 재해 관리, 도시 계획 등 다양한 분야에서 널리 활용된다. 우리가 일상생활에서 편리하게 이용하는 교통 안내 시스템도 GIS 활용 분야 중 하나이다. ① 학교 급식의 만족도는 설문에 해당한다.

5. 지중해성 기후에 대한 설명이다. ① 사바나 기후는 열대기후로 우기와 건기가 구분되며, 야생동물의 천국이다. ③ 서안 해양성 기후는 편서풍과 난류의 영향으로 연교차가 작고, 연중 고른 강수량을 나타내며 주로 서부 유럽에서 나타난다. ④ 타이가 기후(침엽수림)는 냉대 기후를 말한다.

6. 갯벌을 말한다. 갯벌을 간석지라고도 부른다. ② 사빈은 하천 또는 해식애에서 공급된 모래들이 연안류와 파랑에 의해 해안선을 따라 운반 퇴적된 지형 ③ 사주는 연안류와 파랑에 의해 모래가 해안에서 바다쪽으로 퇴적된 지형 ④ 사주의 발달로 해안의 만이 바다로부터 떨어져서 생긴 호수

7. 〈보기〉는 지진 해일(쓰나미)에 대한 설명이다. ① 태풍은 열대저기압의 한 종류로 많은 비와 강한 바람을 일으킨다. 발생 지역에 따라 부르는 명칭이 다르다. ② 홍수는 하천의 범람을 말한다. ③ 가뭄은 비가 오랫동안 오지 않거나 적게 오는 기간이 지속되는 현상

8. 편재성에 대한 설명이다. ① 가변성은 기술이나 시대 등에 따라 달라질 수 있다는 것
② 상대성은 같은 시대라도 장소 등에 따라 달라질 수 있다는 것 ④ 유한성은 매장량은 한정되어 있다는 것

9. 좁은 의미의 자원은 천연 자원 등을 말하며, 넓은 의미의 자원에는 천연 자원 + 인적 자원 + 문화적 자원을 모두 포함한다.

10. 사회화를 의미한다. ② 재사회화는 다시 배우는 것을 말하며, ③ 탈사회화는 기존 사회화를 버리는 것을 말한다. ④ 사회적 상호작용은 인간이 사회생활을 하면서 서로 영향을 주고받는 것으로 협동, 경쟁, 갈등이 있다.

11. 문화 상대주의를 의미한다. ① 문화 제국주의는 경제적으로 우위에 있는 선진국의 문화가 후진국에 지배적인 영향을 미쳐 문화적인 식민지로 만드는 것 ② 문화 사대주의는 다른 사회의 문화는 우수한 것으로 여기며 숭상하는 반면, 자신의 문화는 열등하다고 생각하는 태도 ④ 자문화 중심주의는 자신의 문화는 우수한 것으로 여기면서 다른 문화는 수준이 낮거나 미개하다고 판단하는 태도

12. 헌법에 따라야 한다는 것은 입헌주의의 원리를 설명한 것이다. ① 국민 주권의 원리는 국가의 정치에 관한 최종적인 결정권이 국민에게 있다는 원리 ② 국민 자치의 원리는 국민에 의한 국민 스스로의 지배 원리 ④ 권력 분립의 원리는 국가 권력을 나누어 각각 다른 기관에 분담시켜 서로 견제하고 균형을 유지하도록 함으로써 국민의 자유와 권리를 보장하려는 국가 조직상의 원리이다.

13. 범죄의 유무와 형벌은 형사 재판에서 담당한다. ① 헌법 재판은 법률이나 명령이 헌법에 위반되는지를 심사하는 재판 ② 행정 재판은 행정 소송 사건에 대한 재판 ③ 민사 재판은 개인 간의 다툼을 재판한다.

14. 농업사회가 아니라 산업사회(공업화)로 도시화가 빠르게 진행되었다.

15. 기본권을 제한할 때에도 자유와 권리의 본질적인 내용은 침해할 수 없다.

16. 국민이 선거로 입법부와 행정부를 둘다 선출하는 것으로 보아 대통령 중심제 국가이다. 영국은 국민이 입법부만을 선출하는 입헌 군주제 국가이다.

17. 균형 가격 하락, 균형 거래량 감소(기존 가격1 ⇒ 수량1, 새 수요로 가격0 ⇒ 수량0)이다.

18. 마찰적 실업 : 더 나은 일자리를 얻기 위한 일시적 실업, 계절적 실업 : 계절에 따라 생기는 실업, 경기적 실업 : 경기가 침체되는 것으로 인해 발생하는 실업, 구조적 실업 : 기술혁신에 따른 산업 구조 변동에 의한 실업

19. 〈보기〉는 인플레이션을 의미한다. 인플레이션에서는 화폐의 가치가 하락하기 때문에 실물 자산가가 유리하고, 현금 자산가 등은 불리하다.

20. 선진국의 인구문제는 저출산, 고령화 현상이 나타나며, 개발도상국은 인구 성장 및 성비불균형(남아선호사상) 문제가 발생한다.

21. 〈보기〉의 공통점은 도심을 나타낸다. ② 부도심은 도심의 기능 일부를 분담하며, 교통의 요지에 형성된다. ③ 그린벨트는 도시의 무질서한 팽창을 방지하고 녹지대를 보존하기 위해 설정되었다. ④ 위성도시는 도시의 기능일부를 분담한다.

22. 공통된 원인은 지구 온난화이다. ① 황사는 주로 봄철 몽골이나 중국 북부의 황토 지대에서 발생한 미세한 모래 먼지가 한반도에 영향을 끼치는 현상 ② 오존층 파괴는 염화불화탄소에 의해 오존층이 파괴되면서 자외선의 강도가 세져 인체의 피부와 안과질환을 일으킨다. ③ 산성비는 고농도의 황산과 질산 등의 산성(pH 5.6이하)을 강하게 포함하여 내리는 비로 삼림과 농경지를 황폐화시키고 수질 오염을 일으키며, 건축물이나 문화 유적 등을 부식시킨다.

23. (가)는 영공, (나)는 영토, (다)는 영해, (라)는 배타적 경제수역이다.

24. 주변국가와 영토분쟁에서 이기기 위해서라면 굳이 통일을 할 필요가 없다.

25. 공정 무역에 대한 설명이다. ① 중계 무역은 외국에서 수입한 물자를 일정기간 내에 그대로 또는 보세공장에서 가공하여 다시 다른 나라에 수출하는 형식의 무역이다. ③ 보호 무역은 자국의 산업을 보호하기 위해 국제 무역에 정부가 개입하는 무역 제도이다. ④ 자유 무역은 협정 국가 간에 상품이나 서비스를 사고 팔 때 부과하는 세금이나 수입 제한 등의 무역 장벽을 완화하거나 철폐하여 상호 간의 교역을 증진시키기 위한 협정이다.

2회 예상문제 · 사회				
1. ④	2. ②	3. ③	4. ①	5. ③
6. ②	7. ③	8. ①	9. ③	10. ④
11. ①	12. ③	13. ②	14. ④	15. ①
16. ②	17. ②	18. ③	19. ④	20. ①
21. ②	22. ①	23. ②	24. ④	25. ④

1. 위도는 적도를 중심으로 나눈 가로선이며, 위도별 태양에너지의 영향이 달라져 저위도는 덥고 고위도는 추워진다. 계절변화는 지구가 기울어져서 공전을 하기 때문에 발생한다. 시간의 차이는 지구의 자전때문에 발생한다.

2. 각 지역의 랜드마크를 나타낸 것이다. ① 행정구역은 행정기관의 권한이 미치는 일정한 구역으로, 행정구역은 특별시 · 광역시 · 도 · 시 · 군 · 읍 · 면 · 동 등을 의미한다. ③ 본초자오선은 경도의 기준이 되는 경도 0°의 자오선으로 영국의 그리니치를 통과하는 자오선을 기준으로 한다. ④ 지리적 표시제는 특정 장소의 이름을 상표권으로 인정하는 제도이다.

3. 위성 위치 확인 시스템(GPS)에 대한 설명이다. ① 원격 탐사는 관측하고자 하는 대상과의 접촉 없이 멀리서 측정을 통해 정보를 얻어내는 기술이며, ② 지리 정보 시스템은 지표면과 지상 공간에 존재하고 있는 각종 자연물(산, 하천, 토지 등)과 인공물(건물, 도로, 철도 등)에 대한 위치 정보와 속성 정보를 컴퓨터에 입력한 후 이를 연계하여 각종 계획 수립과 의사 결정 및 산업 활동에 효율적으로 지원할 수 있도록 만든 첨단 정보 시스템을 말한다. ④ 본초자오선은 경도의 기준이 되는

경도 0°의 자오선으로 영국의 그리니치를 통과하는 자오선을 기준으로 한다.

4. 천지는 백두산의 정상을 나타내는 말이다.

5. 플랜테이션 농업에 대한 설명이다. ① 수목 농업은 겨울철에 온난 습윤하고 여름철에 고온 건조한 기후 지역에서 보이는 농업 양식으로 지중해식 농업이라고도 한다. ② 화전 농업은 산간 지대 등에서 초지를 태우고 난 뒤 그 땅에 밭곡식을 심어 거의 비료를 주지 않고 경작하는 것을 말한다. ④ 혼합 농업은 연교차가 적은 북서부유럽에서 농작물 재배와 가축 사육이 유기적으로 결합한 농업 경영 방식이다.

6. 〈보기〉의 지도는 이스라엘과 팔레스타인의 대립을 나타낸 지도이다. 이스라엘은 유대교, 팔레스타인은 이슬람교를 믿는다.

7. 〈보기〉의 공통된 자연재해는 태풍을 의미한다.

8. 지도의 자원은 석유이다.

9. ㉠, ㉡, ㉣은 성취지위를, ㉢은 귀속지위를 나타낸다.

10. ①, ②, ③은 본능/습관/체질 등에 대한 설명이다. 문화는 공통된 생활 양식을 말한다.

11. 정당에 대한 설명이다. ③ 이익집단은 특정 집단의 이익을 추구하며, ④ 시민단체는 자발적/적극적 참여이며 공익을 추구한다.

12. 민주주의의 근본 이념은 인간의 존엄성 실현이다. ① 권력 분립은 국가 기관을 여러 기관에 나누고 각 기관이 상호 견제함으로써 권력의 균형을 이루고자 도입된 정치 원리 ② 다수결의 원칙은 다수의 의견을 따르는 방법 ④ 국민 자치의 원리는 국민이 스스로 다스려야 한다.

13. 사회법에 대한 설명이다. ① 형법은 범죄와 관련된 법 ③ 소송법은 절차를 명시한 법 ④ 민법은 개인 간의 다툼 관련 법이다.

14. 65세 이상의 인구가 계속 늘어 나고 상당수를 차지하고 있는 것으로 보아 고령화를 나타낸 표이다. ④ 육아 휴직 제도가 확대 되어야 할 것이다.

15. 참정권에 대한 설명 ② 사회권은 인간다운 생활을 누릴 권리 ③ 청구권은 다른 기본권을 보장하기 위한 기본권 ④ 자유권은 간섭 없이 자유로운 생활을 누릴 권리

16. 대법원은 최고 법원으로 최종적인 재판을 담당한다. ① 헌법 재판소는 위헌법률심판, 탄핵심판, 헌법소원 심판 등을 담당하며 ③ 지방 법원은 1차 재판을 진행하며, 고등 법원은 지방 법원에서 항소한 사건을 재판한다.

17. 기회 비용에 대한 설명. 기회 비용은 어떤 선택 때문에 포기한 대안 중에서 가장 높은 것의 가치 ① 재화는 인간의 욕구를 충족해주는 유형의 물건 ④ 자원의 희소성은 인간의 욕구는 무한한데 비해 이를 충족시킬 자원이 상대적으로 부족한 것

18. 가격이 500원일 때 수요는 70개, 가격이 600원일 때 수요 30개. 따라서 40개 감소

19. 평균 생활 수준은 1인당 국내 총 생산이다. ③ 국내 총 생산은 한 나라 전체의 경제 규모 파악에 유용하다.

20. 환율에 대한 설명

21. 판결에도 불구하고 중국이 오히려 무기를 배치한 것은 국제사회에 힘의 논리가 적용된다는 것을 알 수 있다.

22. ㄱ, ㄴ은 인구를 불러 오게 하는 흡입 요인이며, ㄷ, ㄹ은 인구를 나가게 하는 배출 요인이다.

23. 세계도시에 대한 설명이다. ① 대도시는 다른 도시

에 비해 인구가 많고 각종 기능이 밀집한 도시 ③ 생태도시는 친환경 도시 ④ 공업도시는 도시의 산업 비중에 있어 공업이 중심인 도시

24. 다국적 기업에 대한 설명이다. 공산품에만 집중되는 것이 아니라 농업 등 다양한 제품을 생산 및 판매한다.

25. 센카쿠 열도는 중국과 일본의 영토 분쟁지역이다. ① 난사 군도는 중국, 타이완, 베트남, 필리핀, 말레이시아, 브루나이 등이 영유권을 주장한다. ② 시사 군도는 중국, 타이완, 베트남이 영유권을 주장한다. ③ 쿠릴 열도는 일본, 러시아가 영유권을 주장한다.

3회 예상문제 · 사회

1. ④	2. ①	3. ④	4. ①	5. ②
6. ③	7. ②	8. ①	9. ④	10. ③
11. ②	12. ③	13. ①	14. ③	15. ②
16. ①	17. ②	18. ②	19. ①	20. ③
21. ③	22. ②	23. ④	24. ④	25. ③

1. 가 : 아시아, 나 : 아프리카, 다 : 아메리카, 라 : 태평양

2. 경도에 대한 설명이다. 경도는 본초자오선을 기준으로 나눈 세로선이며 시간과 관련이 있으며, 동경 180° 서경 180°로 나누며 이 둘이 만나는 곳이 날짜 변경선이다.

3. 서부 유럽은 혼합 농업, 낙농업, 원예 농업이 발달하였다. ㄱ은 오아시스 농업으로 건조기후, ㄴ은 수목농업으로 남부 유럽에서 발달하였다.

4. 고산 기후에 대한 설명이다. ② 온대 기후에는 서안 해양성, 지중해성, 계절풍 기후가 있으며 인간의 거주에 유리하다. ③ 한대 기후는 인간의 거주가 불리하다. ④ 타이가 기후는 냉대 기후이다.

5. ㄱ, ㄷ은 퇴적지형이며, ㄴ, ㄹ은 침식지형이다.

ㄱ : 간석지는 갯벌을 의미한다.

6. ①, ②, ④은 외적 작용이다. 내적 작용에는 조륙 운동, 조산 운동, 화산 활동이 있다.

7. ② 유목은 이슬람 문화지역과 관련되어 있다.

8. 하천의 범람은 홍수를 나타내며, 비가 내리지 않는 것은 가뭄을 의미한다.

9. (가) : 태양열, (나) : 지열, (다) : 풍력

10. 새롭게 배우는 것을 재사회화라 한다.

11. 뉴미디어에 대한 설명이다. ②는 기존의 미디어에 대한 설명

12. ㄱ, ㄹ은 넓은 의미의 정치이다. 좁은 의미의 정치는 정치권력을 획득하고 행사하는 것이다.

13. 국무총리 제도는 의원 내각제의 요소를 도입한 것이다. 정부의 법률안 제출, 국무위원의 국회의원 겸직 등이 대표적인 의원 내각제 요소이다.

14. 공정한 선거를 위한 제도들이다. 선거구 법정주의는 선거구를 법률로 정하는 것이고, 선거 공영제는 국가 기관이 선거운동을 관리 및 비용의 일부를 부담하는 제도이다. 선거 관리 위원회는 선거를 공정하게 관리하고 정당 및 정치 자금에 관한 사무를 처리한다.

15. 한 나라의 최고 법은 헌법이며, 국민의 기본권을 명시하고 국가기관의 구성과 원리 등을 규정한 법이다.

16. 인간다운 생활은 사회권을 의미한다. 자유권은 국가권력의 간섭을 받지 않고 자유롭게 생활할 수 있는 권리, 평등권은 차별받지 않을 권리, 청구권은 국가에 일정한 행위를 요구할 수 있는 권리를 말한다.

17. 법률의 집행은 행정부에서 담당한다. 입법부는 법률의 제정, 사법부는 법률의 적용/해석을 담당한다.

18. 생산의 주체는 기업이다. 가계는 소비의 주체, 정부

는 생산과 소비의 주체이며, 공공재를 생산한다.

19. 김치의 거래량은 늘어날 것이며 이에 따라 가격 또한 상승할 것이다.

20. 국내 총 생산에 대한 설명이다. ① 국민 총 생산은 일정 기간 동안 한 나라의 국민이(국내 + 국외) 생산한 재화와 서비스의 가치의 합을 의미한다. ② 국민 총 소득은 가계, 기업, 정부 등 국가의 경제 주체가 일정 기간 생산한 총 부가가치를 시장 가격으로 평가하여 합산한 소득 지표를 의미한다. ④ 1인당 국민 총 생산은 국내 총생산을 그 나라의 인구 수로 나눈 것을 의미한다.

21. 환율 상승이며, 그에 따라 수출이 증가하고 수입이 감소한다. ㄱ은 수출이 잘 되므로 물가는 상승한다. ㄹ은 원화의 가치가 하락하므로 외국인의 국내 여행은 증가한다.

22. 오늘날 우리나라의 인구 문제는 저출산, 고령화 현상이다.

23. 우리나라는 현재 종착 단계이다.

24. ㄱ, ㄴ은 우리나라와 일본과의 갈등 문제이다. ㄷ은 중국 국경 안에서 전개된 모든 역사를 중국의 역사로 만들기 위해 2002년부터 중국이 추진하고 있는 국가적 연구 사업이다.

25. 지구 온난화로 빙하가 녹고 해수면이 상승하여 저지대가 침수된다. 또한 농작물의 북한계선이라 하면 농작물 재배가 가능한 북쪽 한계선으로, 온난화로 지구의 기온이 높아지면 작물의 북한계는 점점 북쪽으로 이동하게 되는 것이다.

4회 예상문제 · 사회

1. ③	2. ②	3. ①	4. ③	5. ③
6. ①	7. ③	8. ②	9. ②	10. ④
11. ①	12. ④	13. ③	14. ④	15. ③
16. ①	17. ③	18. ②	19. ④	20. ①
21. ③	22. ①	23. ④	24. ②	25. ④

1. ① 위도의 기준은 적도이다. ② 경도의 기준은 본초자오선이다. ④ 동경 · 서경 각 180°가 만나는 곳이 날짜 변경선이다.

2. 최한월 기온이 20℃ 이상이므로 열대 기후이다.

3. 조산대를 표시한 지도이다. 조산대에서는 지진, 화산 등이 자주 일어난다.

4. 이슬람교와 관련된 〈보기〉들이다. ① 힌두교는 소를 숭배하며, 갠지스강을 신성시한다. ② 불교는 불상, 연등 등이 대표적이며, ④ 크리스트교는 십자가, 성탄절 등이 대표적이다.

5. 아시아에서 생산 및 소비되는 식량 자원은 쌀이다.

6. (가) : 가정, (나) 학교이다. 또래 집단은 청소년기에 중요시 된다.

7. 방자는 자신의 문화를 중심으로 이해했으며, 향단이는 존중을 한다고 했기에 문화 상대주의의 관점에서 이해하고 있다.

8. 전제 정치는 국가의 권력이 특정한 지배자에게 집중되어 국민의 뜻이나 법률의 제약을 받지 않고 실시되는 정치를 의미한다. 민주정치의 기본 원리에는 입헌주의의 원리, 국민 주권의 원리, 권력분립의 원리, 지방자치의 원리가 있다.

9. 지방 자치에 대한 설명이다. ① 선거구 법정주의는 선거구는 법률로 정한다는 뜻이며, ③ 삼권 분립은 입법부, 사법부, 행정부가 나누어 서로 견제를 한다는 것이다.

10. (가) : 민사 재판, (나) : 형사 재판을 의미한다. 행정 재판은 행정 소송 사건에 대한 재판을 의미한다.

11. 사막화에 대한 설명이다. ② 지구 온난화는 지구 표면의 평균 기온이 상승하는 현상을 말한다. ③ 황사는 주로 봄철 중국 대륙의 황토 지대에서 강한 바람으로 위로 올라간 많은 미세한 모래 먼지가 하늘을 뒤덮고 있다가 점차 내려오는 현상을 말한다. ④ 산성비는 수소 이온 농도 지수(pH)가 5.6 이하인 비로, 고농도의 황산이나 질산이 포함되어 사람과 자연환경에 악영향을 준다.

12. 노동 3권은 단결권, 단체 교섭권, 단체 행동권이 있다.

13. 국회에 대한 설명이다. ① 헌법 재판소는 대한민국 법령의 위헌 여부 및 분쟁 심판 등을 관장하는 기관. 법원의 제청에 의한 법률의 위헌 여부 심판, 탄핵 심판, 정당 해산 심판, 단체 간 권한 쟁의에 관한 심판, 헌법 소원에 대한 심판 등의 심판을 주로 담당한다. ② 정부는 법률을 집행한다. ④ 법원은 법률의 해석/적용을 담당한다.

14. ① 편익은 만족감을 의미한다. ② 자원의 희소성은 인간의 욕구는 무한한 데 비해 이를 충족시켜 줄 자원이 부족한 것 ③ 재화는 인간의 욕구를 충족 시켜주는 유형의 것

15. 시장 가격은 수요와 공급이 일치할 때이므로 500원이 시장 가격임

16. 실업자의 예외는 전업주부, 구직 포기자, 학생 등이 있다.

17. ① 국내 총 생산은 일정 기간 동안 한 나라의 영토 안에서 생산된 최종 재화와 서비스의 시장 가치의 총액 ② 생산 요소는 생산을 위해 필요한 모든 자본과 서비스를 의미하며 토지, 노동, 자본이 대표적이다. ④ 기회비용은 무엇인가를 선택함으로써 포기해야 하는 것들 중에서 최선의 것의 가치

18. ① : 동북 공정은 중국과 갈등 문제, ③과 ④는 일본과의 갈등 문제이다.

19. ㄱ : 오늘날 대부분의 이동은 경제적 이동이다.
ㄴ : 개발도상국에서 선진국으로 이동이다.

20. ② 부도심은 도심 기능의 일부를 분담하고 교통이 발달한 곳에 형성된다. ③ 그린벨트(개발제한구역)는 도시의 무질서한 팽창을 방지하고 녹지대를 보존하기 위해 설정된다. ④ 위성도시는 도시의 기능 일부를 분담하고 안산, 의정부, 고양, 성남이 대표적이다.

21. ③ 농업의 기업화 · 세계화는 상업적 농업이며 대규모이고 기계화이다.

22. ② 산성비는 수소 이온 농도 지수(pH)가 5.6 이하인 비로 고농도의 황산이나 질산이 포함되어 사람과 자연환경에 악영향을 준다. ③ 지구 온난화는 지구 표면의 평균 기온이 상승하는 현상이다. ④ 전자 쓰레기는 더 이상 가치가 없게 된 낡고 수명이 다한 여러 가지 형태의 전기 · 전자제품을 뜻한다.

23. 영해는 최저 조위선 부터 12해리이므로 간척사업을 한다고해서 영해가 늘어나지는 않는다.

24. ① 생태도시는 '환경 오염 물질의 배출이 최소이고, 에너지 효율은 최대이며, 자원의 재이용이 활발한 도시', 이런 조건을 만족하는 도시를 생태도시라고 한다. ③ 지리적 표시제는 특정 장소의 이름을 상표권으로 인정하는 제도이다. 보성 녹차, 플로리다 오렌지 등 ④ 랜드마크는 지역을 대표할만한 상징물이다. 뉴욕의 자유의 여신상, 파리 에펠탑 등이다.

25. ① 쿠릴 열도는 일본과 러시아의 분쟁 ② 센카쿠 열도는 일본과 중국과의 갈등 ③ 팔레스타인의 문제는 이스라엘과 팔레스타인의 분쟁이다.

5회 예상문제 · 사회

1. ①	2. ②	3. ②	4. ②	5. ④
6. ③	7. ④	8. ①	9. ③	10. ①
11. ③	12. ④	13. ③	14. ①	15. ②
16. ④	17. ①	18. ②	19. ②	20. ③
21. ③	22. ①	23. ②	24. ④	25. ④

1. 지리 정보는 지역을 이해하는 데 꼭 필요한 다양한 정보를 묶어 부르는 말이다.

2. 적도를 기준으로 나눈 가로선은 위도이며, 위도별 기후 차이가 난다. 본초자오선을 기준으로 나눈 세로선을 경도라 하며, 시간의 차이가 난다.

3. 고산 기후와 온대 기후가 인간 거주에 유리하다. 고산 기후는 해발고도가 높은 산지에서 나타나는 기후로 월평균 10~15℃의 기온이 연중 지속되어 늘 봄과 같은 기후를 느낄 수 있다.

4. 주어진 사진은 사막으로 건조 기후를 의미한다. 건조 기후에서는 오아시스 농업 및 유목 등을 한다. 이동식 화전 농업은 열대 기후에서, 타이가 기후는 냉대 기후이다.

5. 제주도의 특징들이다.

6. ㄱ의 갯벌은 해안 지역이며, ㄹ은 해안 지역을 설명한 것이다.

7. 문화 융합은 서로 다른 사회의 문화 요소가 결합하여 기존의 두 문화 요소와는 다른 성격을 지닌 새로운 문화가 나타나는 현상이다.

8. ②, ③, ④는 기후적 요인이다.

9. ① 자원의 유한성은 자원은 한정되어 있다는 것 ② 자원의 편재성은 자원은 특정 지역에 몰려 있다는 것 ④ 자원의 희소성은 인간의 욕구는 무한한 데 비해 이를 충족시켜 줄 자원이 부족한 것을 의미한다.

10. ② 내집단은 가치관이나 행동 양식 따위가 비슷하여 구성원이 애착이나 충성의 태도를 보이며, 다른 집단에 대해 배타적인 성격을 나타내는 심리적인 집단을 의미한다. ③ 외집단은 개인이 소속되어 있지 않으며 소속감이 없는 집단을 의미한다. ④ 준거 집단은 개인이 자기의 신념이나 태도, 가치, 행동 방향을 결정하는 데 기준으로 삼는 집단을 의미한다.

11. ① 학습성은 문화는 후천적인 학습을 통해 획득된다는 것 ② 보편성은 모든 문화에 공통적으로 통하거나 적용되는 성질이 있다는 것 ④ 축적성은 문자 등의 상징체계를 통해 다음 세대로 전승되면서 새로운 요소가 추가되어 더욱 풍성해질 수 있다는 것을 의미한다.

12. 이익 집단은 자신들의 특수한 이익을 추구하는 집단이며, 정치적 책임이 없다.

13. 평등 선거는 선거인의 투표가치를 평등하게 취급하여, 모든 유권자에게 동등하게 투표권을 인정하는 것으로 1인 1표가 대표적이다. 직접 선거는 다른 사람이 대신할 수 없고 선거권을 가진 사람이 직접 투표를 하는 것을 말한다.

14. 개인과 개인 사이의 관계는 사법, 개인과 국가 기관은 공법, 국가가 개인의 사적 생활에 개입한 법은 사회법이다. 사회법은 인간다운 생활을 위한 것으로 오늘날 대두되고 있다.

15. 오늘날 농업 사회에서 산업 사회로 진행되었으며, 정보화 시대로 가고 있다.

16. 국민의 기본권과 헌법 질서 수호는 헌법 재판소의 역할이다.

17. 법률의 제정 및 개정은 입법부(국회)의 역할이다.

18. 노동력 제공과 소비를 하는 것은 가계이며, 생산 및 임금 지급은 기업이다. 정부는 생산과 소비를 둘 다 하며, 공공재를 생산한다.

19. 가격은 고정이며 수요량이 증가한 경우이다. 이는 소득이 증가하여 수요량 또한 증가하였다. ③, ④는 공급을 의미한다.

20. 경기적 실업은 경기가 좋지 않아 발생하는 비자발적 실업, 마찰적 실업은 일시적으로 노동에서 벗어나게 될 때 생기는 실업을 말한다. 계절적 실업은 계절의 변동에 따라 발생하는 실업을 의미한다.

21. 인플레이션은 물가가 지속적으로 상승하는 것으로 화폐의 가치가 하락한다. ①, ②, ④는 유리해지는 사람들이다.

22. 국제 사회에서는 중앙 정부가 존재하지 않으며, 국제 협력이 증대되고 있다.

23. (가)는 도심, (나)는 주변부이다.

24. ① 영토는 땅을 ② 영공은 하늘 ③ 영해는 바다이며 영해는 최저 조위선으로 12해리이다.

25. 독도는 현재 행정 구역상 경상북도에 속한다.

중학교 졸업자격 검정고시

적중! 모/의/고/사

예상문제

과학

예상문제 01

1. 오른쪽 그림은 지구 내부 구조를 나타낸 것이다. 이에 대한 설명으로 옳은 것은?

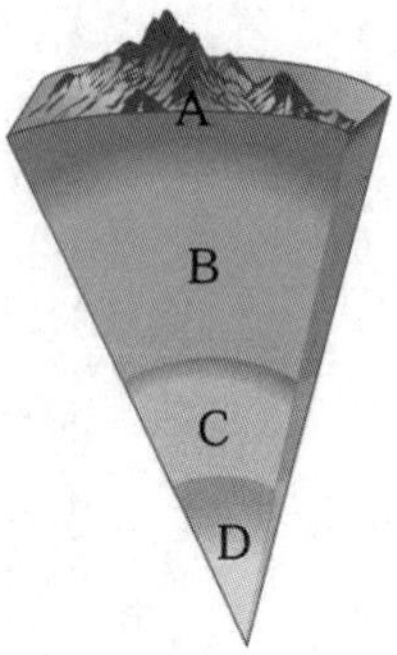

① A층은 가장 큰 부피를 차지한다.
② B층은 액체 상태를 이루고 있다.
③ C층은 지진파의 P파가 통과하지 못한다.
④ D층은 지구 내부 중 온도와 압력이 가장 높다.

2. 다음 중 우리 주변에서 탄성력을 이용한 예가 아닌 것은?

① 장대높이뛰기　　② 양궁(활)
③ 컴퓨터 자판　　④ 스케이트

3. 생물 다양성과 생태계 평형에 대한 설명으로 옳지 않은 것은?

① 먹이 사슬이 단순할수록 생태계가 안정된다.
② 생물의 종류가 많을수록 생물 다양성이 높다.
③ 생물 다양성이 높은 생태계는 생물이 멸종할 가능성이 낮다.
④ 생물 다양성이 높을수록 생태계가 안정을 유지한다.

4. 확산에 대한 설명으로 옳지 않은 것은?

① 액체 상태보다 기체 상태일 때 확산 속도가 더 빠르다.
② 입자의 질량이 클수록 확산이 빨리 일어난다.
③ 온도가 높을수록 확산이 빨리 일어난다.
④ 확산은 물질을 이루는 입자가 스스로 운동하여 모든 방향으로 퍼져 나가는 현상이다.

5. 각 과정에 해당하는 상태 변화와 현상으로 옳지 않은 것은?

① 기화 – 풀잎에 맺힌 이슬이 사라진다.
② 액화 – 목욕탕 천장에 물방울이 맺힌다.
③ 응고 – 아이스크림이 녹아 손 위로 흘러내린다.
④ 승화 – 옷장 속에 넣어둔 나프탈렌의 크기가 작아진다.

6. 빛의 합성에 대한 설명으로 옳은 것은?

① 빛은 합성할수록 어두워진다.
② 빨간색 빛과 파란색 빛을 합성하면 백색광이 된다.
③ 빛의 삼원색을 적절하게 합성하면 모든 색의 빛을 만들 수 있다.
④ 빨간색, 노란색, 파란색을 빛의 삼원색이라고 한다.

7. 다음 중 이산화탄소의 분자 모형에 해당하는 것은?

① 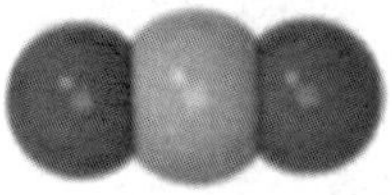
② 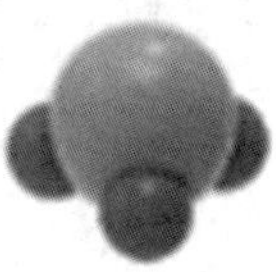
③ 
④ 

8. 다음 분자식 중 원자의 총 개수가 가장 많은 것은?

① HCl ② $2H_2O$ ③ $3CO_2$ ④ $2CH_4$

9. 마찰시키지 않은 물체는 전기적으로 중성이다. 그 이유로 가장 옳은 것은?

① 원자핵이 전자와 같이 이동하기 때문이다.
② 원자핵의 (+)전하량과 전자들의 (−)전하량이 같기 때문이다.
③ 원자의 개수와 전자의 개수가 같기 때문이다.
④ 공기 중에서 항상 전자가 공급되기 때문이다.

10. 전류가 흐를 때 나침반 자침의 모양으로 옳은 것은? (단, 자침의 진한 쪽이 N극이고, 지구 자기장의 영향은 무시한다.)

① 

② 

③ 

④ 

예상문제 01

11. 다음은 태양계 행성을 A와 B 두 그룹으로 구분하여 나타낸 것이다. 비교한 내용으로 옳은 것은?

> · A : 수성, 금성, 지구, 화성
> · B : 목성, 토성, 천왕성, 해왕성

① 질량은 A가 B보다 크다.
② 평균 밀도는 A가 B보다 크다.
③ 위성 수는 A가 B보다 많다.
④ 반지름은 A가 B보다 크다.

12. 그림은 태양, 지구, 달의 위치 관계를 나타낸 것이다. 일식이 일어날 때와 월식이 일어날 때의 달의 위치를 순서대로 옳게 짝지은 것은?

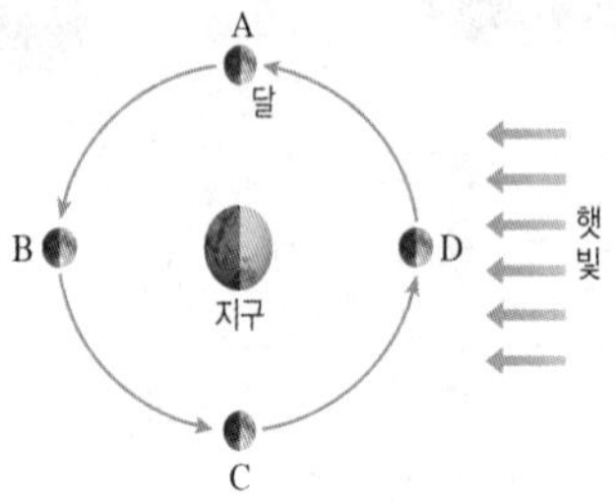

① A, B
② B, D
③ D, B
④ C, D

13. 다음은 광합성 과정을 식으로 나타낸 것이다. ㉠, ㉡에 알맞은 물질을 옳게 짝지은 것은?

> 물 + (㉠) + 빛에너지 → 포도당 + (㉡)

	㉠	㉡
①	산소	질소
②	산소	이산화탄소
③	이산화탄소	질소
④	이산화탄소	산소

14. 그림은 혈액의 구성 성분을 나타낸 것이다. 이에 대한 설명으로 옳지 <u>않은</u> 것은?

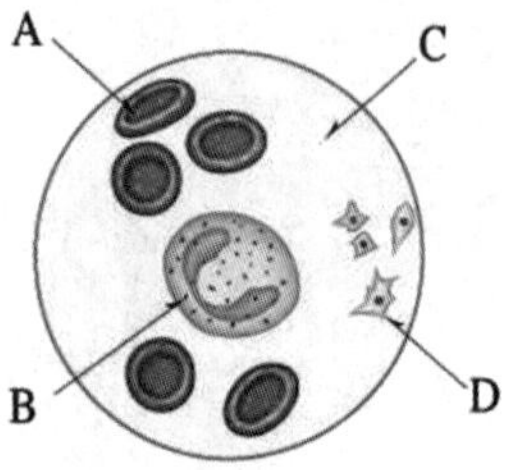

① A는 적혈구로, 산소를 운반한다.
② B는 백혈구, D는 혈소판이다.
③ C는 혈장으로, 여러 가지 물질을 운반한다.
④ D는 몸속에 침입한 세균 등을 잡아먹는다.

15. 다음 중 크로마토그래피를 이용하여 혼합물을 분리하는 것은 물질의 어떤 특성을 이용한 것인가?

① 용매에 대한 이동 속도　　② 밀도
③ 용해도　　④ 녹는점

16. 다음 중 수권에 대한 설명으로 옳지 <u>않은</u> 것은?

① 지구에 존재하는 모든 물을 의미한다.
② 지구상에 존재하는 물의 약 97.2%가 해수이다.
③ 해수의 대부분은 빙하가 차지한다.
④ 물은 상태가 변하면서 계속 순환한다.

17. 일반적으로 화학 변화에서 나타나는 현상으로 볼 수 <u>없는</u> 것은?

① 색깔이나 냄새가 변한다.
② 물질의 상태가 변한다.
③ 열과 빛이 발생한다.
④ 새로운 기체가 생성된다.

18. 그림은 기권의 층상 구조를 나타낸 것이다. 4개의 층에 대한 설명으로 옳지 <u>않은</u> 것은?

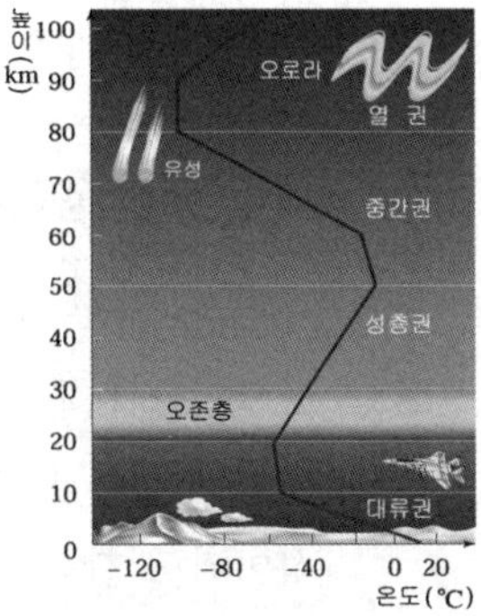

① 대류권은 눈, 비 등의 기상 현상이 나타난다.
② 성층권은 오존층이 존재하여 자외선을 흡수한다.
③ 중간권은 높이 올라갈수록 기온이 높아진다.
④ 열권은 낮과 밤의 기온 차가 크다.

예상문제 01

19. 오른쪽 그림은 쇠구슬과 깃털의 낙하 운동을 진공 중에서와 공기 중에서 찍은 다중 섬광 사진이다. 쇠구슬의 질량이 깃털보다 클 때, 이에 대한 설명으로 옳은 것은?

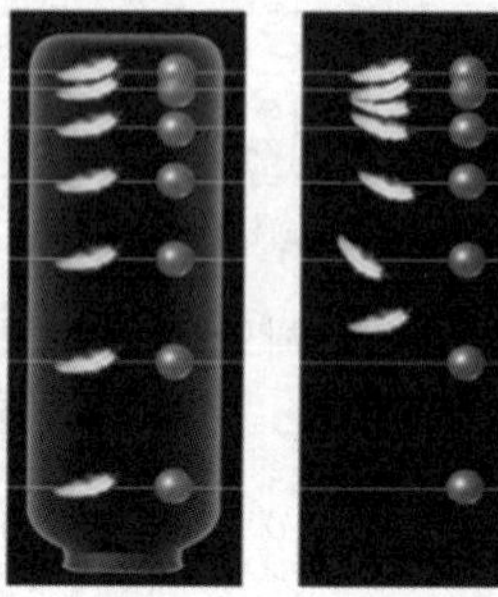

(가) (나)

① (가)에서는 공기 저항이 없다.
② (가)에서 쇠구슬과 깃털에 작용하는 중력의 크기는 같다.
③ (나)에서 쇠구슬과 깃털에 작용하는 공기 저항은 같다.
④ 물체의 낙하 속력은 물체의 질량에 비례한다.

20. 그림은 민주가 던져 올린 공이 연직 위로 올라가는 모습을 나타낸 것이다. 공이 A에서 B로 갈 때, 옳지 <u>않은</u> 것은? (단, 공기 저항이나 마찰은 없다.)

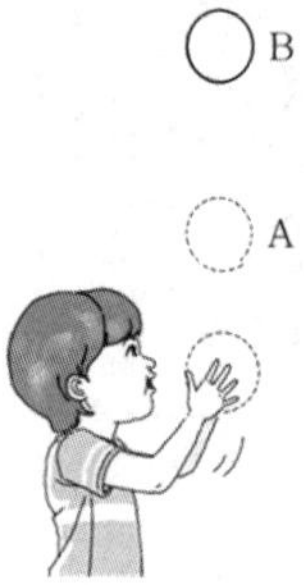

① 위치 에너지는 증가한다.
② 운동 에너지는 감소한다.
③ 역학적 에너지는 일정하다.
④ 운동 에너지는 B에서 최대이다.

21. 다음 중 혈당량을 감소시키는 호르몬으로, 이자에서 분비되며 분비량이 부족할 때 당뇨병이 생길 수 있는 호르몬은?

① 티록신
② 인슐린
③ 아드레날린
④ 테스토스테론

22. 다음 중 유전 용어에 대한 설명으로 옳지 <u>않은</u> 것은?

① 유전자 구성이 RR, rr인 개체는 순종이다.
② 생물이 지니고 있는 여러 가지 특성을 형질이라고 한다.
③ 대립 형질이 다른 두 순종 개체를 교배하여 얻은 잡종 1대에서 나타나지 않는 형질을 우성이라고 한다.
④ 한 가지 형질에서 뚜렷하게 구분되는 변이를 대립 형질이라고 한다.

23. 그림은 우리은하의 위와 옆의 모습을 나타낸 것이다. 이에 대한 설명으로 옳은 것만을 있는 대로 고른 것은?

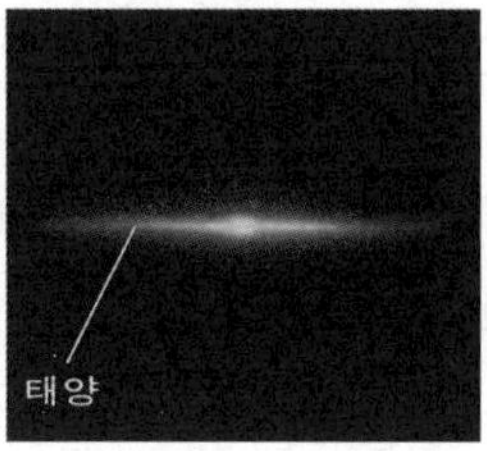

ㄱ. 우리은하는 막대 나선 은하이다.
ㄴ. 태양은 우리은하의 중심에 위치한다.
ㄷ. 우리은하의 반지름은 약 10만 광년이다.

① ㄱ　② ㄱ, ㄴ　③ ㄱ, ㄷ　④ ㄴ, ㄷ

24. 다음 중 전기 기구들의 에너지 전환으로 옳지 <u>않은</u> 것은?

① 전구 : 전기 에너지 → 빛에너지
② 선풍기 : 전기 에너지 → 운동 에너지
③ 배터리 충전 : 전기 에너지 → 역학적 에너지
④ 헤어드라이어 : 전기 에너지 → 열에너지

25. 다음 중 과학기술이 인류 문명의 발달에 미친 영향으로 옳지 <u>않은</u> 것은?

① 생명 공학 기술로 농산물의 품종을 개량하였다.
② 망원경의 발견으로 멀리 떨어져 있는 곳에 대한 연구를 할 수 있게 되었다.
③ 항생제와 백신의 개발로 여러 가지 질병을 치료하고 예방할 수 있게 되었다.
④ 화학 비료의 개발은 인류의 식량 부족 문제를 심화시켰다.

예상문제 02

1. 지구 내부를 조사하는 가장 효과적인 방법은 무엇인가?

① 시추법　　② 화산 분출법
③ 지진파 연구　　④ 운석 연구

2. 다음 중 중력에 의해 나타나는 현상이 아닌 것은?

① 달이 지구 주위를 공전한다.
② 폭포의 물이 아래로 떨어진다.
③ 고드름이 아래쪽으로 얼어붙는다.
④ 용수철을 당겼다가 놓으면 원래대로 돌아간다.

3. 생물의 5계에 대한 설명으로 옳지 않은 것은?

① 지구상의 생물은 원핵생물계, 원생생물계, 균계, 식물계, 동물계로 분류한다.
② 식물계에는 몸이 균사로 이루어진 버섯이나 곰팡이 등이 포함된다.
③ 원생생물계는 세포에 핵이 있는 생물 중 균계, 식물계, 동물계에 포함되지 않는 생물을 모아 놓은 무리이다.
④ 원핵생물계는 세포에 핵이 없는 생물 무리이다.

4. 증발과 관련된 현상이 아닌 것은?

① 젖은 빨래가 마른다.
② 더운 여름철 마당에 물을 뿌리면 금방 마른다.
③ 풀잎에 맺힌 이슬이 사라진다.
④ 향초 냄새가 방 안 가득 퍼진다.

5. 다음 그림은 물질의 상태 변화를 입자 모형으로 나타낸 것이다. 각 과정에 해당하는 상태 변화를 바르게 짝지은 것은?

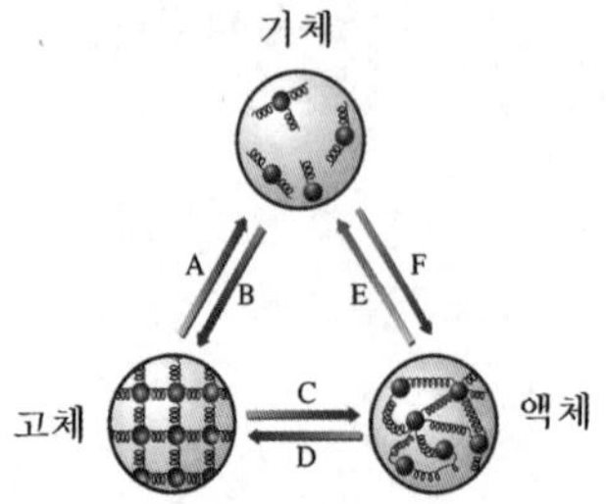

① A - 승화
② C - 기화
③ D - 융해
④ F - 응고

6. 거울의 종류와 그 거울이 이용되는 기구의 연결이 옳지 않은 것은?

① 평면 거울 – 전신 거울
② 볼록 거울 – 자동차의 사이드 미러
③ 볼록 거울 – 자동차 전조등
④ 오목 거울 – 치과용 거울

7. 물질을 이루는 기본 성분이 아닌 것은?

① 칼슘　② 소금　③ 알루미늄　④ 리튬

8. 원자에 대한 설명으로 옳지 않은 것은?

① 물질을 이루는 기본 입자이다.
② 원자는 원자핵과 전자로 이루어져 있다.
③ 원자핵은 전자에 비해 질량이 매우 작다.
④ 원자는 전기적으로 중성이다.

9. 서로 다른 두 물체 A, B를 마찰하였더니 다음 그림과 같이 대전되었다. 이에 대한 설명으로 옳지 않은 것은?

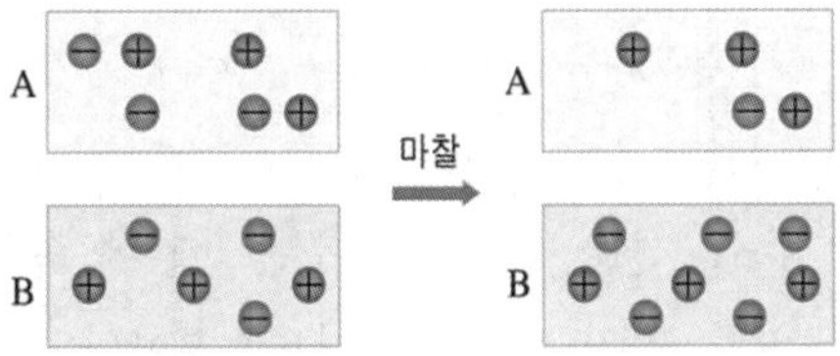

① A에서 B로 전자가 이동하였다.
② 마찰하기 전 A, B 모두 전기를 띠지 않는다.
③ A는 (+)전하, B는 (–)전하를 띤다.
④ A는 B에 비하여 전자를 얻기 쉬운 물체이다.

10. 다음 중 지구 공전에 의해 나타나는 현상으로 옳은 것은?

① 태양이 별자리를 배경으로 이동하여 1년 후 제자리로 돌아온다.
② 낮과 밤이 반복된다.
③ 하루 동안 관측한 별자리의 위치가 달라진다.
④ 태양이 동쪽에서 떠서 서쪽으로 진다.

예상문제 02

11. 다음 중 호흡에 대한 설명으로 옳은 것은?

① 모든 살아 있는 세포에서 일어난다.
② 양분을 만드는 과정이다.
③ 에너지를 저장하는 과정이다.
④ 이산화탄소가 사용되는 과정이다.

12. 다음 〈보기〉에서 음식물에 주로 포함된 영양소에 대한 설명으로 옳은 것을 있는 대로 고른 것은?

〈보기〉
밥, 빵, 국수, 감자

ㄱ. 주로 에너지원으로 쓰인다.
ㄴ. 적은 양이 필요하며 부족 시 결핍증이 나타난다.
ㄷ. 사용하고 남은 것은 지방으로 전환되어 저장된다.
ㄹ. 가장 많이 섭취하므로 우리 몸을 구성하는 성분 중 가장 많은 양을 차지한다.

① ㄱ, ㄴ ② ㄱ, ㄷ ③ ㄴ, ㄷ ④ ㄷ, ㄹ

13. 그림은 물질의 분류 단계를 나타낸 것이다. 이에 대한 설명으로 옳지 않은 것은?

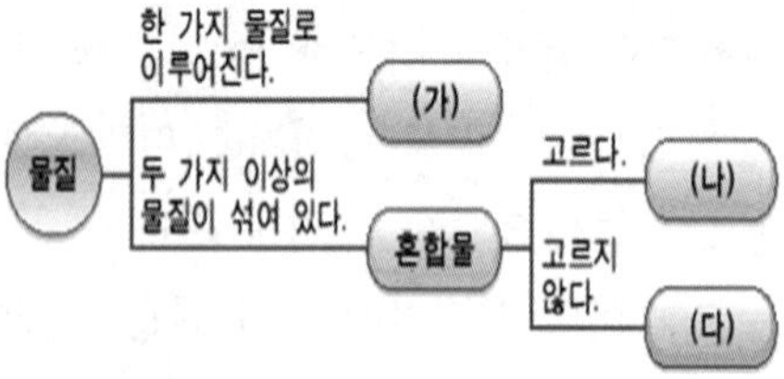

① (가)는 순물질이다.
② (나)는 균일 혼합물이다.
③ 수소, 산소, 이산화탄소는 (가)에 속한다.
④ 우유, 공기, 식초는 (나)에 속한다.

14. 그림은 어느 해역의 연직 수온 분포를 나타낸 것이다. A~C층의 이름을 옳게 짝지은 것은?

	A	B	C
①	심해층	혼합층	수온약층
②	혼합층	심해층	수온약층
③	혼합층	수온약층	심해층
④	수온약층	혼합층	심해층

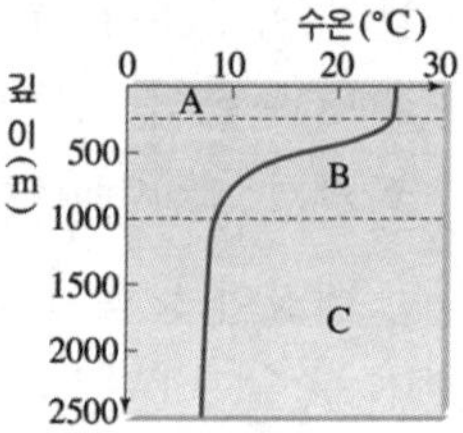

15. 다음 중 물체의 상태에 따른 열팽창에 대한 설명으로 옳은 것은?

① 열을 받았을 때 액체는 기체보다 더 많이 팽창한다.
② 입자의 움직임이 자유로울수록 많이 팽창한 것이다.
③ 같은 종류의 물질은 고체일 때 팽창하는 정도와 액체일 때 팽창하는 정도가 같다.
④ 기체는 열을 받아 팽창하는 정도가 물질에 따라 다르다.

16. 다음 중 흡열 반응에 해당하는 것을 있는 대로 고른 것은?

ㄱ. 식물이 광합성을 하여 양분을 만든다.
ㄴ. LPG 가스가 열과 빛을 내며 연소한다.
ㄷ. 사람이 달리기를 하면 호흡이 빨라진다.

① ㄱ ② ㄴ ③ ㄱ, ㄷ ④ ㄴ, ㄷ

17. 다음 중 이슬점에 대한 설명으로 옳지 <u>않은</u> 것은?

① 공기 중의 수증기가 응결하기 시작할 때의 온도이다.
② 공기 중의 수증기량이 많아지면 이슬점이 높아진다.
③ 포화 수증기량이 증가하면 이슬점은 낮아진다.
④ 공기가 포화 상태에 도달하였을 때의 온도이다.

18. 그림은 어느 해안 지역에서 하루를 주기로 방향이 바뀌는 바람을 나타낸 것이다. 이에 대한 설명으로 옳지 <u>않은</u> 것은?

① 해풍이다.
② 기온은 육지가 더 높다.
③ 기압은 바다가 더 높다.
④ 육지에서 바다로 바람이 분다.

05 과학

예상문제 02

19. 다음 중 과학에서의 일을 한 경우는?

① 무거운 역기를 들고 오랫동안 서 있었다.
② 바닥에 놓인 가방을 들어 책상 위에 올려놓았다.
③ 얼음 위에서 스케이트를 탄 사람이 일정한 속력으로 운동한다.
④ 벽을 힘껏 밀었는데 움직이지 않았다.

20. 다음 중 매우 민감하지만 쉽게 피로해지는 감각은?

① 시각 ② 청각 ③ 후각 ④ 미각

21. 다음 중 염색체에 대한 설명으로 옳지 <u>않은</u> 것은?

① DNA와 단백질로 구성된다.
② 유전 정보를 담아 전달하는 역할을 한다.
③ 성을 결정하는 염색체를 성염색체라고 한다.
④ 세포가 분열하지 않을 때는 굵고 짧게 뭉쳐져 막대 모양으로 나타난다.

22. 그림은 A에서 출발한 진자가 D까지 가는 동안의 운동 경로를 나타낸 것이다. 다음 중 운동 에너지가 가장 큰 곳은?

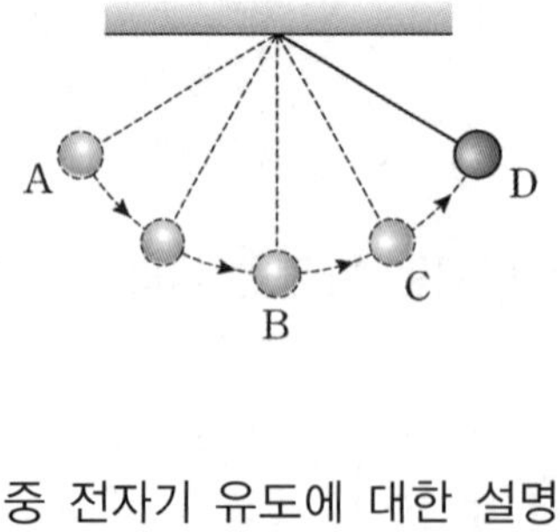

① A
② B
③ C
④ D

23. 다음 중 전자기 유도에 대한 설명으로 옳은 것은?

① 자석이 코일을 통과할 때 자석에 전류가 흐른다.
② 강한 자석을 코일 내부에 넣어두면 전류가 흐른다.
③ 전기 에너지가 운동 에너지로 전환된다.
④ 자석 주위에서 코일을 움직이면 유도 전류가 흐른다.

24. 다음 중 별의 등급에 대한 설명으로 옳은 것은?

① 1등급 차는 약 2.5배의 밝기 차이가 있다.
② 등급의 숫자가 클수록 밝은 별이다.
③ 1등급의 별보다 밝은 별은 존재하지 않는다.
④ 1등급인 별은 6등급인 별보다 약 12.5배 밝다.

25. 다음 설명에 해당하는 과학기술은?

· 나노 물질의 독특한 특성을 이용하여 다양한 소재나 제품을 만드는 기술이다. · 나노 표면 소재, 휘어지는 디스플레이 등은 이 기술을 적용하여 만든 물질이다.

① 빅데이터 기술　② 생명 공학 기술
③ 나노 기술　④ 정보 통신 기술

예상문제 03

1. 지구계에 대한 설명으로 옳지 않은 것은?

① 과학에서 다루는 계에 속한다.
② 지구계 구성 요소들은 서로 영향을 주고받는다.
③ 하나의 구성 요소가 변해도 전체에는 변화가 없다.
④ 지구 대기 바깥의 우주 공간을 외권이라고 한다.

2. 힘에 대한 설명으로 옳지 않은 것은?

① 힘은 물체의 모양이나 운동 상태를 변화시키는 원인이다.
② 힘은 화살표로 표시한다.
③ 힘의 단위는 N(뉴턴)이다.
④ 힘의 3요소는 힘의 크기, 힘의 종류, 힘의 방향이다.

3. 오른쪽 그림은 일정한 온도에서 압력에 따른 기체의 부피 변화를 나타낸 것이다. 이에 대한 설명으로 옳지 않은 것은?

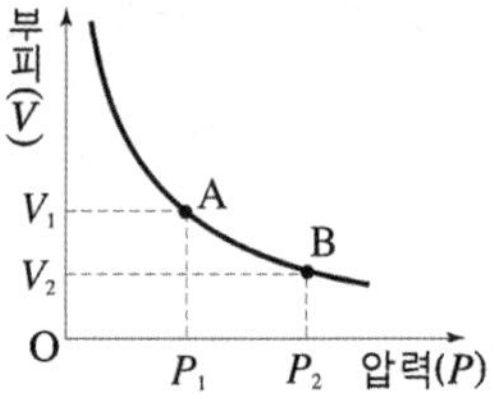

① 샤를의 법칙을 나타낸 그래프이다.
② 기체의 부피와 압력은 반비례 관계라는 것을 알 수 있다.
③ 기체의 부피와 압력의 곱은 일정하다.
④ 기체 입자의 충돌 횟수는 A보다 B가 더 많다.

4. 부피가 증가하는 상태 변화가 아닌 것은?

① 손에 묻어 있던 물기가 마른다.
② 얼음물이 든 컵 표면에 물방울이 맺힌다.
③ 따뜻한 빵 위에 바른 버터가 녹는다.
④ 드라이아이스의 크기가 점점 작아진다.

5. 평면거울에 대한 설명으로 옳지 않은 것은?

① 좌우가 바뀌어 보인다.
② 전신 거울에 주로 이용된다.
③ 물체와 크기가 같은 상이 생긴다.
④ 빛이 거울 면에서 반사할 때 입사각과 반사각의 크기는 다르다.

6. 그림과 같은 파동에서 구간 A를 무엇이라고 하는가?

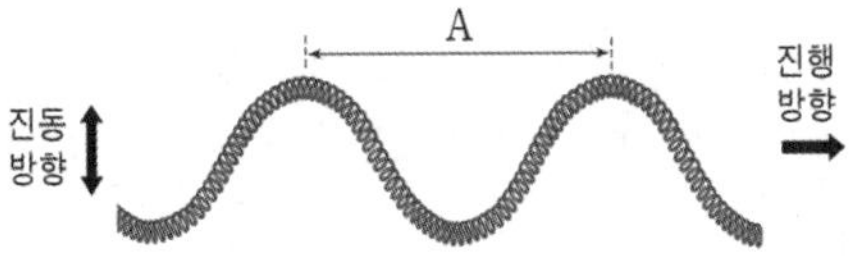

① 마루　　② 파장
③ 골　　④ 진폭

7. 다음 중 원자가 이온이 되었을 때, 전자를 가장 많이 <u>잃은</u> 이온은?

① O^{2-}　　② Mg^{2+}　　③ Al^{3+}　　④ N^{3-}

8. 전기를 띤 물체 A~C가 오른쪽 그림과 같은 상태가 되었을 때, A가 (−)전하를 띠었다면 B와 C가 띠는 전하를 옳게 짝지은 것은?

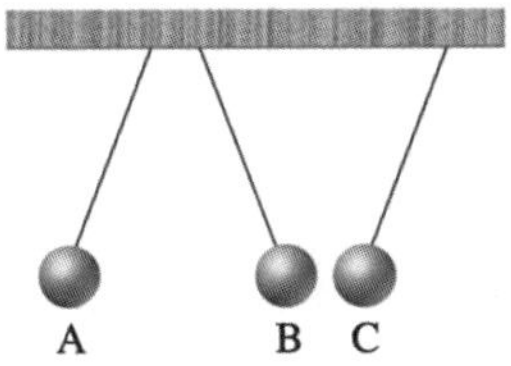

	B	C
①	(+)	(−)
②	(−)	(+)
③	(−)	(−)
④	(+)	(+)

9. 자석과 자기장에 대한 설명으로 옳지 <u>않은</u> 것은?

① 자석의 양 극에서 자기력선은 가장 듬성듬성하다.
② 자석 주위에는 자기장이 형성된다.
③ 나침반 자침의 N극이 가리키는 방향이 자기장의 방향이다.
④ 자기력선은 도중에 끊어지거나 서로 교차하지 않는다.

10. 달이 (가)에 있을 때, 서울에 있는 관측자가 볼 수 있는 달의 모양은?

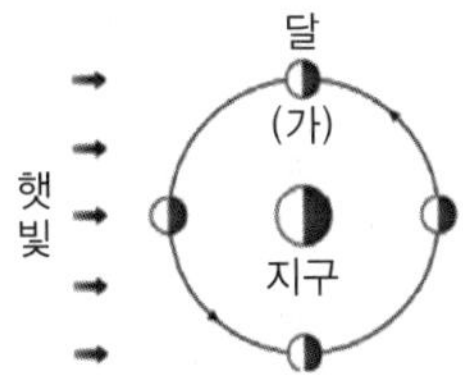

① 
② 
③ 
④ 

예상문제 03

11. 다음 중 광합성과 호흡을 비교한 내용으로 옳지 않은 것은?

	구분	광합성	호흡
①	장소	엽록체가 있는 세포	모든 살아있는 세포
②	시기	빛이 있을 때	항상
③	방출하는 기체	이산화탄소	산소
④	양분	합성	분해

12. 다음은 폐에 대한 설명이다. ㉠~㉢에 알맞은 말을 옳게 짝지은 것은?

> 폐는 수많은 (㉠)로 이루어져 있어, 공기와 닿는 (㉡)이 매우 (㉢).

	㉠	㉡	㉢
①	폐포	압력	크다
②	폐포	표면적	넓다
③	모세혈관	표면적	좁다
④	기관지	압력	작다

13. 그림은 어떤 고체 물질의 가열 곡선을 나타낸 것이다. 이에 대한 설명으로 옳은 것은?

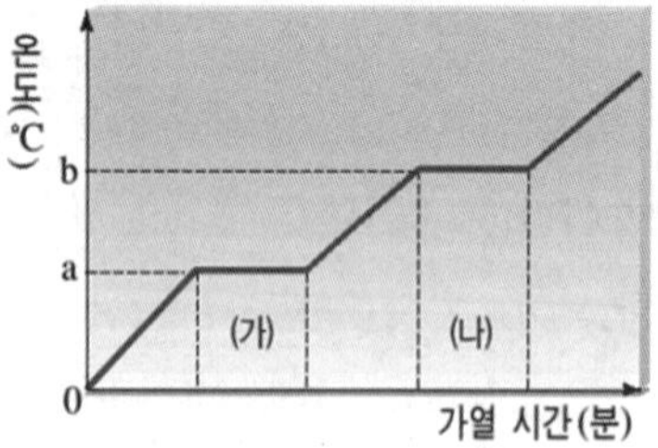

① a는 끓는점, b는 녹는점이다.
② (가) 구간에서는 응고가 일어난다.
③ (나) 구간에서는 고체와 액체가 함께 존재한다.
④ (가)와 (나) 구간에서는 가해 준 열이 모두 상태 변화에 사용되어 온도가 일정하다.

14. 그림은 우리나라 주변의 해류를 나타낸 것이다. A~D 중 난류인 것을 모두 고른 것은?

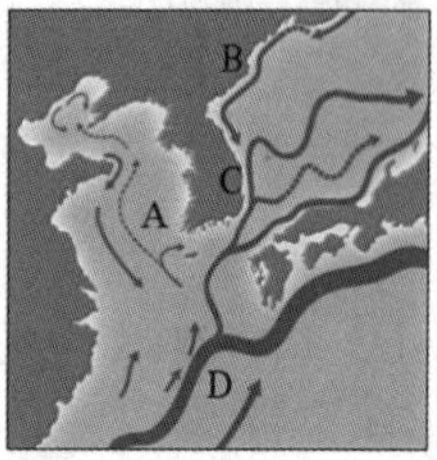

① A, B
② A, D
③ A, B, C
④ A, C, D

15. 다음 중 물질 변화의 종류가 나머지 셋과 <u>다른</u> 것은?

① 물을 가열하면 수증기가 된다.
② 종이를 태우면 재가 남는다.
③ 깎아 놓은 사과의 색깔이 변한다.
④ 양초가 열과 빛을 내며 탄다.

16. 염화나트륨 수용액 20g과 질산 은 수용액 20g을 섞어 반응시켰더니 흰색 앙금이 생성되었다. 이 앙금의 이름과 반응 후의 전체 질량을 옳게 짝지은 것은?

① 염화 은, 20g ② 질산나트륨, 20g
③ 염화 은, 40g ④ 질산나트륨, 40g

17. 오른쪽 그림은 기온과 포화 수증기량의 관계를 나타낸 것이다. 이에 대한 설명으로 옳지 <u>않은</u> 것은?

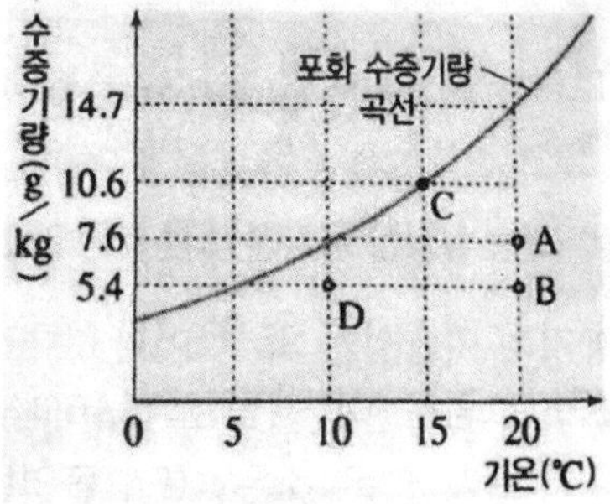

① A, B, D 공기는 불포화 상태이다.
② C 공기는 포화 상태이다.
③ 젖은 빨래는 A 공기보다 B 공기에서 더 잘 마른다.
④ 기온이 높아질수록 포화 수증기량은 감소한다.

18. 오른쪽 그림은 우리나라의 날씨에 영향을 주는 기단을 나타낸 것이다. 이에 대한 설명으로 옳은 것은?

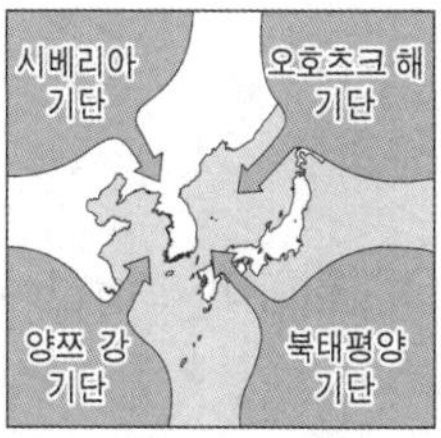

① 시베리아 기단과 오호츠크 해 기단은 습하다.
② 오호츠크 해 기단과 북태평양 기단은 기온이 낮다.
③ 북태평양 기단의 세력이 강해지면 무덥고 습한 날씨가 온다.
④ 겨울에는 양쯔 강 기단이 가장 큰 영향을 준다.

예상문제 03

19. 그림은 직선상에서 운동하는 어떤 물체의 운동을 나타낸 것이다. 이에 대한 설명으로 옳은 것은?

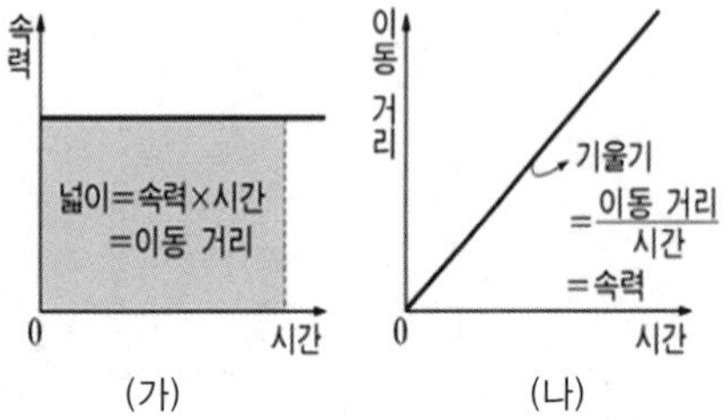

① (가)에서 물체는 정지해 있다.
② (가)에서 물체의 속력은 일정하다.
③ (나)는 속력이 증가함을 나타낸다.
④ (나)에서 그래프의 기울기가 클수록 속력이 작다.

20. 그림은 사람 눈의 구조를 나타낸 것이다. 눈으로 들어오는 빛의 양을 조절하는 것은?

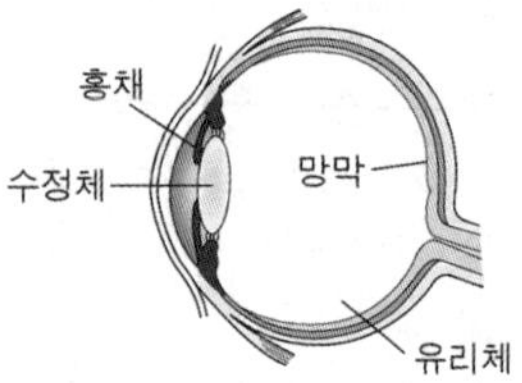

① 홍채
② 망막
③ 수정체
④ 유리체

21. 다음 중 여성 호르몬을 분비하고 생식 세포 분열에 의해 난자가 생성되는 기관은?

① 이자　② 정소　③ 난소　④ 뇌하수체

22. 그림은 어느 집안의 ABO식 혈액형 가계도 일부를 나타낸 것이다. 이에 대한 설명으로 옳지 않은 것은? (단, 돌연변이는 없다.)

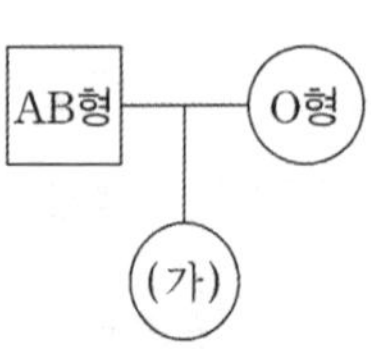

① A형이 될 수 있다.
② B형이 될 수 있다.
③ O형이 될 수 있다.
④ AB형이 될 수 없다.

23. 질량이 2kg인 물체가 4m/s의 속력으로 움직일 때, 이 물체의 운동 에너지는?

① 4J　② 8J　③ 16J　④ 32J

24. 그림 (가)와 (나)는 망원경으로 관측한 성단의 모습이다. 이에 대한 설명으로 옳지 않은 것은?

(가)

(나)

① (가)는 구상 성단, (나)는 산개 성단이다.
② (가)는 (나)보다 온도가 낮다.
③ (나)는 (가)보다 별의 나이가 젊다.
④ (나)는 별들이 빽빽하게 공 모양으로 모여 있다.

25. 다음 중 원자에 대한 설명으로 옳지 않은 것은?

① 원자는 전기적으로 중성 상태이다.
② 원자는 원자핵과 전자로 구성된다.
③ 원자는 더 이상 쪼갤 수 없는 가장 작은 입자이다.
④ 원자에서 양성자의 수와 중성자의 수는 항상 같다.

예상문제 04

1. 다음 중 층리와 화석이 발견될 수 있는 암석끼리 옳게 짝지은 것은?

① 사암, 셰일, 석회암
② 화강암, 현무암, 석회암
③ 사암, 편암, 유문암
④ 석회암, 안산암, 편암

2. 다음에 해당하는 힘은 무엇인가?

· 빙판길에 모래를 뿌린다.
· 바이올린 활에 송진 가루를 바른다.
· 아기의 양말 바닥에 고무를 붙인다.

① 탄성력　② 중력　③ 마찰력　④ 자기력

3. 다음 중 원핵생물계의 특징에 해당하지 <u>않는</u> 것은?

① 세포에 세포벽이 있다.
② 뚜렷한 핵을 가지지 않는다.
③ 대부분 광합성을 하지 않지만, 남세균처럼 광합성을 하는 것도 있다.
④ 김, 미역, 다시마 등은 원핵생물계에 속하는 다세포 생물이다.

4. 다음 중 보일의 법칙에서 설명하는 압력에 따른 기체의 부피 변화 그래프를 바르게 나타낸 것은?

① 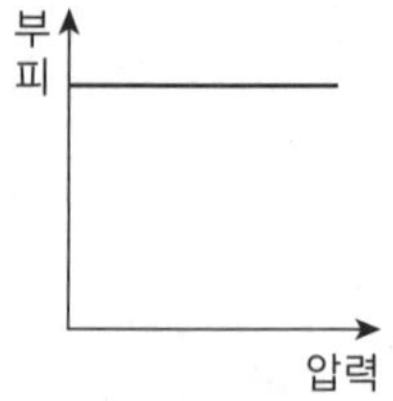

② 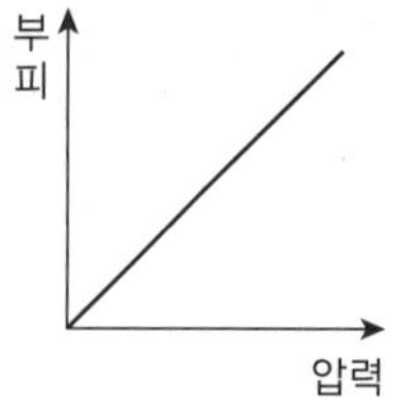

③ 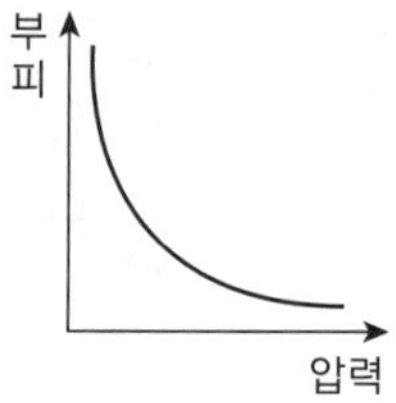

④ 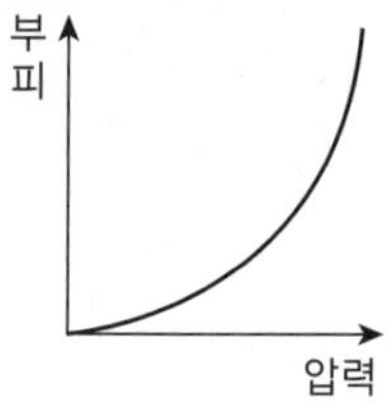

5. 상태 변화가 일어날 때 열에너지를 방출하는 경우는?

① 냉동실의 얼음을 상온에 꺼내 놓으면 녹는다.
② 추운 겨울철 오렌지가 얼지 않도록 오렌지 나무에 물을 뿌려 준다.
③ 젖은 빨래가 마른다.
④ 개는 더울 때 체온 조절을 위해 혀를 내민다.

6. 물체와의 거리에 관계없이 항상 물체보다 작고 바로선 상이 맺히는 것끼리 짝지은 것은?

① 볼록 거울, 오목 렌즈 ② 오목 거울, 볼록 렌즈
③ 오목 거울, 오목 렌즈 ④ 볼록 거울, 볼록 렌즈

7. 물질과 그 물질의 불꽃 반응 색을 옳게 짝지은 것은?

① 염화리튬 - 주황색 ② 염화칼륨 - 청록색
③ 염화칼슘 - 보라색 ④ 염화나트륨 - 노란색

8. 그림에서 3Ω의 저항에 $9V$의 전압이 걸릴 경우 회로에 흐르는 전류의 세기는?

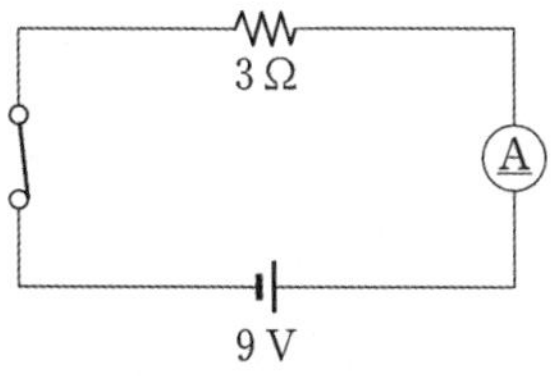

① $1A$
② $3A$
③ $6A$
④ $27A$

9. 다음 중 지구 자전에 대한 설명으로 옳은 것은?

① 별의 연주 운동은 지구 자전에 의한 현상이다.
② 지구 자전에 의해 계절이 변한다.
③ 태양이 매일 동쪽에서 떠서 서쪽으로 지는 것처럼 보이는 것은 지구 자전에 의한 현상이다.
④ 지구 자전에 의해 계절에 따라 밤하늘에서 볼 수 있는 별자리가 변한다.

10. 오른쪽 그림은 태양계의 행성을 평균 밀도와 크기에 따라 구분한 것이다. A에 해당하는 행성들의 특징으로 옳지 않은 것은?

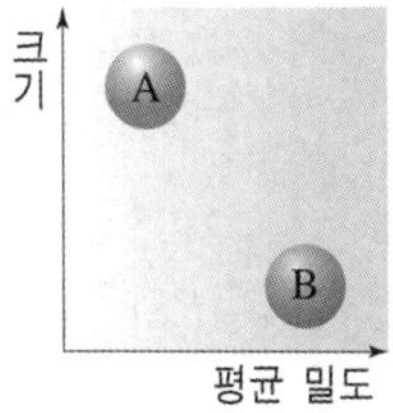

① 고리를 가지고 있다.
② 목성, 토성을 포함한다.
③ 가벼운 기체 성분으로 이루어져 있다.
④ 질량이 작은 편이다.

예상문제 04

11. 다음 중 증산 작용이 활발하게 일어나는 환경 조건으로 옳은 것은?

	햇빛	온도	바람	습도
①	강할 때	낮을 때	잘 불 때	낮을 때
②	강할 때	높을 때	잘 불 때	높을 때
③	강할 때	높을 때	잘 불 때	낮을 때
④	약할 때	높을 때	안 불 때	높을 때

12. 다음 중 탄수화물, 단백질, 지방을 분해하는 소화 효소가 모두 들어 있는 소화액은?

① 이자액　　② 위액　　③ 쓸개즙　　④ 침

13. 물질마다 녹는점과 끓는점이 다른 까닭으로 옳은 것은?

① 물질마다 질량이 다르기 때문에
② 물질마다 밀도가 다르기 때문에
③ 물질마다 부피가 다르기 때문에
④ 물질의 입자 사이에 잡아당기는 힘이 다르기 때문에

14. 그림과 같이 온도와 종류가 다른 물체 A, B가 서로 접촉해 있다. 이에 대한 설명으로 옳지 <u>않은</u> 것은? (단, 열은 A와 B 사이에서만 이동한다.)

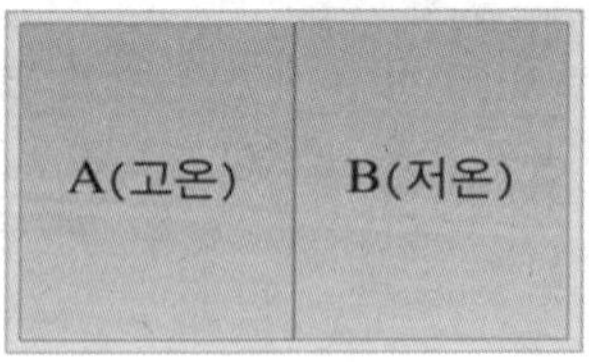

① A는 온도가 내려간다.
② A의 입자는 운동이 둔해진다.
③ B의 입자는 운동이 활발해진다.
④ 시간이 흐른 뒤 B의 온도는 A보다 높아진다.

15. 다음 중 질량 보존 법칙에 대한 설명으로 옳은 것은?

① 앙금 생성 반응에서는 성립하지 않는다.
② 물리 변화와 화학 변화에서 모두 성립한다.
③ 금속의 연소 반응에서는 성립하지 않는다.
④ 화합물이 만들어질 때는 성립하지만, 혼합물이 만들어질 때는 성립하지 않는다.

16. 다음 중 지구 온난화를 억제하기 위한 대책으로 옳은 것을 있는 대로 고른 것은?

ㄱ. 삼림의 면적을 넓힌다. ㄴ. 석탄을 석유로 대체한다. ㄷ. 에너지의 소비량을 줄인다. ㄹ. 무공해 대체 에너지를 개발한다.

① ㄱ, ㄴ ② ㄱ, ㄷ ③ ㄴ, ㄷ ④ ㄱ, ㄷ, ㄹ

17. 다음 중 공기가 상승한 후 구름이 생성되는 과정을 순서대로 옳게 나열한 것은?

① 기온 하강 → 부피 팽창 → 수증기 응결 → 구름 생성
② 기온 하강 → 수증기 응결 → 부피 팽창 → 구름 생성
③ 부피 팽창 → 기온 하강 → 수증기 응결 → 구름 생성
④ 부피 팽창 → 수증기 응결 → 기온 하강 → 구름 생성

18. 다음 중 속력에 대한 설명으로 옳은 것은?

① 물체가 이동하는 데 걸린 시간을 이동 거리로 나눈 값이다.
② 속력의 단위로는 g/s, kg/h 등을 사용한다.
③ 같은 거리를 이동하는 데 걸린 시간이 길수록 속력이 빠르다.
④ 같은 시간 동안 이동한 거리가 길수록 속력이 빠르다.

19. 사람의 뇌 중 다음과 같은 기능을 담당하는 곳은?

(가) 눈동자의 운동, 홍채의 조절 작용을 한다. (나) 심장 박동, 호흡 운동, 소화 운동 조절을 한다.

① (가) 소뇌 - (나) 연수 ② (가) 중간뇌 - (나) 대뇌
③ (가) 중간뇌 - (나) 연수 ④ (가) 간뇌 - (나) 연수

20. 다음에서 설명하는 현상은 무엇인가?

수정란이 세포 분열을 하면서 여러 과정을 거쳐 개체가 되는 것이다.

① 배란 ② 난할 ③ 발생 ④ 착상

예상문제 04

21. 다음 중 물체의 운동 에너지가 위치 에너지로 전환되는 경우는?

① 장대높이뛰기 선수가 뛰어 오를 때
② 처마 끝에서 빗방울이 떨어질 때
③ 언덕 위에서 자전거를 타고 내려올 때
④ 바람개비가 바람에 의해 돌고 있을 때

22. 다음 중 전자기 유도 현상을 이용한 예가 <u>아닌</u> 것은?

① 마이크
② 교통 카드 판독기
③ 도난 방지 장치
④ 전자석 기중기

23. 다음 중 분자 모형을 그림과 같이 나타낼 수 있는 분자식은?

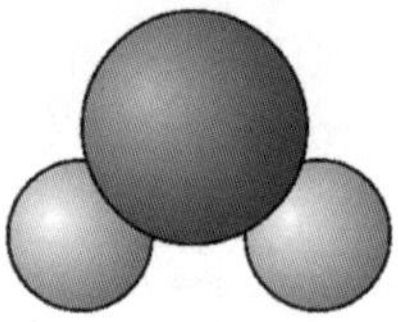

① O_2
② H_2O
③ NH_3
④ CH_4

24. 다음 중 우주에 대한 설명으로 옳은 것은?

① 우주는 점점 수축하고 있다.
② 우주 팽창의 중심은 우리은하이다.
③ 우주는 한 점에서 대폭발이 일어나 만들어졌다.
④ 모든 은하는 같은 속도로 멀어지고 있다.

25. 다음에 해당하는 태양계의 행성은?

· 95기압의 짙은 이산화탄소 대기가 있다.
· 온실효과로 표면 온도가 가장 높다.

① 수성 ② 금성 ③ 화성 ④ 토성

예상문제 05

1. 과거에는 그림 (가)와 같이 하나였던 대륙이, 현재는 그림 (나)와 같이 분리되었다. 이와 같이 대륙을 이동시킨 원동력은?

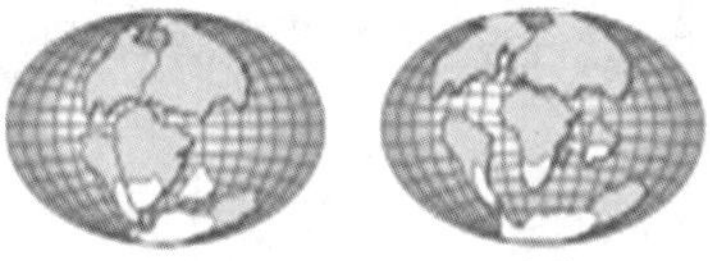

(가) (나)

① 대기의 순환
② 해수의 순환
③ 맨틀의 대류
④ 내핵의 운동

2. 다음 중 탄성력이 작용한 예가 아닌 것은?

① 산을 오를 때 바닥이 울퉁불퉁한 등산화를 신는다.
② 장대를 이용하여 높이 점프할 수 있다.
③ 뜀틀을 뛸 때 구름판을 밟으면 더 높이 뛸 수 있다.
④ 빨래집게로 널어놓은 빨래를 고정한다.

3. 생물 다양성을 보전하기 위해 개인이 할 수 있는 활동으로 옳지 않은 것은?

① 모피로 만든 제품을 사지 않는다.
② 산에서 불법으로 야생 식물을 채집하지 않는다.
③ 재활용 쓰레기는 따로 분리하여 버린다.
④ 다른 사람들이 기르지 않는 희귀한 동물을 애완용으로 기른다.

4. 다음 중 샤를의 법칙으로 설명할 수 있는 현상이 아닌 것은?

① 난로 주위에 있던 풍선이 부풀어 올라 터진다.
② 높은 곳에 올라가면 귀가 먹먹해진다.
③ 고속도로를 달리면 자동차의 타이어가 팽팽해진다.
④ 열기구 속 공기를 가열하면 열기구가 떠오른다.

5. 다음 중 빛의 삼원색이 아닌 것은?

① 빨간색 ② 노란색 ③ 초록색 ④ 파란색

예상문제 05

6. 다음에서 설명하는 과학 관련 직업으로 옳은 것은?

· 천체를 관측하며, 별이 생성되고 사라지는 원리를 밝힌다.
· 공간 지각 능력, 망원경과 컴퓨터 운용 능력, 장시간 동안 별자리의 움직임을 관찰할 수 있는 체력과 끈기 등이 필요하다.

① 일기 예보관 ② 조향사
③ 천문학 연구원 ④ 임상 병리사

7. 원소에 대한 설명으로 옳지 <u>않은</u> 것은?

① 현재까지 90여 종의 원소가 알려져 있다.
② 물질을 이루는 기본 성분이다.
③ 더 이상 다른 물질로 분해되지 않는다.
④ 우리 주변의 모든 물질은 원소로 이루어져 있다.

8. 전류에 대한 설명으로 옳지 <u>않은</u> 것은?

① 전하의 흐름을 전류라고 한다.
② 전류의 단위는 A, mA를 사용한다.
③ 전류는 전지의 (+)극 쪽에서 (−)극 쪽으로 흐른다.
④ 전류의 방향은 전자의 이동 방향과 같다.

9. 자기장 속에서 전류가 받는 힘의 방향을 알아보기 위한 방법으로 오른손을 사용한다. A, B, C에 대응되는 물리량을 옳게 짝지은 것은?

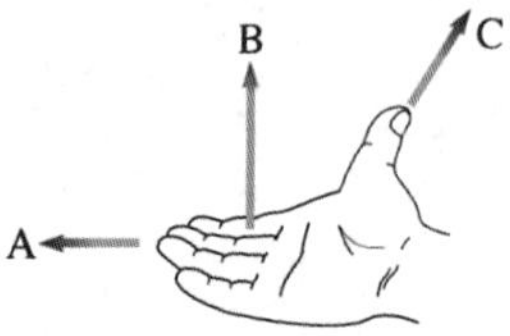

	A	B	C
①	자기장의 방향	전류의 방향	힘의 방향
②	힘의 방향	전류의 방향	자기장의 방향
③	자기장의 방향	힘의 방향	전류의 방향
④	전류의 방향	자기장의 방향	힘의 방향

10. 다음 중 상현달로 관측되는 달의 위치는?

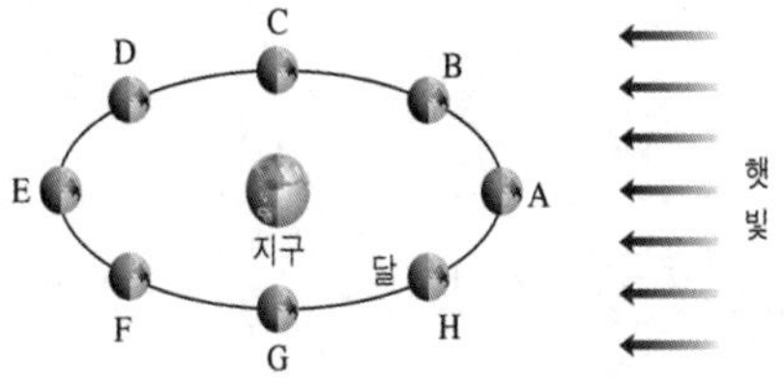

① A
② C
③ E
④ G

11. 다음 중 3대 영양소에 대한 설명으로 옳은 것은?

① 지방을 구성하는 기본 단위는 아미노산이다.
② 단백질은 버터나 땅콩에 많이 포함되어 있다.
③ 1g당 가장 많은 에너지를 내는 영양소는 탄수화물이다.
④ 3대 영양소는 모두 에너지원으로 쓰인다.

12. 다음은 노폐물의 생성과 배설에 대한 설명이다. ㉠~㉢에 알맞은 말을 옳게 짝지은 것은?

> 세포에서 단백질이 분해되면 노폐물로 물, 이산화탄소, (㉠)이/가 생성되는데, 이 중 (㉠)은/는 (㉡)에서 (㉢)(으)로 바뀐 후 오줌으로 배설된다.

	㉠	㉡	㉢
①	암모니아	간	요소
②	암모니아	콩팥	요소
③	질소	간	암모니아
④	요소	간	암모니아

13. 그림은 액체 상태의 혼합물을 분리하는 실험 장치를 나타낸 것이다. 이와 같은 장치로 분리하는 데 가장 적당한 혼합물은?

① 물과 사염화탄소
② 물과 에탄올
③ 소금과 모래
④ 간장과 참기름

05 과학

예상문제 05

14. 다음 중 열평형의 예로 옳지 <u>않은</u> 것은?

① 냉장고에 음식물을 넣으면 차가워진다.
② 찻잔의 차가 식는다.
③ 생선을 얼음 위에 올려서 신선하게 유지시킨다.
④ 찌그러진 탁구공을 뜨거운 물에 넣으면 찌그러진 부분이 펴진다.

15. 다음 중 지진이 발생했을 때 상황별 행동 요령을 <u>잘못</u> 설명한 사람은?

① 수진 : 흔들림이 멈추면 문을 열어 출구를 확보해야해.
② 민수 : 지진으로 흔들릴 때는 탁자 아래로 들어가 머리를 보호해야해.
③ 은주 : 건물 밖으로 나갈 때는 승강기를 타고 빠르게 이동해야해.
④ 성준 : 건물 밖에서는 떨어지는 물건에 주의하고 가방 등으로 머리를 보호해야해.

16. 지구 대기권의 구조 중, 대류가 일어나지 않아 비행기의 항로로 이용되는 것은?

① 대류권　② 성층권　③ 중간권　④ 열권

17. 다음 중 바람에 대한 설명으로 옳지 <u>않은</u> 것은?

① 기압이 낮은 곳에서 높은 곳으로 분다.
② 기압 차이가 클수록 풍속이 빨라진다.
③ 지표가 냉각되거나 가열될 때 기압 차이로 발생한다.
④ 지표가 가열되는 곳은 공기가 상승하여 기압이 낮아진다.

18. 다음 중 운동 에너지를 가지고 있지 <u>않은</u> 것은?

① 바람　② 걸어가고 있는 사람
③ 날아가는 화살　④ 댐에 저장된 물

19. 다음 그래프에서 평균 속력은 얼마인가?

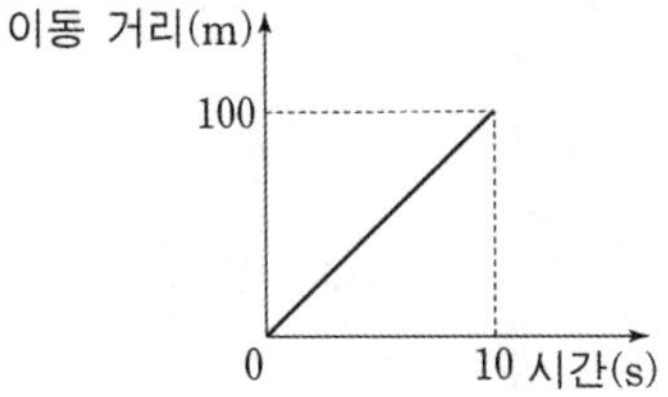

① 5m/s
② 10m/s
③ 20m/s
④ 50m/s

20. 다음 중 자율 신경에 대한 설명으로 옳지 <u>않은</u> 것은?

① 부교감 신경은 소화 운동을 촉진한다.
② 교감 신경은 심장 박동과 호흡 운동을 촉진한다.
③ 교감 신경은 동공을 확대시키고, 부교감 신경은 동공을 축소시킨다.
④ 부교감 신경은 우리 몸을 위기 상황에 대처하기에 알맞은 상태로 만들어 준다.

21. 그림은 귀의 구조를 나타낸 것이다. A~D 중 몸의 회전을 감지하는 곳은?

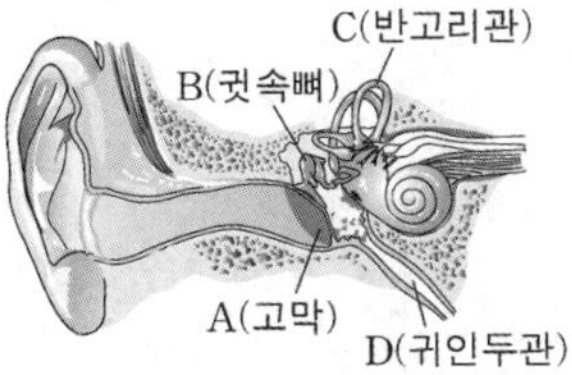

① A – 고막
② B – 귓속뼈
③ C – 반고리관
④ D – 귀인두관

22. 색맹인 어머니와 정상인 아버지 사이에서 색맹인 아들이 태어날 확률은?

① 0% ② 25% ③ 50% ④ 100%

23. 다음 중 어떤 전기 기구를 3시간 동안 사용했을 때 소비한 전력량이 $3kWh$였다. 이 전기 기구의 소비 전력은?

① $1W$ ② $3W$ ③ $1000W$ ④ $3000W$

예상문제 05

24. 다음 중 에너지에 대한 설명으로 옳지 <u>않은</u> 것은?

① 마찰이 있는 경우 역학적 에너지는 보존된다.

② 에너지는 새로 생기거나 없어지지 않는다.

③ 에너지는 다른 형태의 에너지로 전환될 수 있다.

④ 에너지가 전환될 때 총량은 일정하다.

25. 다음 중 우리은하를 이루는 천체에 대한 설명으로 옳은 것은?

① 구상 성단 – 뒤쪽의 별빛을 가려서 어둡게 보인다.

② 반사 성운 – 주위의 별빛을 반사시켜 밝게 보인다.

③ 암흑 성운 – 별들이 엉성하게 모인 것으로, 우리은하의 중심부에 주로 분포한다.

④ 방출 성운 – 말머리성운이 이에 속한다.

중학교 졸업자격 검정고시

적중! 모/의/고/사 예상문제

과학

정답 및 해설

1회 예상문제 · 과학

1. ④	2. ④	3. ①	4. ②	5. ③
6. ③	7. ①	8. ④	9. ②	10. ①
11. ②	12. ③	13. ④	14. ④	15. ①
16. ③	17. ②	18. ③	19. ①	20. ④
21. ②	22. ③	23. ①	24. ③	25. ④

1. 가장 큰 부피를 차지하는 것은 B층(맨틀)이고, 액체 상태를 이루는 것은 C층(외핵)이다. C층은 액체 상태라 지진파의 S파가 통과하지 못한다.

2. 스케이트는 마찰력이 작은 얼음판 위에서 타야 잘 미끄러질 수 있다.

3. 먹이 사슬이 복잡할수록 생태계가 안정된다.

4. 입자의 질량이 작을수록 확산이 빨리 일어난다.

5. 아이스크림이 녹아 손 위로 흘러내리는 것은 고체가 액체로 변하는 융해이다.

6. 빛은 합성할수록 밝아지며, 빨간색 빛과 파란색 빛을 합성하면 자홍색이 된다. 빛의 삼원색은 빨간색, 초록색, 파란색이다.

8. $2CH_4$는 총 10개의 원자로 구성되어있어 가장 많다.

10. 오른손 엄지손가락이 전류의 방향일 때 나머지 네 손가락이 감아쥐는 방향이 자기장의 방향이다. 오른손 엄지손가락을 아래쪽으로 향했을 때 도선 위쪽에서 네 손가락이 감아쥐는 방향은 왼쪽이므로 도선 위에서 나침반 바늘의 N극은 왼쪽을 향한다.

12. 일식은 삭일 때, 월식은 망일 때 일어나므로 순서대로 짝지으면 D, B이다.

14. 몸속에 침입한 세균 등을 잡아먹는 것(식균 작용)은 백혈구(B)이다.

16. 빙하는 짠맛이 나지 않는 담수에 해당한다.

17. 물질의 상태 변화는 물질의 성질이 변하지 않는 물리 변화에 해당한다.

18. 중간권은 높이 올라갈수록 기온이 낮아진다.

19. 그림 (가)는 공기 저항이 없는 진공 중이고, (나)는 공기 중이다. (가)에서 쇠구슬의 질량이 깃털보다 크므로 쇠구슬에 작용하는 중력의 크기가 깃털보다 크다. (나)에서 깃털에 작용하는 공기 저항이 쇠구슬보다 커서 깃털이 더 늦게 떨어진다.

20. 역학적 에너지는 위치 에너지와 운동 에너지의 합으로, 공기 저항이나 마찰이 없을 때 항상 일정하다.

21. 인슐린은 혈당량을 감소시키는 호르몬으로, 이자(췌장)에서 분비된다. 인슐린 분비가 잘 안 일어나면 혈당이 높아져서 당뇨병이 생길 수 있다.

22. 대립 형질이 다른 두 순종 개체를 교배하여 얻은 잡종 1대에서 나타나지 않는 형질을 열성이라고 한다.

23. 우리은하의 모양은 옆에서 보면 원반형, 위에서 보면 나선형 중에서도 막대 나선 은하에 속한다. 우리은하의 크기는 반지름이 약 5만 광년이며, 태양은 우리은하의 중심에서 약 3만 광년 떨어진 곳에 위치한다.

24. 배터리를 충전할 때 전기 에너지가 화학 에너지로 전환된다.

25. 화학 비료의 개발은 인류의 식량 부족 문제를 해결하는 데 기여하였다.

2회 예상문제 · 과학

1. ③	2. ④	3. ②	4. ④	5. ①
6. ③	7. ②	8. ③	9. ④	10. ①
11. ①	12. ②	13. ④	14. ③	15. ②
16. ①	17. ③	18. ④	19. ②	20. ③
21. ④	22. ②	23. ④	24. ①	25. ③

2. 늘어난 용수철이 원래 모양으로 되돌아가는 것은 용수철이 가진 탄성력 때문이다.

3. 몸이 균사로 이루어진 버섯이나 곰팡이는 식물계가 아니라 균계에 해당한다.

4. 향초 냄새가 방 안 가득 퍼지는 것은 확산과 관련된 현상이다.

5. A, B – 승화, C – 융해, D – 응고, E – 기화, F – 액화

6. 자동차 전조등은 오목 거울이 이용된 예이다.

7. 물질을 이루는 기본 성분을 원소라고 한다. 소금은 염소와 나트륨이 만나서 만들어진 화합물이다.

8. 전자는 원자핵에 비해 질량이 매우 작다.

9. A는 (+)전하, B는 (–)전하를 띠게 됐으므로, A는 B에 비하여 전자를 잃기 쉬운 물체이다.

11. 호흡은 양분을 분해하여 에너지를 얻는 과정이다. 호흡을 하면 산소가 사용되고, 이산화탄소가 발생한다.

12. 밥, 빵, 국수, 감자에 주로 포함된 영양소는 탄수화물이며 탄수화물은 주로 에너지원으로 쓰이고, 사용하고 남은 것은 지방으로 전환되어 저장된다. 가장 많이 섭취하지만 가장 먼저 소비되므로 우리 몸을 구성하는 성분 중 극히 적은 양(0.6%)을 차지한다. 부족 시 결핍증이 나타나는 것은 바이타민이다.

13. (가)는 순물질, (나)는 균일 혼합물, (다)는 불균일 혼합물이다. 우유는 불균일 혼합물이므로 (다)에 속한다.

15. 물체는 입자의 운동이 자유로울수록 열팽창 정도가 크므로, 열팽창 정도는 기체>액체>고체 순이다.

16. 식물이 광합성을 할 때는 빛에너지를 흡수하므로 흡열 반응이다. LPG 가스의 연소, 사람의 호흡은 발열 반응이다.

17. 포화 수증기량은 포화 상태의 공기 1kg에 포함된 수증기의 양(g)으로, 기온이 높아지면 그 값이 증가한다. 포화 수증기량은 이슬점과는 관계가 없다.

18. 낮에는 육지가 바다보다 빨리 가열되어 육지의 기압이 상대적으로 낮아지기 때문에 바다에서 육지로 해풍이 분다.

19. 과학에서는 물체에 힘을 작용하여 물체를 힘의 방향으로 이동시켰을 때 일을 했다고 한다. 바닥에 놓인 가방에 위 방향으로 힘을 작용하여 위 방향으로 이동시켰으므로 과학에서의 일을 한 것이다.

20. 후각은 매우 민감하지만 쉽게 피로해지는 감각이다. 후각 세포는 쉽게 피로해지기 때문에 같은 냄새를 계속 맡으면 나중에는 잘 느끼지 못하게 된다.

21. 염색체는 세포가 분열하지 않을 때는 핵 속에 가는 실처럼 풀어져 있다가 세포가 분열하기 시작하면 굵고 짧게 뭉쳐져 막대 모양으로 나타난다.

22. 운동 에너지는 속력과 관련된 에너지로, 가장 속력이 빠른 곳이 운동 에너지가 가장 크다. 그러므로 B의 운동 에너지가 가장 크다.

24. 별은 등급의 숫자가 작을수록 밝은 별이다. 1등급보다 밝은 별은 0등급, –1등급, –2등급… 으로 나타낼 수 있다. 1등급인 별은 6등급인 별보다 약 100배 밝다.

3회 예상문제 · 과학

1. ③	2. ④	3. ①	4. ②	5. ④
6. ②	7. ③	8. ②	9. ①	10. ④
11. ③	12. ②	13. ④	14. ④	15. ①
16. ③	17. ④	18. ③	19. ②	20. ①
21. ③	22. ③	23. ③	24. ④	25. ④

1. 지구계의 구성 요소들은 서로 영향을 주고받으므로 하나의 구성 요소가 변하면 다른 요소에도 변화가 생기고, 지구계 전체에 변화가 생긴다.

2. 힘의 3요소는 힘의 크기, 힘의 방향, 힘의 작용점이다.

3. 일정한 온도에서 압력에 따른 기체의 부피 변화를 나타낸 법칙은 보일의 법칙이다.

4. 얼음물이 든 컵 표면에 물방울이 맺히는 것은 기체가 액체로 변하는 액화로, 부피가 감소하는 상태 변화이다.

5. 빛이 거울 면에서 반사할 때 입사각과 반사각의 크기는 항상 같다.

6. 마루에서 다음 마루까지의 거리, 또는 골에서 다음 골까지의 거리를 파장이라 한다.

7. 중성 원자가 전자를 잃어서 (+)전하를 띠는 입자를 양이온이라고 한다. 전자를 3개 잃은 Al^{3+}가 전자를 가장 많이 잃은 이온이다.

9. 자석의 양 극에서 자기장이 가장 세므로 자기력선은 가장 촘촘하다.

11. 광합성은 이산화탄소를 이용하여 산소를 생성하고, 호흡은 산소를 이용하여 이산화탄소를 방출한다.

12. 폐는 수많은 폐포로 이루어져 있어 공기와 닿는 표면적이 매우 넓다.

13. a는 녹는점, b는 끓는점이다. (가) 구간에서는 융해가 일어나고, (나) 구간에서는 액체와 기체가 함께 존재한다. (가)와 (나) 구간에서 열을 가하는데도 온도가 일정한 이유는, 가해 준 열이 모두 상태 변화에 쓰이기 때문이다.

14. A는 황해 난류, B는 북한 한류, C는 동한 난류, D는 쿠로시오 해류이다. A, C, D는 난류, B는 한류이다.

15. 물을 가열하면 수증기가 되는 것은 물의 상태가 변하는 것으로 물리 변화에 해당한다. 나머지는 모두 물질의 성질이 변하는 화학 변화의 예이다.

16. 염화나트륨 수용액과 질산 은 수용액이 반응하면 흰색의 염화 은 앙금이 생성된다. 화학 반응에서 반응 전 물질의 총 질량은 반응 후 물질의 총 질량과 같으므로 반응 후의 총 질량은 20g + 20g = 40g이다.

17. 기온이 높아지면 공기가 포함할 수 있는 수증기의 양이 많아지기 때문에 포화 수증기량은 증가한다.

18. 북태평양 기단의 세력이 강해지면 무덥고 습한 여름 날씨가 나타난다.

19. 그림 (가)와 (나)는 모두 속력이 일정한 등속 운동을 나타낸 그래프이다. (나)에서 그래프의 기울기가 클수록 속력이 크다.

20. 사람 눈의 구조 중, 눈으로 들어오는 빛의 양을 조절하는 것은 홍채이다. 사진기의 조리개와 같은 역할을 한다.

21. 여성 호르몬(에스트로젠)을 분비하고 생식 세포 분열에 의해 난자가 생성되는 기관은 난소이다.

22. AB형과 O형 사이에서 태어날 수 있는 자손의 혈액형은 A형과 B형뿐이다. O형과 AB형은 태어날 수 없다.

23. 운동 에너지를 구하는 공식은 $\frac{1}{2}$ × 질량 × 속력^{2}이다. 그러므로 $\frac{1}{2} \times 2 \times 4^2 = \frac{1}{2} \times 2 \times 16 = 16J$ 이다.

24. (나)는 별들이 비교적 엉성하게 모여 있는 산개 성단이다.

25. 원자는 더 이상 쪼갤 수 없는 가장 작은 입자로, 원자핵과 전자로 구성되며, 원자핵은 다시 양성자와 중성자로 구성된다. 원자는 (+) 전하를 띠는 양성자와, (−) 전하를 띠는 전자의 수가 같아 전기적으로 중성인 상태이다.

4회 예상문제 · 과학				
1. ①	2. ③	3. ④	4. ③	5. ②
6. ①	7. ④	8. ②	9. ③	10. ④
11. ③	12. ①	13. ④	14. ④	15. ②
16. ④	17. ③	18. ④	19. ③	20. ③
21. ①	22. ④	23. ②	24. ③	25. ②

1. 층리와 화석이 발견될 수 있는 암석은 퇴적암이다. 퇴적암의 예로는 역암, 사암, 셰일, 석회암, 암염 등이 있다.

3. 김, 미역, 다시마 등은 원생생물계에 속하는 다세포 생물이다.

6. 볼록 거울 또는 오목 렌즈에는 물체와의 거리에 관계없이 항상 물체보다 작고 바로 선 상이 맺힌다.

7. ① 염화리튬 – 빨간색, ② 염화칼륨 – 보라색, ③ 염화칼슘 – 주황색이다.

8. 전류의 세기는 $\frac{전압}{저항}$이므로 $\frac{9V}{3\Omega} = 3A$ 이다.

10. A는 평균 밀도가 작고 크기가 크므로 목성형 행성이고, B는 평균 밀도가 크고 크기가 작으므로 지구형 행성이다. 목성형 행성은 크기뿐만 아니라 질량, 중력도 큰 편이다.

11. 증산 작용은 식물체 속의 물이 수증기로 변하여 잎의 기공을 통해 공기 중으로 빠져나가는 현상으로, 햇빛이 강하고 온도가 높고 바람이 잘 불고, 습도가 낮을 때 활발하게 일어난다.

12. 이자액에는 아밀레이스(녹말 분해), 트립신(단백질 분해), 라이페이스(지방 분해)가 모두 들어 있다.

14. 시간이 지나면 A와 B의 온도는 같아져서 더 이상의 온도 변화는 없다. 열은 두 물질의 온도가 같아질 때까지만 이동한다.

15. 질량 보존 법칙은 앙금 생성 반응, 금속의 연소 반응에서 모두 성립하며, 화합물이 만들어질 때와 혼합물이 만들어질 때 모두 성립한다.

16. 석탄과 석유는 모두 화석 연료이므로 석탄을 석유로 대체한다고 해도 이산화탄소 발생량을 줄일 수는 없다.

17. 구름이 생성되는 과정은 다음과 같다.
공기 상승 → 부피 팽창(단열 팽창) → 기온 하강 → 이슬점 도달 → 수증기 응결 → 구름 생성

19. 사람의 뇌 중 눈과 관련된 곳은 중간뇌이고, 심장 박동, 호흡 운동과 같은 생명 활동을 담당하는 곳은 연수이다.

21. 장대높이뛰기를 하면 바닥에 있던 사람이 빨리 달리다가 장대를 짚고 높이 올라가므로 운동 에너지가 위치 에너지로 전환된다.

22. 전자석 기중기는 전류가 흐를 때만 자석이 되는 전자석으로 무거운 물체를 자기력을 이용해 들어 올리는 기구이다.

23. 분자 모형을 보면 큰 원자 하나에, 작은 원자 2개로 구성된 총 3개의 원자를 가진 분자(= 3원자 분자)이다. 보기에서 총 3개의 원자를 가진 분자는 H_2O이다.

24. 우주는 모든 물질과 에너지가 모인 한 점에서 대폭발이 일어나 만들어졌고, 점점 팽창하여 현재와 같은 모습으로 되었다는 이론을 대폭발 우주론(빅뱅 우주론)이라고 한다. 우주가 팽창하는 데 특별한 중심은 없다.

25. 금성은 95%(95기압)가 이산화탄소로 되어 있어, 온실 효과로 표면 온도가 행성 중 가장 높다.(약 500℃)

5회 예상문제 · 과학

1. ③	2. ①	3. ④	4. ②	5. ②
6. ③	7. ①	8. ④	9. ③	10. ②
11. ④	12. ①	13. ②	14. ④	15. ③
16. ②	17. ①	18. ④	19. ②	20. ④
21. ③	22. ④	23. ③	24. ①	25. ②

1. 판, 즉 대륙을 이동시킨 원동력은 맨틀의 대류이다.

2. 바닥이 울퉁불퉁한 등산화는 마찰력을 크게 만든 예이다.

4. 높은 곳에 올라가면 귀가 먹먹해지는 것은 압력에 따른 기체의 부피 변화로 설명할 수 있으므로, 보일의 법칙과 관련된 현상이다.

5. 빛의 삼원색은 빨간색, 초록색, 파란색이다.

7. 원소는 현재까지 120여 종이 알려져 있다.

8. 전류의 방향은 전자의 이동 방향과 반대이다.

11. 지방을 구성하는 기본 단위는 지방산과 모노글리세리드이고, 아미노산은 단백질의 기본 단위이다. 버터나 땅콩에 많이 포함되어 있고 1g당 가장 많은 에너지(9kcal/g)를 내는 것은 지방이다.

12. 세포에서 단백질이 분해되면 노폐물로 물, 이산화탄소, 암모니아가 생성되는데, 이 중 암모니아는 독성이 강해서 간에서 독성이 낮은 요소로 바뀐 후 오줌으로 배설된다.

13. 물과 에탄올을 같이 끓이면, 끓는점이 낮은 에탄올(78℃)이 먼저 끓어 나오고 끓는점이 높은 물(100℃)이 나중에 끓어 나온다.

14. 탁구공을 뜨거운 물에 넣으면 탁구공 안 공기의 입자 운동이 활발해져서 찌그러진 부분이 펴지게 된다. 이것은 샤를의 법칙과 관련된 예로, 열평형과 관계가 없다.

15. 지진으로 승강기가 고장나거나 전기가 차단되어 위험할 수 있으므로, 건물 밖으로 나갈 때는 계단을 이용한다.

17. 바람은 기압이 높은 곳에서 낮은 곳으로 분다.

18. 댐에 저장된 물은 중력에 의한 위치 에너지를 가진다.

19. 속력은 이동한 거리를 걸린 시간으로 나눈 값이다.

20. 교감 신경은 긴장했을 때나 위기 상황에 처했을 때 우리 몸을 대처하기에 알맞은 상태로 만들어 주고, 부교감 신경은 이를 원래의 안정된 상태로 되돌린다.

22. 어머니가 색맹인 경우, 아버지가 정상이라 할지라도 그 밑에서 태어나는 아들은 반드시 색맹이다. 어머니로부터 색맹 유전자를 갖고 있는 X염색체를 물려받기 때문이다.

23. 전력량 = 소비 전력 × 시간 이므로 $3kWh = 3000Wh$ = 소비 전력 × $3h$에서 소비 전력은 $1000W$이다.

24. 마찰이 있는 경우 역학적 에너지는 일부가 열에너지 등으로 전환되어 보존되지 않는다.

중학교 졸업자격 검정고시

적중! 모/의/고/사

예상문제

한국사

예상문제 01

1. 신석기 시대에 대한 설명으로 옳지 <u>않은</u> 것은?

① 계급 발생　　② 간석기 사용
③ 농경과 목축 시작　　④ 빗살무늬 토기 사용

2. 다음 유물들이 만들어진 시기의 특징으로 옳은 것을 〈보기〉에서 모두 고른 것은?

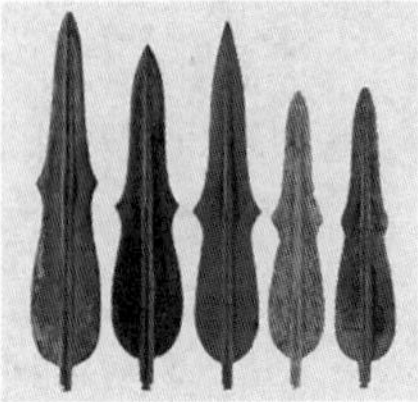

〈보기〉

ㄱ. 평등 사회　　ㄴ. 벼농사 시작
ㄷ. 주먹도끼 사용　　ㄹ. 고인돌 제작

① ㄱ, ㄴ　　② ㄱ, ㄹ　　③ ㄴ, ㄷ　　④ ㄴ, ㄹ

3. 다음에서 설명하는 나라는?

· 8조법　· 홍익인간의 통치 이념　· 우리나라 최초의 국가

① 고조선　　② 고구려　　③ 부여　　④ 백제

4. 다음에서 설명하는 나라는?

· 사출도　· 영고　· 순장

① 옥저　　② 고구려　　③ 부여　　④ 삼한

5. 다음 업적을 남긴 신라의 왕은?

· 화랑도를 국가적 조직으로 개편
· 한강 유역 확보(단양적성비, 북한산순수비)

① 장수왕　　② 고이왕　　③ 무령왕　　④ 진흥왕

6. 다음의 문화재와 관련된 것은?

· 고구려의 사신도 · 백제의 금동 대향로와 산수무늬 벽돌

① 도교 ② 유교 ③ 불교 ④ 풍수지리설

7. 다음 설명에 해당하는 나라는?

· 대조영이 동모산에서 건국 · 당으로부터 해동성국이라 불림

① 발해 ② 고려 ③ 백제 ④ 가야

8. 다음에서 설명하고 있는 자료는?

촌락의 토지 종류와 면적, 인구 수, 소와 말의 수, 토산물 등을 조사하여 조세, 공물, 부역 등을 거두었으며, 변동사항을 조사하여 3년마다 다시 작성하였다.

① 무구정광대다라니경 ② 공명첩
③ 신라 촌락(민정)문서 ④ 삼강행실도

9. 다음과 같은 정책을 실시한 고려의 왕은?

· 과거 제도 · 노비안검법

① 의종 ② 성종 ③ 광종 ④ 공민왕

10. 다음과 관련 있는 북방민족은?

· 별무반 편성 · 동북 9성 축조

① 몽골 ② 여진 ③ 거란 ④ 홍건적

예상문제 01

11. 다음 내용에 해당하는 정치 세력은?

> · 성리학을 정치 이념으로 사회 개혁을 추구
> · 공민왕의 개혁 과정에서 권문세족을 비판하며 성장

① 호족　② 문벌 귀족
③ 신진 사대부　④ 신흥 무인 세력

12. 다음에서 세종이 실시한 정책을 모두 고른 것은?

> ㄱ. 탕평책 시행　ㄴ. 4군 6진 설치
> ㄷ. 훈민정음 반포　ㄹ. 경국대전 반포

① ㄱ, ㄴ　② ㄱ, ㄷ　③ ㄴ, ㄷ　④ ㄴ, ㄹ

13. 다음 내용에 해당하는 조선의 교육 기관은?

> · 최고 국립 교육 기관
> · 높은 수준의 유학 교육

① 서당　② 서원　③ 국자감　④ 성균관

14. 다음 내용과 관련된 조선의 정치 세력은?

> · 향촌 자치, 왕도 정치 추구
> · 향촌에서 서원과 향약을 기반으로 세력 확대

① 훈구　② 사림　③ 6두품　④ 권문세족

15. 다음 밑줄 친 ㉠에 들어갈 내용은?

> 조선 통치의 기본 법전인 ㉠______은(는) 성종 시대에 완성되었다. 이 법전의 완성으로 조선은 건국 이후 추진된 유교적 통치 질서를 확립할 수 있었다.

① 대전통편　② 경국대전
③ 대전회통　④ 조선왕조실록

16. 다음 중 임진왜란 시기의 사실로 옳은 것은?

① 청과 군신 관계가 체결되었다.
② 황룡사 9층 목탑이 소실되었다.
③ 이순신이 이끄는 수군이 활약했다.
④ 강감찬이 귀주에서 큰 승리를 거두었다.

17. 다음과 같은 정책을 실시한 조선의 왕은?

· 초계문신제 시행	· 화성 건설
· 규장각 설립	· 탕평 정치

① 세종 ② 정조 ③ 광종 ④ 세조

18. 다음에서 설명하고 있는 실학자는?

> · 부국강병을 위해 상공업의 진흥과 기술 발전 등에 관심
> · 청(淸)에 다녀온 후 「열하일기」 저술

① 박지원 ② 정약용 ③ 이황 ④ 신윤복

19. 흥선대원군의 정책이 <u>아닌</u> 것은?

① 서원 철폐 ② 호패법 실시
③ 경복궁 중건 ④ 통상 수교 거부 정책

20. 다음 내용에서 설명하는 사건은?

> · 전봉준을 중심으로 농민 봉기
> · 집강소를 중심으로 폐정 개혁을 실천
> · 공주 우금치 전투에서 일본군과 관군에 패배

① 갑신정변 ② 을미개혁
③ 6 · 10 만세 운동 ④ 동학 농민 운동

예상문제 01

21. 다음에서 설명하는 민족운동은?

> · 배경 : 민족 자결주의, 2 · 8 독립 선언
> · 전개 : 민족 대표 33인의 독립 선언서 발표
> · 영향 : 대한민국 임시 정부 수립

① 3 · 1 운동
② 문맹 퇴치 운동
③ 6 · 10 만세 운동
④ 물산 장려 운동

22. 김좌진의 북로 군정서군을 비롯한 독립군 연합 부대가 일본군을 크게 격파한 전투는?

① 진주 대첩
② 청산리 전투
③ 봉오동 전투
④ 매소성 전투

23. 다음 내용에 해당하는 국제 회담은?

> · 임시 민주 정부의 수립
> · 미 · 소 공동 위원회 설치
> · 최고 5년간 신탁통치 결정

① 간도 협약
② 카이로 회담
③ 포츠담 회담
④ 모스크바 3국 외상 회의

24. 다음 사건들의 결과로 일어난 민주화 운동은?

> · 박종철 고문 사망 사건
> · 4 · 13 호헌 조치 발표

① 4 · 19 혁명 ② 10월 유신 ③ 12 · 12 사태 ④ 6월 민주 항쟁

25. 이승만 정부 시기의 경제 상황으로 옳은 것은?

① 농지 개혁
② 새마을 운동
③ 금융 실명제 실시
④ 경부 고속 국도 개통

예상문제 02

1. 청동기 시대에 대한 설명으로 옳지 <u>않은</u> 것은?

① 농경과 목축이 처음 시작되었다.
② 강력한 힘을 가진 군장이 출현하였다.
③ 빈부의 격차가 발생하고 계급이 형성되었다.
④ 지배층이 죽으면 고인돌이나 돌널무덤을 만들었다.

2. 다음 내용과 관계있는 국가는?

· 홍익인간의 건국 이념 · 나라를 다스리기 위한 8조의 법 · 청동기 문화를 배경으로 단군이 건국

① 동예　② 삼한　③ 고구려　④ 고조선

3. 다음 내용과 관련이 있는 나라는?

· 민며느리제　　· 가족공동무덤

① 부여　② 옥저　③ 동예　④ 가야

4. 다음 삼국 시대 왕들의 공통된 업적은?

· 광개토대왕　　· 근초고왕　　· 진흥왕

① 영토 확장　② 불교 공인
③ 나라를 건국　④ 연맹 왕국으로 성장

5. 5세기의 상황을 나타낸 지도이다. 이 시기의 고구려 왕은?

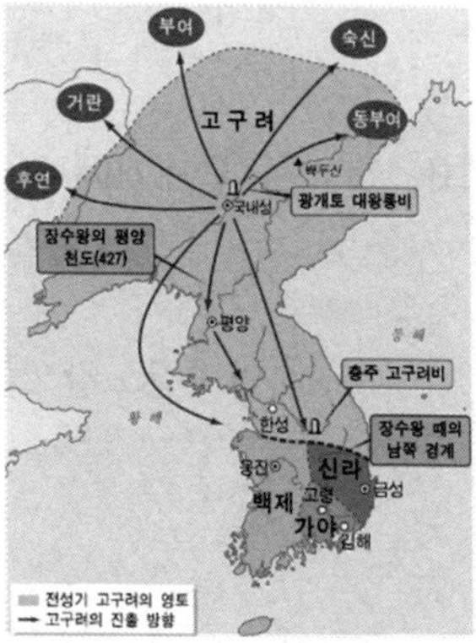

① 진흥왕
② 장수왕
③ 지증왕
④ 근초고왕

예상문제 02

6. 다음 설명에 해당하는 고구려의 제도는?

> 가난한 농민에게 봄에 곡식을 빌려주었다가 가을에 수확하여 갚게 하는 빈민 구제 정책으로 고국천왕 때 시행하였다.

① 균역법 ② 대동법 ③ 호패법 ④ 진대법

7. 다음 설명에 해당하는 나라는?

> · 철을 생산하여 일본에 수출
> · 낙동강 하류에 위치한 변한의 소국에서 시작

① 고구려 ② 백제 ③ 신라 ④ 가야

8. 다음 유물들이 만들어진 나라는?

> · 불국사 3층 석탑(석가탑) · 성덕 대왕 신종

① 백제 ② 고구려 ③ 통일 신라 ④ 고려

9. 다음에서 설명하는 인물은?

> 김유신의 도움을 받아 진골 출신으로는 처음으로 왕위에 올랐다. 이후 그의 직계 자손이 왕위를 계승하였다.

① 김춘추 ② 최충헌 ③ 만적 ④ 이성계

10. 원 · 명 교체기에 다음 개혁 정책을 추진한 고려의 왕은?

> · 몽골풍 금지 · 친원파 숙청
> · 전민변정도감 설치 · 쌍성총관부 수복

① 태조 ② 광종 ③ 성종 ④ 공민왕

11. 다음 내용과 관계 있는 역사적 사건은?

> · 거란의 3차 침입
> · 강감찬의 활약, 천리장성 축조

① 살수대첩　② 귀주대첩　③ 안시성 전투　④ 매소성 전투

12. 다음에서 설명하는 고려 시대 역사서는?

> · 고려 중기 김부식이 왕명을 받아 편찬
> · 현존하는 우리나라에서 가장 오래된 역사서
> · 유교적 합리주의 사관에 따라 기전체로 서술

① 삼국사기　② 목민심서　③ 경국대전　④ 조선상고사

13. 조선 태종의 정책을 모두 고른 것은?

> ㄱ. 호패법 실시　ㄴ. 사병 혁파
> ㄷ. 집현전 설치　ㄹ. 중립 외교

① ㄱ, ㄴ　② ㄱ, ㄹ　③ ㄴ, ㄷ　④ ㄴ, ㄹ

14. 다음에서 설명하는 학문은?

> · 인간의 심성과 우주의 원리를 철학적으로 탐구하는 유학
> · 신진 사대부들이 고려 후기 사회 모순에 대한 개혁 사상으로 수용

① 동학　② 서학　③ 성리학　④ 대종교

15. 다음에서 설명하는 조선의 국왕은?

> 임진왜란 이후 명이 쇠퇴하고 후금이 성장하던 시기에, 명과 후금 사이에서 신중한 중립 외교 정책으로 대처하였다. 이를 통해 전쟁은 피하고 실리를 추구하고자 하였다.

① 태종　② 공민왕　③ 연산군　④ 광해군

예상문제 02

16. 다음과 관련된 조선 후기의 수취 제도는?

> · 공납을 토지의 결수에 따라 쌀, 무명, 동전 등으로 징수
> · 관청에 물품을 납품하는 공인 등장

① 진대법 ② 대동법 ③ 영정법 ④ 균역법

17. 다음에서 설명하는 인물은?

> · 「목민심서」, 「경세유표」 등 저술
> · 여전론(공동 소유, 공동 경작) 주장
> · 거중기를 만들어 수원 화성 축조에 이용

① 정약용 ② 이황 ③ 이이 ④ 박제가

18. 다음에서 설명하는 정치 형태는?

> · 순조, 헌종, 철종의 3대 60여 년 동안 지속
> · 왕실과 혼인 관계를 맺은 몇몇 가문이 권력을 독점
> · 매관매직의 성행으로 탐관오리의 백성 수탈 심화

① 붕당 정치 ② 세도 정치 ③ 무신 정치 ④ 탕평 정치

19. 조선 후기의 사회 변동을 반영한 최초의 한글 소설은?

① 양반전 ② 북학의 ③ 홍길동전 ④ 목민심서

20. 다음에서 설명하는 지역은?

> · 삼국 시대 이래 우리 민족의 영토
> · 안용복이 일본에 건너가 조선의 영토임을 주장
> · 일제가 러·일 전쟁 중에 시마네현에 불법 편입

① 완도 ② 독도 ③ 간도 ④ 강화도

21. 다음 내용과 관련 있는 사건은?

· 급진 개화파가 우정총국 개국 축하연을 이용하여 정변
· 청의 개입과 일본군의 철수로 3일 만에 실패
· 근대 국가 건설을 목표로 하는 최초의 정치 개혁 운동

① 갑신정변 ② 을미개혁 ③ 방곡령 ④ 동학 농민 운동

22. 다음 사건과 관련이 깊은 흥선 대원군의 정책은?

· 병인양요 · 오페르트 도굴 사건
· 신미양요 · 척화비 건립

① 탕평 정책 ② 북진 정책
③ 개화 정책 ④ 통상 수교 거부 정책

23. 1910년대 일제가 시행한 무단 통치와 경제 수탈의 내용이 아닌 것은?

① 조선 태형령 ② 토지 조사 사업
③ 헌병 경찰 제도 ④ 황국 신민 서사 제정

24. 다음 내용과 관련 있는 정부는?

· 독립 공채 발행 · 독립 신문 간행
· 한국 광복군 창설 · 연통제와 교통국 운영

① 독립 협회 ② 대한제국
③ 독립 의군부 ④ 대한민국 임시 정부

25. 다음에 해당하는 사건은?

· 원인 : 3 · 15 부정 선거
· 결과 : 이승만 대통령 하야, 과도 정부 수립

① 유신 체제 ② 4 · 19 혁명
③ 5 · 18 민주화 운동 ④ 6월 민주 항쟁

예상문제 03

1. (가)시기의 생활 모습으로 옳은 것은?

(가)	신석기 시대	청동기 시대	철기 시대

① 농경 생활 시작
② 비파형 동검 사용
③ 뗀석기를 이용하여 사냥
④ 사유 재산과 계급의 발생

2. 다음 유물들이 만들어진 시기의 특징으로 옳은 것을 〈보기〉에서 모두 고른 것은?

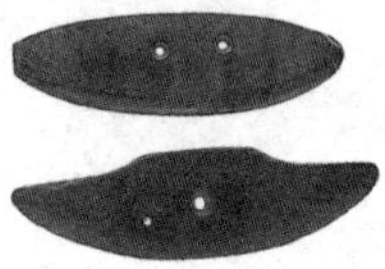
반달돌칼

〈보기〉
ㄱ. 고인돌
ㄴ. 비파형 동검
ㄷ. 주먹도끼
ㄹ. 빗살무늬 토기

① ㄱ, ㄴ ② ㄱ, ㄹ ③ ㄴ, ㄷ ④ ㄴ, ㄹ

3. 다음 내용에 해당하는 것은?

> 삼한에서 천군(제사장)이 제사를 지내는 장소로, 군장의 세력이 미치지 못하여 죄인이 들어가도 잡지 못하는 독립된 지역이었다.

① 담로 ② 소도 ③ 5소경 ④ 사출도

4. (가)에 들어갈 고구려의 왕은?

> (가)은/는 만주 지역으로 영토를 확장하였고, 남으로는 백제를 압박하고 신라에 침략한 왜를 격퇴하였다.

① 고이왕 ② 내물왕 ③ 법흥왕 ④ 광개토대왕

5. 다음에서 설명하는 인물은?

> 인도(천축국)와 중앙아시아 등 여러 나라를 돌아보고 각국의 풍속과 지리, 역사 등을 기록한 기행문인 「왕오천축국전」을 저술하였다.

① 혜초 ② 원효 ③ 왕인 ④ 지눌

6. 다음에서 설명하는 문화유산은?

신라의 선덕여왕 때 건립되었다. 천문 관측과 관련된 것으로 추정되며, 독특한 모양과 구조로 유명하다.

① 자격루 ② 측우기 ③ 칠지도 ④ 첨성대

7. 다음 빈칸 ㉠에 들어갈 인물은?

수 양제는 직접 113만의 대군을 이끌고 고구려를 침략하여 요동성을 공격하였으나, 고구려군의 강력한 저항에 막혀 함락하지 못하였다. 그러자 우중문에게 30만 명의 별동대를 주어 평양을 공격하게 하였으나 고구려의 (㉠)이(가) 살수에서 우중문의 군대를 크게 물리쳤다.

① 계백 ② 김춘추 ③ 을지문덕 ④ 연개소문

8. 다음 설명에 해당하는 사상은?

지리적 환경을 통해 길흉화복이 결정된다는 인문지리학으로, 도선에 의해 널리 보급되었다. 지방의 중요성을 강조하여 호족의 사상적 기반으로 작용하였다.

① 도교 ② 불교 ③ 성리학 ④ 풍수지리설

9. 다음에서 설명하는 인물은?

· 고려를 건국하고 후삼국을 통일
· 사심관 제도와 기인 제도를 실시
· 후대 왕들에게 정책 방향을 제시한 훈요 10조를 남김

① 이성계 ② 왕건 ③ 대조영 ④ 견훤

예상문제 03

10. 여진을 정벌하기 위해 윤관의 건의에 따라 편성된 특별 부대는?

① 속오군 ② 삼별초 ③ 별무반 ④ 한국광복군

11. 다음과 관계 있는 문화재는?

· 현존하는 세계에서 가장 오래된 금속 활자본
· 현재 프랑스 국립 도서관에 보관

① 삼국사기 ② 삼강행실도
③ 직지심체요절 ④ 상정고금예문

12. 조선 성종의 업적에 해당하는 것은?

① 반원 정책 ② 경국대전 완성
③ 균역법 시행 ④ 훈민정음 창제

13. 다음에서 설명하는 교육 기관은?

· 사림의 주도로 지방에 설립된 교육 기관
· 선현에 대한 제사와 학문 연구, 교육을 담당

① 서당 ② 서원 ③ 국자감 ④ 성균관

14. 다음에서 설명하는 외교 사절은?

· 에도 막부의 요청으로 파견
· 조선의 선진 문화를 일본에 전파하여 일본 문화 발전에 큰 영향을 끼침

① 통신사 ② 수신사 ③ 영선사 ④ 헤이그 특사

15. 다음의 정책을 실시한 조선의 왕은?

· 탕평 정치 · 균역법 시행

① 광종 ② 세종 ③ 성종 ④ 영조

16. 다음 설명에 해당하는 인물로 적절하지 <u>않은</u> 것은?

> · 상공업의 진흥과 기술 개발에 관심
> · 청의 문물을 적극 도입하자고 하여 '북학파'로도 불림

① 홍대용 ② 김홍도 ③ 박지원 ④ 박제가

17. 조선 후기에 나타난 서민 문화로 보기 <u>어려운</u> 것은?

① 민화 ② 판소리 ③ 상감청자 ④ 한글소설

18. 다음 특징을 지닌 조선의 전세 제도는?

> 풍흉과 관계없이 전세를 토지 1결당 쌀 4~6두 징수

① 대동법 ② 사창제 ③ 영정법 ④ 의창

19. 다음에서 설명하고 있는 사건은?

> · 배경 : 제너럴 셔먼호 사건
> · 전개 : 미국 함대의 강화도 침략
> · 결과 : 미군 철수, 흥선 대원군이 전국에 척화비 건립

① 병인양요 ② 신미양요 ③ 병자호란 ④ 임오군란

20. 다음에서 설명하는 근대적 개혁은?

> · 신분제 폐지 · 과부 재가 허용

① 광무개혁 ② 갑오개혁
③ 을사조약 ④ 위정척사 운동

예상문제 03

21. 다음과 같은 개혁 운동을 전개한 단체는?

· 독립문 건립 · 만민 공동회 개최 · 의회 설립 운동 전개

① 일진회 ② 신간회 ③ 진단학회 ④ 독립협회

22. 다음과 같은 활동을 한 단체로 옳은 것은?

· '한글 맞춤법 통일안' 및 표준어 제정 · '조선말 큰사전(우리말 큰사전)' 편찬 준비

① 신민회 ② 한인 애국단
③ 조선어 학회 ④ 대한민국 임시 정부

23. 다음에서 설명하는 민족 운동은?

· 목적 : 민족 산업 육성, 경제적 자립 · 방법 : 국산품 애용 및 일본 상품 배격 · 구호 : '조선 사람 조선 것으로', '내 살림 내 것으로'

① 을미개혁 ② 방곡령
③ 물산 장려 운동 ④ 민립 대학 설립 운동

24. 1930년대 이후 실시한 일제 식민 정책이 아닌 것은?

① 토지 조사 사업 ② 일본식 성명 강요
③ 병참기지화 정책 ④ 황국 신민 서사 제정

25. 다음에서 설명하는 단체는?

· 대한민국 임시 정부가 창설한 군대 · 국내 진공 작전 계획

① 한국 광복군 ② 삼별초
③ 북로군정서군 ④ 대한독립군

예상문제 04

1. 다음 유물을 사용하던 사람들의 생활 모습이 <u>아닌</u> 것은?

① 의복과 그물 제작
② 무리지어 이동 생활
③ 돌을 갈아서 만든 간석기 사용
④ 강가나 바닷가에 움집을 짓고 거주

2. 다음 밑줄 친 (가)에 해당하는 인물은?

> 삼국유사의 기록에 따르면, 환웅이 웅녀와 혼인하여 낳은 ＿＿(가)＿＿이/가 고조선을 세웠다. 고조선은 정치적 지배자가 제사장을 겸하는 제정일치의 사회였다.

① 주몽　② 왕건　③ 단군왕검　④ 이성계

3. 다음에서 설명하는 국가는?

> · 서옥제　· 동맹　· 무예 숭상

① 부여　② 동예　③ 삼한　④ 고구려

4. 다음 설명에 해당하는 백제의 왕은?

> · 사비 천도
> · 국호를 '남부여'로 바꿈

① 장수왕　② 성왕　③ 진흥왕　④ 신문왕

5. 다음과 관련 있는 승려는?

> · 정토 신앙 : 불교의 대중화
> · 화쟁 사상 : 종파 간 사상적 대립의 조화 추구

① 지눌　② 담징　③ 의천　④ 원효

예상문제 04

6. 발해에 대한 설명으로 옳지 않은 것은?

① 고구려의 3성 6부를 계승하였다.
② 고구려 유민인 대조영이 건국하였다.
③ 고구려인이 지배층의 핵심을 이루었다.
④ 해동성국이라고 불릴 정도로 발전하였다.

7. 다음 설명에 해당하는 신라의 조직은?

> · 원시 사회의 청소년 집단에서 기원
> · 진흥왕 때 국가적인 조직으로 개편

① 화랑도　② 훈련도감　③ 삼별초　④ 별기군

8. 다음 ㉠에 들어갈 고려의 왕은?

> 최승로는 시무 28조를 올려 유교 사상에 입각한 개혁안을 건의하였다. (㉠)은 이를 수용하여 지방관을 파견하고 국자감을 정비하는 등 유교 정치 이념에 따라 통치 체제를 정비하였다.

① 광종　② 성종　③ 공민왕　④ 광해군

9. 다음 사실의 배경으로 옳은 것은?

> · 서희의 외교 담판　　· 강동 6주 회복

① 광해군의 중립외교　② 여진의 침입
③ 거란의 1차 침입　④ 몽골의 침입

10. 다음 설명에 해당하는 문화유산으로 옳은 것은?

> 고려 시대에 몽골이 침략하자, 부처의 힘으로 국난을 극복하고자 하는 염원에서 제작되었다. 현재 경상남도 합천 해인사에 보관 중이며, 세계 기록 유산으로 지정되었다.

① 팔만대장경판　　② 석굴암
③ 상정고금예문　　④ 칠정산

11. 다음에서 설명하는 고려의 지배 세력은?

> · 원 간섭기 동안 형성된 지배층
> · 음서를 이용하여 주요 관직 독점, 대농장 소유

① 6두품　　② 호족
③ 권문세족　　④ 신진 사대부

12. 다음에서 설명하는 서적은?

> · 춘추관에서 편찬
> · 조선 태조부터 철종까지 25대 472년 동안의 역사를 기록

① 삼국사기　　② 삼국유사
③ 조선왕조실록　　④ 목민심서

13. 다음에서 설명하는 조선의 정치 형태는?

> 사림 세력이 정치적 입장과 학문적 의견에 따라 동인, 서인 등으로 결집하여 서로 비판하며 견제하는 정치 형태이다.

① 무신 정치　　② 세도 정치
③ 중립 외교　　④ 붕당 정치

예상문제 04

14. 다음 전투에서 활약한 인물은?

· 명량 대첩　　　　· 한산도 대첩

① 이성계　② 연개소문　③ 이순신　④ 만적

15. 조선 정조의 정책으로 옳은 것을 모두 고른 것은?

ㄱ. 장용영 설치	ㄴ. 탕평책 시행
ㄷ. 척화비 건립	ㄹ. 경국대전 편찬

① ㄱ, ㄴ　② ㄱ, ㄷ　③ ㄴ, ㄹ　④ ㄷ, ㄹ

16. 다음 학자들의 주장으로 적절한 것은?

· 유형원　　· 이익　　· 정약용

① 청의 문물 수용
② 토지 제도의 개혁
③ 수레 · 선박 · 화폐의 사용 강조
④ 상공업 진흥과 기술 발전 등에 관심

17. 다음과 관련이 있는 종교는?

· 최제우가 창시 · 인내천(人乃天)의 평등 사상

① 실학　② 불교　③ 동학　④ 천주교

18. 다음에서 설명하는 조약은?

> · 조선이 일본과 맺은 최초의 근대적 조약
> · 치외법권과 해안측량권을 인정한 불평등 조약

① 한성 조약
② 강화도 조약
③ 제물포 조약
④ 한 · 일 신협약

19. 다음 밑줄 친 ㉠에 들어갈 경제적 구국 운동은?

> 일본이 차관을 강요하여 재정 간섭을 강화하자, 일본에 진 빚을 갚고 국권을 지키자는 ___㉠___이 전개되었다.

① 국채 보상 운동
② 위정척사 운동
③ 6 · 10 만세 운동
④ 문자 보급 운동

20. 다음의 내용과 관련이 있는 사건은?

> · 고종이 러시아 공사관으로 거처를 옮김
> · 열강의 이권 침탈 심화(광산 채굴권, 철도 부설권)

① 임오군란
② 아관파천
③ 갑신정변
④ 위정척사 운동

21. 일제의 국권 침탈 과정 중 다음과 관련된 것은?

> · 대한제국의 외교권 박탈　　　· 통감부 설치

① 강화도 조약
② 전주 화약
③ 을사늑약
④ 가쓰라 · 태프트 밀약

예상문제 04

22. 다음의 내용과 관련있는 단체는?

· 김구가 조직한 항일 단체
· 이봉창과 윤봉길 의거

① 신민회
② 보안회
③ 한인 애국단
④ 독립협회

23. 다음 활동을 전개한 단체는?

· 비타협적 민족주의 세력과 사회주의 세력의 연합
· 광주 학생 항일 운동 조사단 파견

① 보안회
② 신간회
③ 독립협회
④ 한국광복군

24. 6 · 25 전쟁에 대한 설명으로 옳지 않은 것은?

① 북한군의 남침으로 시작되었다.
② 중국군은 개입하지 않고 중립을 지켰다.
③ 수많은 전쟁고아와 이산가족이 생겨났다.
④ 국군과 유엔군은 인천 상륙 작전에 성공하였다.

25. 다음과 같은 대북 정책을 실시한 정부는?

· 대북 화해 협력 정책
· 제1차 남북 정상 회담

① 이승만 정부
② 박정희 정부
③ 노태우 정부
④ 김대중 정부

예상문제 05

1. 다음 유물을 처음 제작했던 시대의 모습으로 적절한 것은?

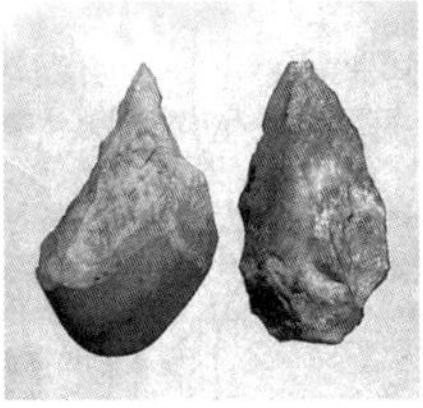
주먹도끼

① 제정 일치 사회
② 농경과 목축의 시작
③ 무리를 지어 이동 생활
④ 무덤으로 고인돌 제작

2. 다음 자료의 내용에 해당하는 시기는?

대표적 유물	사회 및 생활 모습
· 고인돌 · 비파형 동검	· 사유재산과 계급 발생 · 반달 돌칼을 사용하여 곡식을 수확

① 구석기 시대　② 신석기 시대
③ 청동기 시대　④ 철기 시대

3. 다음 내용과 관련이 있는 나라는?

· 책화　· 무천　· 족외혼

① 부여　② 동예　③ 옥저　④ 삼한

4. 다음 밑줄 친 (가)에 들어갈 백제의 왕은?

주제 : ____(가)____의 업적
· 마한 전 지역을 정복
· 부자 상속의 왕위 계승을 확립
· 중국의 요서와 일본의 규슈 지방에 진출

① 장수왕　② 진흥왕
③ 소수림왕　④ 근초고왕

06 한국사

예상문제 05

5. 다음에서 백제의 탑을 모두 고른 것은?

ㄱ. 미륵사지 석탑	ㄴ. 불국사 3층 석탑
ㄷ. 정림사지 5층 석탑	ㄹ. 경천사지 10층 석탑

① ㄱ, ㄴ ② ㄱ, ㄷ ③ ㄴ, ㄷ ④ ㄷ, ㄹ

6. 다음에서 설명하는 인물은?

청해진의 해상 활동을 기반으로 세력을 키운 후 중앙의 왕위 쟁탈전에 가담하였으나 실패하였다.

① 장보고 ② 이자겸 ③ 김춘추 ④ 연개소문

7. 다음에서 설명하는 신라의 신분제도는?

· 신라 지배층 중심의 신분제로 8개의 신분으로 편성
· 혈통의 높고 낮음에 따라 관등과 관직의 승진 제한

① 상피제 ② 사심관 제도
③ 골품 제도 ④ 기인 제도

8. 지도와 같이 영토를 수복하고 반원 정책을 추진했던 왕은?

① 장수왕
② 진흥왕
③ 신문왕
④ 공민왕

9. 다음에서 설명하는 군사 조직은?

> · 최씨 무신 정권의 군사적 기반
> · 강화도에서 진도, 제주도로 근거지를 옮기며 대몽 항쟁

① 삼별초 ② 9서당 ③ 속오군 ④ 의열단

10. 다음에서 설명하는 고려 시대 역사서는?

> · 승려 일연이 편찬
> · 불교 신앙을 중심으로 설화 · 전설 수록
> · 최초로 단군의 건국 이야기 기록

① 한국통사 ② 발해고
③ 삼국사기 ④ 삼국유사

11. 다음에서 설명하는 제도는?

> · 왕족과 공신의 후손, 5품 이상의 고위 관료의 자제를 시험 없이 관직에 임명
> · 고려 관료 체제의 귀족적 특성을 보여 줌

① 음서 제도 ② 과거 제도
③ 기인 제도 ④ 독서삼품과

12. 다음에서 설명하는 사건은?

> 이성계는 요동 정벌이 불가능하다고 판단하였으나 최영의 명령으로 출동하였다. 결국 이성계는 압록강에 있는 한 섬에서 다른 장수들과 협의하여 군대를 돌려 개경으로 돌아왔다.

① 동북 9성 개척 ② 위화도 회군
③ 쌍성총관부 탈환 ④ 4군 6진 개척

예상문제 05

13. 다음 설명에 해당하는 조선의 제도는?

> · 16세 이상의 모든 남자에게 발급한 신분 증명패
> · 군역과 조세 행정에 활용

① 호패법　② 대동법　③ 과전법　④ 직전법

14. 다음 내용에 해당되는 지역은?

> · 조선 숙종 때 백두산 정계비를 세워 우리 영토로 표시
> · 일본이 남만주 철도 부설권을 얻는 대가로 청의 영토로 인정하는 협약 체결

① 간도　② 독도　③ 강화도　④ 거문도

15. 다음 내용과 관련된 역사적 사건은?

> · 청의 군신 관계 요구
> · 남한산성 항전
> · 삼전도에서 청과 굴욕적인 강화 체결

① 병자호란　② 임진왜란　③ 살수대첩　④ 봉오동 전투

16. 다음에서 설명하는 조선 후기의 학풍은?

> · 현실 문제 해결에 관심을 둔 실용적 학풍
> · 대표 학자 : 정약용, 박지원, 박제가

① 성리학　② 실학　③ 동학　④ 서학

17. 다음과 관계 있는 지도는?

> · 김정호가 제작
> · 도첩으로 구성된 전국 지도
> · 거리를 알 수 있도록 10리마다 눈금을 표시

① 택리지　② 칠정산　③ 대동여지도　④ 발해고

18. 다음 사건과 관련이 있는 나라는?

> · 병인양요를 일으킴
> · 강화도 외규장각 도서를 약탈함

① 미국 ② 영국 ③ 프랑스 ④ 러시아

19. 다음 설명에 해당하는 사건은?

> · 배경 : 평안도(서북 지방) 지역에 대한 차별과 세도 정권의 수탈
> · 전개 : 청천강 이북의 대부분 지역 장악, 정주성 싸움에서 패배

① 홍경래의 난 ② 만적의 난
③ 망이 · 망소이의 봉기 ④ 이자겸의 난

20. 신민회에 대한 설명으로 옳은 것을 모두 고른 것은?

> ㄱ. 만민공동회 개최 ㄴ. 한국광복군 창설
> ㄷ. 대성학교, 오산학교 설립 ㄹ. 105인 사건으로 해산

① ㄱ, ㄴ ② ㄱ, ㄷ ③ ㄴ, ㄷ ④ ㄷ, ㄹ

21. 다음 내용과 관련 있는 항일 민족 운동은?

> · 배경 : 일제의 차별 교육, 한 · 일 학생 간의 충돌
> · 의의 : 3 · 1 운동 이후 최대 규모의 민족 운동

① 형평 운동 ② 국채 보상 운동
③ 문맹 퇴치 운동 ④ 광주 학생 항일 운동

예상문제 05

22. 다음에서 설명하는 인물은?

· 중국 상하이 훙커우 공원에서 열린 일본의 승전 기념식장에 폭탄 투척, 일제의 주요 장성과 관료 다수 살상 · 중국 정부가 대한민국 임시 정부를 지원하는 계기가 됨

① 김구 ② 윤봉길 ③ 김옥균 ④ 안중근

23. 1920년대 일제의 식민 정책에 해당하는 것은?

① 국가총동원법 ② 남면북양 정책
③ 토지 조사 사업 ④ 산미 증식 계획

24. 다음과 같은 정책을 추진한 정부는?

· 베트남 파병	· 한 · 일 협정 체결
· 새마을 운동	· 유신 헌법 제정

① 이승만 정부 ② 박정희 정부
③ 전두환 정부 ④ 노태우 정부

25. 다음 설명에 해당하는 민주화 운동은?

유신 체제가 무너진 이후 시민들의 민주화 요구가 높아졌다. 그러나 1980년 비상계엄을 전국으로 확대한 신군부는 광주의 민주화 시위에 계엄군을 투입하여 무차별 진압하였다.

① 4 · 19 혁명 ② 5 · 18 민주화 운동
③ 6월 민주 항쟁 ④ 브나로드 운동

중학교 졸업자격 검정고시

적중! 모/의/고/사 예상문제

한국사

정답 및 해설

1회 예상문제 · 한국사

1. ①	2. ④	3. ①	4. ③	5. ④
6. ①	7. ①	8. ③	9. ③	10. ②
11. ③	12. ③	13. ④	14. ②	15. ②
16. ③	17. ②	18. ①	19. ②	20. ④
21. ①	22. ②	23. ④	24. ④	25. ①

1. ① 계급 발생은 청동기 시대 이후의 특징으로 신석기 시대는 평등 사회였다.

2. 자료의 유물은 비파형 동검과 미송리식 토기로 청동기 시대의 대표적 유물이다. ㄱ. 평등 사회는 구석기 시대와 신석기 시대의 특징, ㄷ. 주먹도끼는 뗀석기로 구석기 시대의 유물이다.

3. 자료는 고조선에 대한 설명이다.

4. 제시된 자료는 부여에 관한 내용이다. ① 민며느리제, 가족 공동 무덤 ② 서옥제, 동맹 ④ 소도(천군이 다스리는 신성 구역, 제정분리) 등의 특징이 있다.

5. ① 고구려, ②, ③ 백제의 왕이다.

6. 자료는 도교에 관한 내용이다. 도교는 산천 숭배나 신선 사상과 결합하여 주로 귀족 사회를 중심으로 유행하였다. 고구려에서는 죽은 자의 사후 세계를 지켜준다는 믿음에서 무덤에 도교의 방위신인 사신도를 그려 넣었다. 백제의 산수무늬 벽돌은 산과 계곡의 모습을 조화롭게 새겨 자연과 더불어 살고자 하는 마음을 담았으며, 백제 금동 대향로는 현실 세계와 신선들이 사는 도교의 이상 세계를 표현하였다.

8. 신라 촌락(민정)문서에는 촌락의 토지 종류와 면적, 인구, 노비 수, 소 · 말의 수, 뽕나무 · 잣나무 수 등이 기록되어 있다. 중앙에서 조세와 노동력을 거두는 데 촌락문서를 활용하였다. ① 불국사 3층 석탑에서 발견, 세계에서 가장 오래된 목판 인쇄물이다. ② 조선시대, 정부가 재정을 보충하기 위해 돈이나 곡식 등을 받고 발행한 이름이 적히지 않은 관직 임명장, ④ 효자, 충신 등의 이야기를 한문으로 쓰고 그림을 그렸으며, 훈민정음으로 설명을 달아 유교 윤리를 쉽게 설명하였다.

11. ① 신라 말 지방에서 독자적인 세력 형성, 스스로 성주 또는 장군이라 칭하면서 지방을 실질적으로 지배 ② 고려 전기의 지배층으로, 음서와 과거를 통해 주요 관직을 독점하고, 정치 권력을 장악하였다. ④ 고려 말 홍건적과 왜구의 격퇴 과정에서 백성의 신망을 얻어 성장하였다.

12. ㄱ. 영조, 정조의 정책 ㄹ. 성종의 업적

13. ① 초보적인 유학 지식 교육 ② 선대 유학자에 대한 제사와 성리학 교육을 담당한 지방의 사립 학교, 사림의 집권을 계기로 확산 ③ 고려의 최고학부

14. ① 세조가 왕위에 오르는 일을 도운 공신으로 권력 독점, 중앙 집권 체제 추구 ③ 신라의 귀족, 골품에 따라 관직 진출에 제한이 있어 주요 관직은 진골이 독점하였고, 6두품은 주로 학문과 종교 분야에서 활약하였다. ④ 고려 원 간섭기의 지배 세력, 친원적 성향이 강하였으며 주로 음서로 관직 진출, 백성의 토지를 빼앗아 대농장을 경영하였다.

15. ① 정조 ③ 흥선대원군 편찬

16. ① 병자호란의 결과 ② 고려 몽골 침략 때 소실 ④ 귀주대첩은 거란의 3차 침입 때 강감찬의 활약으로 대승을 거둔 전투이다.

17. 정조는 적극적인 탕평책을 추진하였고, 초계문신제를 실시하고 규장각의 기능을 강화하였다.

18. 박지원, 박제가 등은 상공업의 발전을 내세우며, 청과의 통상 확대를 주장하였다. 이러한 상공업 중심의 개혁론을 주장한 실학자들은 청의 영향을 많이 받았으므로 북학파라고도 한다. ② 농업 중심의 개혁론 ③ 성리학 ④ 풍속화

19. ② 호패는 일종의 신분증 역할을 하는 작은 패로 태종 때 처음 실시되었다.

20. ① 김옥균, 박영효 등 급진 개화파가 우정총국 개국 축하연을 이용하여 일으킨 정변으로 청군이 개입하면서 실패

로 끝났다. ② 단발령 실시, 태양력 사용 등이 추진되었다.

22. ① 임진왜란 ③ 홍범도의 대한 독립군이 봉오동에서 일본군 격퇴 ④ 나 · 당 전쟁

23. ① 1909년에 일제가 남만주 철도 부설권을 얻는 대가로 간도를 청의 영토로 인정 ② 1943년에 적당한 시기에 적당한 절차를 거쳐 한국을 독립시킬 것을 최초로 결의 ③ 일본의 무조건 항복 요구, 한국의 독립 재확인

24. 박종철 고문치사 사건과 4 · 13 호헌 조치에 저항하는 시위가 거세게 일어나면서 6월 민주 항쟁이 전개되었다.

25. 유상 매수, 유상 분배 방식으로 농지 개혁법(1949)이 제정되어 대부분의 농민이 토지를 소유하게 되었다. ②, ④ 박정희 정부 ③ 김영삼 정부

2회 예상문제 · 한국사

1. ①	2. ④	3. ②	4. ①	5. ②
6. ④	7. ④	8. ③	9. ①	10. ④
11. ②	12. ①	13. ①	14. ③	15. ④
16. ②	17. ①	18. ②	19. ③	20. ②
21. ①	22. ④	23. ④	24. ④	25. ②

1. ① 신석기 시대의 특징이다.

3. ① 영고(제천 행사, 12월), 순장 ③ 무천(제천 행사, 10월), 책화

5. 장수왕은 남진 정책을 추진하여 평양으로 천도하고 백제의 한성을 함락, 한강 유역을 확보하였다. ①, ③ 신라의 왕 ④ 백제의 왕

6. ① 영조는 농민에게 군포 1필을 징수하는 균역법을 시행하여 농민의 군역 부담을 절반으로 감축 ② 광해군 때 처음 실시, 공납을 토지 면적에 따라 쌀 · 면포 · 화폐 등으로 납부

9. 김춘추는 진골 출신으로 왕위에 올라 무열왕이 되었다. 통일 전쟁 과정에서 왕권을 강화, 이후 혜공왕 대까지 직계 후손이 왕위를 계승하였다. ② 고려시대 최충헌 집권 이후 60여 년 동안 최씨 무신 정권 ③ 무신 정권 시기 노비였던 만적이 신분 해방 운동 전개

11. ① 고구려 을지문덕이 살수에서 수의 군대 격퇴 ③ 고구려가 당의 침입을 안시성 싸움에서 격퇴 ④ 나 · 당 전쟁

12. ② 조선 후기, 실학자 정약용 ④ 민족주의 사학자 신채호가 저술하였다.

13. ㄷ. 세종, ㄹ. 광해군의 업적

14. ① 최제우가 창시 ② 천주교 ④ 나철 · 오기호가 단군 신앙을 바탕으로 창시

15. 광해군의 중립적인 외교는 명이 쇠약해지고 후금이 강성해지는 국제 정세의 변화를 반영한 외교이다.

17. ②, ③ 성리학, ④ 상공업 중심의 개혁, 소비를 통한 생산력 증대와 청과의 통상 확대를 주장하였다.

18. ① 사림이 분열하여 서인과 동인의 붕당이 형성 ③ 고려시대에 차별 대우에 분노한 무신들이 무신 정변을 일으켜 권력을 장악 ④ 붕당 간의 세력 균형과 왕권 강화를 추구한 영조, 정조의 정책

19. ① 박지원 ② 박제가 ④ 정약용이 저술

21. ③ 함경도와 황해도 관찰사가 방곡령을 선포하여 곡물 수출을 금지하였다.

23. ④ 일제가 중 · 일 전쟁과 태평양 전쟁을 치르는 과정에서 한국인의 민족의식을 말살하여 침략 전쟁에 동원하고자 추진하였다.

25. 이승만 정부의 장기 집권과 3 · 15 부정 선거로 이승만 정부를 규탄하는 4 · 19 혁명이 일어났다.

3회 예상문제 · 한국사

1. ③	2. ①	3. ②	4. ④	5. ①
6. ④	7. ③	8. ④	9. ②	10. ③
11. ③	12. ②	13. ②	14. ①	15. ④
16. ②	17. ③	18. ③	19. ②	20. ②
21. ④	22. ③	23. ③	24. ①	25. ①

1. ① 신석기 시대 ②, ④] 청동기 시대

2. ㄷ. 구석기 시대, ㄹ. 신석기 시대

3. ① 백제 무령왕은 22담로에 왕족을 파견하여 지방 통제를 강화하였다. ③ 삼국을 통일한 신라는 신문왕 때 전국을 9주로 나누고 군사 · 행정상의 요지에 5소경을 설치하는 체제를 완비하여 중앙 집권을 강화하였다.

4. 고구려는 광개토대왕 때 요동을 포함한 만주 지역의 대부분을 차지하고 백제를 공격하여 한강 이북 지역을 차지하였다. 당시 신라와 고구려의 밀접한 관계는 경주 호우총에서 발견된 호우명 그릇을 통해 추론할 수 있다. ① 백제, ②, ③ 신라의 왕

5. ② 아미타 신앙을 전파하여 불교의 대중화에 기여 ③ 일본에 천자문 전파 ④ 수선사를 중심으로 결사 운동 전개, 돈오점수와 정혜쌍수 강조

6. ① 물시계 ② 강우량 측정 기구 ③ 백제에서 만들어 일본에 전한 것으로 두 나라의 긴밀한 관계를 보여준다.

7. ④ 고구려의 대막리지, 정변을 일으켜 권력을 장악하였다.

8. ① 도교는 산천 숭배 · 신선 사상과 결합하여 불로장생을 추구, 고구려 고분 벽화의 사신도, 백제 산수무늬 벽돌과 금동 대향로 등에 영향을 주었다.

9. ① 조선 ③ 발해 ④ 후백제를 건국

10. ① 조선 후기의 지방군, 양반에서 노비까지 모든 신분으로 편성 ② 고려 무신 정권 시기에 최우가 설치한 야별초에서 분리된 좌별초와 우별초, 그리고 신의군을 합친 군사 조직

11. ② 조선 세종 때 백성들에게 유교 윤리를 보급하기 위해 편찬한 책

12. ① 고려 공민왕 ③ 조선 후기 영조 ④ 조선 전기 세종의 업적

13. ① 초보적 유학 교육 ③ 고려 최고 학부 ④ 조선 최고 학부

14. ② 강화도 조약 체결 이후 일본에 공식 파견된 외교 사절 ③ 청의 근대식 무기 제조법과 군사 훈련법 습득 등을 목적으로 파견 ④ 고종이 을사늑약의 부당함을 알리기 위해 네덜란드 헤이그에서 열린 만국 평화 회의에 파견한 사절

15. 영조는 탕평 정책에 동의하는 인물(탕평파)을 등용하고 붕당의 근거지인 서원을 정리하였다.

16. ② 풍속화라는 화풍으로 일상적인 생활 모습을 묘사한 그림을 그렸다.

17. ③ 고려의 귀족 문화

18. ② 흥선대원군이 환곡의 폐단을 시정하기 위해 실시한 것으로 민간에서 자율적으로 운영 ④ 고려의 빈민 구제 기관

19. ① 프랑스의 침략 ③ 청의 침략 ④ 구식 군대의 봉기

20. ① 구본신참의 원칙에 따른 대한제국의 점진적 개혁 ④ 양반 중심의 성리학적 질서 유지를 목적으로 개항과 개화 정책 추진에 반대

21. 독립협회는 열강의 이권 침탈에 대항하여 자주독립을 수호하고 자유 민권을 신장시키기 위해 정치 집회인 만민 공동회를 서울에서 개최하였다.

22. ① 신민회는 국권 회복과 근대 국가 수립을 목표로 안

창호, 양기탁 등이 조직한 항일 비밀 결사로 일본이 조작한 105인 사건으로 해체되었다.

24. ① 일제는 식민 지배에 필요한 재정을 확보하기 위해 토지 조사 사업(1910~1918)을 실시하였다.

25. 한국 광복군은 충칭에 정착한 대한민국 임시 정부가 중국 국민당의 지원을 받아 창설한 부대이다. 한국 광복군은 미얀마 · 인도 전선에서 영국군과 연합 작전을 전개하였고, 미국 전략 정보국의 지원을 받으며 국내 진공 작전을 계획하였다.

4회 예상문제 · 한국사

1. ②	2. ③	3. ④	4. ②	5. ④
6. ①	7. ①	8. ②	9. ③	10. ①
11. ③	12. ③	13. ④	14. ③	15. ①
16. ②	17. ③	18. ②	19. ①	20. ②
21. ③	22. ③	23. ②	24. ②	25. ④

1. ② 구석기 시대의 특징이다.

2. ① 고구려 ② 고려 ④ 조선을 건국하였다.

3. 서옥제는 고구려의 혼인 풍습, 동맹은 고구려의 제천 행사

4. 백제의 성왕은 사비로 천도하고, 국호를 '남부여'로 변경하였다. ① 고구려 ③ 신라 ④ 통일 신라의 왕

5. ② 고구려의 담징은 일본에 종이와 먹의 제조법을 전파하였다.

6. ① 발해는 당의 3성 6부제를 수용하였으나, 명칭과 운영 방식은 독자적이었다.

7. ② 임진왜란 중에 설치한 중앙군으로 포수, 사수, 살수의 삼수병으로 편제 ④ 개항 이후 창설한 신식 군대

9. 거란의 1차 침입 때 서희가 외교 담판으로 강동 6주를 확보하였다.

10. ④ 조선 세종 때 한성을 기준으로 천체 운동을 계산해 편찬한 역법서

11. ① 중앙 귀족이지만 승진에 제한, 골품제 사회 비판 ② 신라 말 중앙 정부의 통제에서 벗어나 지방의 행정권과 군사권을 장악하고 반독립적인 세력으로 성장 ④ 고려 말 공민왕의 개혁 정치에 힘입어 성장, 성리학을 수용하고 권문세족의 비리를 비판

12. ① 고려, 김부식 ② 고려, 일연 ④ 조선 후기, 정약용이 편찬

13. 붕당 정치는 선조 이후 사림이 정국을 주도하면서 이루어진 정치 형태로 현종 때 예송과 숙종 때 환국으로 붕당 간 대립이 격화되었다.

15. ㄷ. 흥선 대원군, ㄹ. 성종의 업적

16. ①, ③, ④는 박지원, 박제가 등의 상공업 중심의 개혁론에 대한 설명이다.

18. ① 갑신정변의 결과 일본에 대한 배상금 지불을 규정 ③ 임오군란의 결과 조선과 일본이 맺은 조약, 일본 공사관에 경비병 주둔 ④ 1907년 고종을 강제 퇴위시킨 후 일본의 강요로 체결, 일본인 차관 임명, 대한 제국의 군대 해산

19. ③ 1926년 순종의 장례일에 맞춰 6 · 10 만세 운동이 전개 ④ 문자 보급 운동은 조선일보사의 주도로 농촌을 계몽하기 위해 1920년대 후반부터 전개

20. 아관파천은 을미사변 이후 고종이 러시아 공사관으로 처소를 옮긴 사건이다.

21. ④ 일본은 미국의 필리핀 지배를 인정하고, 미국은 일본의 한국 지배를 인정

22. 한인 애국단 단원인 윤봉길은 상하이 훙커우 공원에서 진행된 일왕의 생일과 상하이 사변의 승전을 자축하는 기념식 단상에 폭탄을 던지는 의거를 일으켰다.

23. ① 일제는 1904년 대한제국에 국가나 황실이 소유한 황무지의 개간권을 양도하라고 요구하였다. 이에 유생, 전직

관리 등이 보안회를 조직하고 반대 운동을 전개하여 이를 철회시키는 성과를 거두었다.

24. ② 국군과 유엔군은 중국의 개입으로 서울을 다시 빼앗기고 한강 이남으로 후퇴하였다.(1 · 4 후퇴)

5회 예상문제 · 한국사

1. ③	2. ③	3. ②	4. ④	5. ②
6. ①	7. ③	8. ④	9. ①	10. ④
11. ①	12. ②	13. ①	14. ①	15. ①
16. ②	17. ③	18. ③	19. ①	20. ④
21. ④	22. ②	23. ④	24. ②	25. ②

1. 구석기 시대 사람들은 주로 뗀석기를 사용하였다. 주먹도끼는 대표적인 뗀석기로 사냥을 하고 나무 뿌리를 채취하는 데 사용되었다.

3. 책화는 다른 부족의 영역을 침범했을 때에 노비나 소, 말로 배상하게 하였던 동예의 풍습이다.

4. ①, ③ 고구려의 왕, ② 신라의 왕

5. ㄴ. 통일 신라 ㄹ. 고려 후기에 원의 영향을 받은 탑이다.

6. ② 고려 시대에 이자겸의 난을 계기로 문벌 귀족 사회의 동요가 심화되었다. ④ 고구려의 연개소문은 정변을 일으켜 권력을 장악하고 당에 대해 강경한 외교 정책을 폈다.

7. ② 고려, 태조의 정책으로 중앙 고위 관직에 진출한 인물에게 출신 지역의 관직 임명과 치안을 담당하도록 한 제도 ④ 고려, 태조의 정책으로 지방 호족의 자제를 수도에 머물게 하여 출신 지역의 일에 대한 자문에 응하게 한 제도

8. 공민왕은 쌍성총관부를 공격하여 철령 이북의 영토를 회복하였다.

9. ② 통일 신라의 중앙군 ③ 조선 후기의 지방군 ④ 김원봉 등을 중심으로 만주에서 결성된 비밀 결사

10. ① 박은식(민족주의 사학) ② 유득공(실학자) ③ 김부식이 편찬

11. ④ 관리 선발을 위해 유교 경전 이해 수준을 시험하는 제도로, 통일 신라의 원성왕 때 시행되었으나 진골 귀족의 반발로 제 기능을 발휘하지 못하였다.

12. 위화도 회군은 고려 말인 1388년에 요동 정벌에 나섰던 이성계가 압록강의 위화도에서 군사를 돌려 정변을 일으키고 권력을 장악한 사건이다. ④ 조선 세종 때 여진을 정벌하고 압록강과 두만강 일대에 4군과 6진 지역을 개척하였다.

13. ③ 전 · 현직 관리에게 토지의 수조권 지급 ④ 수조권 지급 대상을 현직 관리로 축소, 수신전과 휼양전 폐지

16. 실학을 집대성한 정약용은 토지 개혁론으로 여전론을 주장하였다. 박제가는 상공업 중심의 개혁론을 강조한 북학파 실학자로, 소비를 통한 생산력 증대와 청과의 통상 확대 등을 주장하였다.

17. ④ 유득공은 「발해고」를 저술, 발해를 우리 역사로 다루어 '남북국'이라는 용어를 사용하였다.

18. 프랑스는 병인박해를 구실로 강화도를 침략하였다. 이에 한성근 부대가 문수산성, 양헌수 부대가 정족산성에서 항전하였고, 프랑스군은 철수하면서 강화도의 외규장각 도서와 각종 문화재를 약탈해 갔다.

19. ②, ③ 고려 하층민의 봉기

20. 비밀 결사 형태로 조직된 신민회는 오산 학교, 대성 학교를 설립하는 등 민족 교육을 실시하였고, 남만주 삼원보 지역에 신흥 강습소를 설립하는 등 장기적인 무장 독립 투쟁을 준비하였다.

21. 광주 학생 항일 운동은 1929년에 한 · 일 학생 간의 충돌 사건을 계기로 일어났으며, 전국적인 항일 시위로 확산되었다. ① 형평 운동은 백정이 자신들에 대한 사회적 차별을 폐

지하여 평등한 세상을 만들겠다는 신념으로 전개한 것으로, 조선 형평사가 주도하였다.

22. ① 1931년 한인 애국단 조직, 1940년부터 대한민국 임시 정부 주석을 지냈고, 광복 이후에는 남한만의 단독 정부 수립 움직임에 반대하며 남북협상을 전개하였다. ④ 을사늑약 체결을 주도하고 초대 통감으로 활동한 이토 히로부미를 하얼빈에서 처단

23. ①, ② 민족 말살 통치 ③ 무단 통치 시기의 경제 수탈

25. 1980년 광주의 학생과 시민들은 전두환 등 신군부의 퇴진과 계엄령 철회를 요구하며 시위를 전개하였다.

중학교 졸업자격 검정고시

적중! 모/의/고/사

예상문제

도덕

예상문제 01

1. 다음에서 공통으로 설명하는 것은?

> · 지킴으로써 주변 사람들과 조화로운 삶을 유지함
> · 한 민족이나 사회 집단이 함께 생활해 오면서 사람들 사이에 굳어진 습관적인 규범

① 법 ② 신념 ③ 양심 ④ 예절

2. 다음과 관계 깊은 자아의 구성 요소는?

> 사회 존재로서 내가 할 일과 해서는 안 되는 일이 무엇인지를 알 때 비로소 자아를 아는 것이다.

① 의무 ② 능력 ③ 소망 ④ 취미

3. 다음에서 철수의 말 속에 포함되어 있는 가치는?

> · 영희 : 요즘 어린이를 대상으로 한 성범죄가 많이 발생하고 있어.
> · 철수 : 그래, 큰일이야. 사람이 어떻게 그럴 수가 있어?

① 지적 가치 ② 미적 가치
③ 종교적 가치 ④ 도덕적 가치

4. 다음에서 알 수 있는 이웃 생활의 문제는?

> 밤 늦게 노래를 부르거나 피아노를 치면 이웃에게 불쾌감을 주게 되고, 정도가 지나치면 이웃 간에 다투게 된다.

① 사생활 침해 ② 차별 대우
③ 생명 경시 풍조 ④ 물질 만능주의

5. 학교 폭력을 예방하는 방법으로 옳지 않은 것은?

① 친구를 인격으로 존중한다.
② 친구가 괴롭힘을 당할 때 외면한다.
③ 친구 간의 기본 예의를 지킨다.
④ 친구를 이해하고 배려하도록 노력한다.

6. 통일을 이루기 위한 노력으로 바람직하지 않은 것은?

① 우리 사회 내부의 안정과 발전
② 군비 확장을 통한 군사 대국화 추구
③ 성숙한 시민 의식과 지속적인 경제 성장
④ 남북한 상호 불신감 해소와 이해의 자세

7. 다음 내용에서 설명하는 상부상조의 전통은?

> 일상 생활 속에서 노동력이 부족할 때 이웃의 도움을 받고, 이웃이 필요시에는 일로 써 갚는 1 대 1의 노동 교환 방식이다.

① 계 ② 두레 ③ 향약 ④ 품앗이

8. 국가의 구성 요소 중 다음 내용에서 설명하는 것은?

> 우리 조상들이 생활하고 묻힌 곳이며, 현재는 우리 자신들이 살고 있으며, 훗날 우리 자손들이 살아갈 공간이다.

① 영토 ② 국민 ③ 주권 ④ 연대의식

9. 진정한 행복에 도달한 삶으로 가장 적절한 것은?

① 자신과 공동체에 좋은 것을 추구하는 삶
② 높은 명예를 얻는 삶
③ 물질적으로 풍요로운 삶
④ 감각적 즐거움을 추구하는 삶

예상문제 01

10. 〈보기〉에서 설명하는 개념은?

〈보기〉

문제를 도덕적인 관점에서 바라보고 해결 방법을 마음 속으로 그려보는 능력을 말한다.

① 도덕적 추론　② 도덕적 성찰
③ 도덕적 상상력　④ 도덕적 논쟁

11. 다음에서 설명하고 있는 덕목은?

· 공직자에게 더욱 강조되는 깨끗한 마음
· 하늘을 우러러보고 땅을 굽어보아 한 점도 부끄러움이 없는 마음

① 방종　② 경로　③ 청렴　④ 아량

12. 다음 내용에서 강조하는 삶의 자세는?

· 자기 자신을 깊이 되돌아본다.
· 하루 생활을 돌아보는 일기를 쓴다.

① 반성　② 용기　③ 경쟁　④ 예의

13. 다음 내용에 해당하는 것은?

· 음식점에서 메뉴 선택을 고민하는 민호의 갈등
· 취업과 대학 진학 사이에서 고민하는 영철이의 갈등

① 남녀 간의 갈등　② 세대 간의 갈등
③ 종교 간의 갈등　④ 개인의 내적 갈등

14. 도덕 판단에 대한 사례로 적절한 것은?

① 산이 붉은색 단풍으로 물들었어.
② 붉게 물든 산의 모습이 아름다워.
③ 아름다운 산에 쓰레기 버리는 사람은 나빠.
④ 산 정상에 먹구름이 드리워져 있어.

15. 다음 〈보기〉와 같은 생각을 가진 사람에게 필요한 자세는?

〈보기〉

며칠 전 인도 사람과 같이 식사를 하였습니다. 인도 사람이 손으로 식사를 한다는 것을 알고 있었지만, 막상 식사를 해 보니 매우 비위생적으로 느껴졌습니다.

① 문화 사대주의
② 문화 절대주의
③ 문화 상대주의
④ 자문화 중심주의

16. 인터넷을 이용할 때 지켜야 할 자세로 가장 알맞은 것은?

① 거짓 정보를 자료실에 올린다.
② 불법으로 음악을 내려 받는다.
③ 대화방에서 상대방을 비방한다.
④ 바르고 고운 말로 댓글을 쓴다.

17. 다음에서 설명하는 것은?

① 갈등
② 편견
③ 인권
④ 선입견

예상문제 01

18. 지구적 문제를 해결하기 위한 자세로 옳지 않은 것은?

① 전 지구적인 문제를 결정할 때는 가장 힘센 나라의 의견에 따라야 한다.
② 환경 문제는 지구적 차원에서 해결해야 한다.
③ 세계 여러 나라는 상호 의존적으로 연결되어 있다.
④ 전쟁과 평화의 문제는 한 국가의 노력만으로 해결하기 어렵다.

19. 다음에서 설명하고 있는 이론은?

> 시민사회는 각자 자기의 생존과 이익을 추구하는 개인들이 자신들의 필요에 의해 상호 계약을 맺음으로써 형성된다.

① 부족설 ② 정복설
③ 왕권신수설 ④ 사회계약설

20. 다음 내용과 관련하여 통일 한국이 지향해야 할 바람직한 국가상은?

> 국민이 나라의 참된 주인이 되고, 특정 계급이나 정파가 아닌 국민의 의사에 따라 국가의 모든 정책이 결정되며, 국민을 위한 정치가 이루어지는 국가를 말한다.

① 자주적인 민족 국가 ② 정의로운 복지 국가
③ 자유로운 민주 국가 ④ 수준 높은 문화 국가

21. 다음 내용을 주장한 사상가는?

> · 인간의 본성이 근본적으로 선하다는 성선설(性善說)을 주장했다.
> · 타고난 본성을 깨닫고 연마하여 하늘의 뜻을 알고 섬기는 사람이 성인이 된다고 본다.

① 헤겔 ② 맹자 ③ 순자 ④ 홉스

22. 마음의 평화를 얻는 방법으로 옳은 것은?

① 지나친 욕심을 버리고 절제한다.
② 자신의 부족한 점을 고치려고 하지 않는다.
③ 다른 사람의 실수나 잘못을 지적하고 비난한다.
④ 자신보다 많이 가진 사람과 자신을 항상 비교한다.

23. 환경 친화적 습관의 실천 방법으로 적절하지 <u>않은</u> 것은?

① 대중교통 이용하기
② 녹색 소비 실천하기
③ 사용한 물건 재활용하기
④ 건강한 머릿결을 위해 샴푸 많이 사용하기

24. 다음 사례에 해당하는 폭력의 유형으로 옳은 것은?

· 문화적 소외	· 양성 불평등
· 장애인 취업 차별	

① 개인적 폭력 ② 구조적 폭력
③ 물리적 폭력 ④ 신체적 폭력

25. 이성 친구를 사귀는 자세로 바람직한 것은?

① 상대방에게 자신이 원하는 이성 친구의 모습을 강요한다.
② 이성 교제 외에도 다양한 활동을 경험하고 주변의 친구나 가족과도 사이좋게 지낸다.
③ 이성 교제를 하면서 자신이 가지고 있는 이성에 대한 편견을 고치지 않는다.
④ 자신의 일이나 주변 사람들과의 관계보다 이성 교제를 최우선으로 한다.

예상문제 02

1. 당위에 해당하는 것은?

① TV를 보다가 졸려서 잠이 들었다.
② 날씨가 더워서 아이스크림을 사 먹었다.
③ 기다렸던 영화가 개봉해서 친구와 함께 보러갔다.
④ 몸이 불편한 할머니께 자리를 양보하였다.

2. 다음의 공익 광고 내용과 관련이 있는 것은?

잠시만 돌아봐 주세요!

현관문 열어 주는 시간 8초
전철에서 신문 접는 시간 5초
넘어진 자전거 일으켜 주는 시간 17초
휠체어 탄 사람이 버스 타는 것을 돕는 시간 30초

① 교만 ② 편견 ③ 분쟁 ④ 배려

3. 다음과 가장 관계가 깊은 전통 사상은?

· 생명 존중 사상
· 사랑하고 가엽게 여기는 자비 정신
· 이 세상 모든 만물이 서로 연결되어 있음

① 불교 ② 유교 ③ 도교 ④ 토속 신앙

4. 〈보기〉에서 건강한 가정을 이루기 위한 조건을 모두 고른 것은?

〈보기〉

ㄱ. 가부장의 절대적 권위
ㄴ. 가족 간의 이해와 양보
ㄷ. 가족 간의 예절 준수
ㄹ. 가족 구성원의 높은 지위

① ㄱ, ㄴ ② ㄱ, ㄹ ③ ㄴ, ㄷ ④ ㄷ, ㄹ

5. 참된 봉사 활동의 특성이 <u>아닌</u> 것은?

① 지속적으로 실천하는 계획된 활동이다.
② 적극적이고 자발적으로 참여하는 것이다.
③ 정신적 보람과 물질적 보상이 주어진다.
④ 타인을 배려하는 마음의 외적인 표현이다.

6. 도덕 판단에 해당하는 것은?

① 지구는 둥글다.
② 오늘은 날씨가 좋다.
③ 사람은 부모님께 효도해야 한다.
④ 담배를 피우는 것은 건강에 해로운 행동이다.

7. 다음과 관계 깊은 공통적 가치는?

· 돈　　· 컴퓨터　　· 음식　　· 자동차

① 궁극적 가치　　② 도구적 가치
③ 본래적 가치　　④ 정신적 가치

8. 다음에서 밑줄 친 '<u>이것</u>'이 설명하는 인격의 요소는?

사람은 <u>이것</u>이 있어 기쁨, 슬픔, 사랑, 미움, 분노 등을 느끼고 표현할 줄 안다.

① 소망　　② 의지　　③ 이성　　④ 감정

9. '어릴 때부터 나무로 만든 말을 타고 놀던 오랜 친구'를 이르는 고사 성어는?

① 죽마고우(竹馬故友)
② 관포지교(管鮑之交)
③ 백아절현(伯牙絶絃)
④ 수어지교(水魚之交)

예상문제 02

10. 다음 내용에서 알 수 있는 북한 사회의 특징은?

> · 사회주의 대가정론
> · '하나는 전체를 위하여, 전체는 하나를 위하여'

① 개인주의　② 자본주의
③ 집단주의　④ 실용주의

11. 다음에서 강조하고 있는 생활 태도는?

> · 널리 인간을 이롭게 한다.
> · 인간은 어떠한 상태로 태어나든 가장 소중한 존재이다.

① 준법 정신　② 인간 존중
③ 질서 의식　④ 참여 정신

12. 다음에서 설명하는 나라의 구성 요소는?

> · 나라를 다스리는 최고 권력
> · 나라의 운명을 스스로 결정할 수 있는 힘과 권리

① 주권　② 역사　③ 영토　④ 연대의식

13. 〈보기〉에서 설명하고 있는 소비 생활의 형태는?

〈보기〉

> 자신의 소비가 사회와 환경에 미치는 영향을 고려하는 소비활동으로 대표적인 예로는 공정 무역이 있다.

① 윤리적 소비　② 과시적 소비
③ 모방적 소비　④ 합리적 소비

14. 개인 정보를 보호하기 위한 방법으로 옳은 것을 〈보기〉에서 모두 고른 것은?

〈보기〉

ㄱ. 개인 비밀번호를 자주 바꾸기
ㄴ. 친구 사진을 마음대로 퍼뜨리기
ㄷ. 남의 휴대전화를 몰래 살펴보기
ㄹ. 개인 아이디를 함부로 가르쳐 주지 않기

① ㄱ, ㄴ　　② ㄱ, ㄹ　　③ ㄴ, ㄷ　　④ ㄷ, ㄹ

15. 다른 문화를 이해하고 존중하는 태도로 바른 것은?

① 편견과 차별 없이 어울린다.
② 다른 문화는 무조건 받아들인다.
③ 다른 문화에 이해심을 갖지 않는다.
④ 피부색이 다른 친구를 이상하게 쳐다본다.

16. 밑줄 친 부분에 들어갈 내용으로 가장 적절한 것은?

· 도덕 원리 : ________________
· 사실 판단 : 친구에게 욕을 하는 것은 친구에게 상처를 주는 것이다.
· 도덕 판단 : 친구에게 욕을 하는 것은 옳지 않다.

① 욕을 하는 것은 나쁜 행동이다.
② 상처를 주는 사람은 친구가 아니다.
③ 친구에게 상처를 주는 것은 옳지 않다.
④ 옳지 않은 것은 친구에게 욕을 하는 것이다.

17. 다음에서 설명하는 덕목은?

· 공평한 것, 합법적인 것
· 각자에게 각자의 몫을 주는 것

① 절제　　② 정의　　③ 우애　　④ 평화

예상문제 02

18. 다음에서 설명하는 가상 공간의 특성은?

> 각자의 신분이 드러나지 않기 때문에 자신의 정체를 숨기는 일이 매우 쉽고, 자기 통제력을 유지하기 어려워 무책임하게 행동하기 쉽다.

① 익명성　　② 객관성
③ 다양성　　④ 투명성

19. 다음 중 '역지사지(易地思之)'의 자세에 해당하는 것은?

① 갈등 상황에서 상대방의 입장을 고려한다.
② 자신은 소중하므로 자기중심으로 생각한다.
③ 자신의 만족을 위해 무한한 자유를 추구한다.
④ 자신에게 주어진 의무보다는 권리를 더 앞세운다.

20. 다음에서 설명하는 국가는?

> 빈부 격차를 줄이고, 사회적 약자에 대한 인간다운 삶의 배려로 삶의 질을 향상시키는 국가

① 독재 국가　　② 군주 국가
③ 민족 국가　　④ 복지 국가

21. 다음 설명에 해당하는 도덕 갈등 유형은?

> 양심 병역 거부를 선택한 김○○은(는) 비폭력이라는 자신의 도덕 신념을 중요시하고, 국가는 국민으로서의 의무를 강조하기 때문에 갈등 상황이 발생하게 된다.

① 개인과 개인　　② 개인과 집단
③ 집단과 집단　　④ 개인의 내적 갈등

22. 다음 설명에 해당하는 것은?

> 이것은 정의롭지 않은 사회 제도를 의도적으로 거부하는 시민 저항 운동이다. 간디의 비폭력 저항과 마틴 루서 킹(King, M. L. Jr.)의 흑인 인권 운동이 이에 해당한다.

① 협동 조합 ② 노동 운동
③ 시민 불복종 ④ 난민 구호 활동

23. 다음에서 설명하는 덕목은?

> · 나와 의견이 다른 사람을 인정하고 존중하는 것
> · 남의 잘못을 너그럽게 받아들이거나 용서하는 것

① 관용 ② 자유 ③ 평등 ④ 준법

24. 다음 중 국가의 역할에 해당하지 <u>않는</u> 것은?

① 국민의 생명과 안전을 보호한다.
② 다양한 복지 혜택을 제공한다.
③ 개인과 집단의 갈등을 조정한다.
④ 질서 유지를 위해 국민의 생활을 간섭한다.

25. 폭력의 문제점으로 적절하지 <u>않은</u> 것은?

① 폭력의 악순환을 부른다.
② 인간의 존엄성을 훼손한다.
③ 사회적으로 갈등을 심화한다.
④ 다른 사람을 자신의 목적으로 여긴다.

예상문제 03

1. 다음 내용이 설명하는 것은?

마음 속의 재판관으로 잘못된 행동을 스스로 반성하게 한다.

① 법　② 양심　③ 관습　④ 제도

2. 인간다운 삶을 살기 위한 노력과 거리가 <u>먼</u> 것은?

① 올바른 삶의 목표를 세운다.
② 정신적인 것을 중요하게 여긴다.
③ 서로 돕고 봉사하는 생활을 실천한다.
④ 자기 자신만 알고 혼자만의 이익을 추구한다.

3. 다음 내용과 관련 깊은 규범은?

· 사회 질서를 유지하는 강제 규범 · 지키지 않았을 때에는 처벌을 받는 타율 규범

① 법　② 예절　③ 도덕　④ 관습

4. 사회에서 이웃 간에 발생하는 문제점으로 거리가 <u>먼</u> 것은?

① 사생활 침해
② 이웃 간 무관심
③ 공동체 정신 확산
④ 공동 생활에서의 무질서

5. 본래적 가치에 대한 설명으로 옳은 것은?

① 그 자체로서 귀중하고 목적이 되는 가치이다.
② 다른 어떤 목적을 위한 수단이 되는 가치이다.
③ 주위 사정에 따라 수시로 변화하는 특성이 있다.
④ 일상 생활에서 볼 수 있는 상품 대부분이 해당된다.

6. 다음 설명에 해당하는 우리 민족의 전통은?

> · 힘든 노동을 함께 하는 마을 단위의 공동 노동 조직
> · 노동의 대가를 서로 주고 받음

① 계 ② 두레 ③ 족보 ④ 혼례

7. 부패 행위의 문제점으로 옳지 않은 것은?

① 사회적 낭비를 발생시킨다.
② 사회 경쟁력을 악화시킨다.
③ 사회 구성원 사이의 믿음을 깨뜨린다.
④ 타인의 권리와 이익을 보호한다.

8. 다음에서 설명하는 봉사 활동의 특징은?

> ‘○○ 사단’ 은 양로원, 고아원 등을 찾아가는데, 오늘이 바로 100번째 봉사 활동을 펼치는 날이다. ‘○○ 사단’ 은 앞으로도 계속 봉사 활동을 펼칠 계획이다.

① 타율성 ② 지속성 ③ 대가성 ④ 경제성

9. 자아 정체성을 올바르게 형성한 사람의 특징은?

① 자신의 문제를 스스로 해결한다.
② 주어진 일을 수동적으로 해결한다.
③ 어려운 일이 생기면 쉽게 포기한다.
④ 자신의 이익 중심으로 생각하고 행동한다.

10. 사회적 건강을 가꾸는 방법이 아닌 것은?

① 사회적 불편함에 의연하게 대처한다.
② 타인의 냉대에 낙담하고 괴로워한다.
③ 나의 의견과 남의 의견을 적절히 조화시킨다.
④ 자기를 존중하는 마음을 지닌다.

예상문제 03

11. 자율적인 행동의 예로 적절한 것은?

① 편의점에 감시 카메라가 설치되어 있어서 물건을 훔치지 않았다.
② 약속 시간에 늦으면 벌금을 내기로 했기 때문에 약속 시간 전에 도착하였다.
③ 선생님이 다리를 다친 친구를 도와주라고 하셔서 친구의 가방을 들어 주었다.
④ 갑자기 비가 내리는 것을 보고, 퇴근하시는 어머니가 비를 맞지 않도록 우산을 들고 마중 나갔다.

12. 〈보기〉의 대화와 관련이 있는 도덕원리 검사 방법은?

〈보기〉

갑 : 몸이 불편한 친구를 놀리는 것이 왜 나빠?
을 : 네가 다쳤을 때 친구가 너를 놀리면 네 기분이 어떨까?

① 포섭 검사
② 반증 사례 검사
③ 역할 교환 검사
④ 보편화 결과 검사

13. 다음 내용과 관계 있는 덕목은?

· 자식이 어버이에게 해야 할 마땅한 도리
· '늙을 로(老)' 와 '아들 자(子)' 가 합쳐서 된 글자

① 효도
② 자애
③ 우애
④ 의리

14. 국가가 해야 하는 일로 옳지 <u>않은</u> 것은?

① 국민의 보호
② 집단 간의 갈등 해결
③ 식민지의 확보
④ 사회 보장 제도의 시행

15. 우리가 도덕적이어야 하는 이유로 적절하지 <u>않은</u> 것은?

① 자신의 삶을 돌아볼 수 있기 때문이다.
② 도덕적 행동을 통해서 물질적 이익을 얻을 수 있기 때문이다.
③ 도덕을 통해서 우리가 진정한 행복을 얻을 수 있기 때문이다.
④ 도덕적 삶의 의지는 그 자체로 우리를 사람답게 살아가도록 해주기 때문이다.

16. 다음 글에 나타난 갈등 해결을 위한 자세로 가장 적절한 것은?

> "서로를 치료하기 위해 우리가 할 수 있는 가장 가치 있는 일은 서로의 이야기에 귀를 기울여 주는 일이다."

① 경청　　② 비폭력적 태도
③ 편견과 선입견의 배제　　④ 신뢰성 유지

17. 다음 〈보기〉에서 설명하고 있는 인간의 특징은?

〈보기〉

> 사람은 불리한 신체적 조건을 극복하기 위해 도구를 만들어 사용하였고, 환경에 적응하면서 살아왔다.

① 사회적 존재　　② 윤리적 존재
③ 유희적 존재　　④ 도구적 존재

18. 다음 그림에서 나타나는 갈등의 원인은?

① 문화 차이
② 세대 차이
③ 성격 차이
④ 이해관계 차이

예상문제 03

19. 가상 공간의 특성으로 옳지 않은 것은?

① 전 세계에서 벌어지고 있는 일들을 동시에 알 수 있다.
② 다른 나라 사람들과 실시간으로 의견을 주고받을 수 있다.
③ 현실 공간에 비해 자신의 의견을 자유롭게 표현하는 데 한계가 있다.
④ 나이나 성별, 직업, 인종 등과 관계없이 다양한 사람들이 참여할 수 있다.

20. 〈보기〉에서 설명하고 있는 인권의 특징은?

〈보기〉
태어날 때부터 지니고 있는 권리

① 천부성　② 사회성
③ 항구성　④ 불가침성

21. 좋은 습관이 필요한 이유로 적절하지 않은 것은?

① 습관은 한번 굳어지면 고치기 어렵기 때문
② 훌륭한 성품을 갖추는 데 도움이 되기 때문
③ 습관이란 언제나 긍정적인 영향만을 주기 때문
④ 우리가 의식하지 못한 순간에도 우리에게 영향을 주기 때문

22. 〈보기〉에서 가치 갈등의 해결을 위해 가져야 할 바람직한 태도를 모두 고른 것은?

〈보기〉
ㄱ. 관용　ㄴ. 편견
ㄷ. 역지사지　ㄹ. 흑백논리

① ㄱ, ㄴ　② ㄱ, ㄷ
③ ㄴ, ㄹ　④ ㄷ, ㄹ

23. 삶의 유한성을 극복하는 태도로 바람직하지 않은 것은?

① 자신의 삶을 되돌아보며 겸허한 자세를 갖는다.
② 삶의 소중함을 깨닫고 의미 있는 삶을 살고자 한다.
③ 삶에 대한 의욕을 상실하고 목적 없는 삶을 산다.
④ 타인을 가엽게 여기고, 인간에 대한 사랑을 소중히 여긴다.

24. 다음 중 오늘날 지구 공동체가 겪는 문제로 볼 수 없는 것은?

① 지구 환경 파괴
② 기아와 빈곤 문제
③ 전쟁과 테러의 위협
④ 정보통신의 발달

25. 〈보기〉에서 설명하고 있는 자연관은?

〈보기〉

자연은 그 자체로서 소중한 가치를 지니고 있고 인간도 자연의 일부라고 생각한다.

① 자연 정복주의
② 인간 중심주의
③ 생태 중심주의
④ 자연 기계주의

예상문제 04

1. 다음 내용과 관계 깊은 자아 구성 요소는?

> · 내가 원하는 것
> · 내가 하고 싶은 것

① 소망　　② 능력　　③ 의무　　④ 지식

2. 다음 중 바람직한 토론의 자세는?

① 자신의 의견만 고집한다.
② 다른 사람의 의견을 존중한다.
③ 발언 시간이나 순서에 상관없이 발표한다.
④ 주제에 벗어난 발언으로 논점을 흐리게 한다.

3. 다음 고사성어와 관계 있는 것은?

> · 관포지교(管鮑之交)
> · 죽마고우(竹馬故友)

① 효도　　② 우정　　③ 절제　　④ 자애

4. 다음 내용에서 공통으로 강조하는 삶의 자세는?

> · 나날이 새롭고 또 날로 새롭다.[日日新 又日新]
> · 잘못된 줄 알면서도 고치지 않으면 그것이 진정한 잘못이다.[過而不改 是爲過也]

① 개성있는 삶　　② 소극적인 삶
③ 반성하는 삶　　④ 합리적인 삶

5. 사실 판단에 해당하는 것은?

① 사람은 정직해야 한다.
② 공직자는 청렴해야 한다.
③ 지구는 태양 주위를 돈다.
④ 친구를 괴롭히는 것은 나쁘다.

6. 다음 내용이 의미하는 것은?

> · 자신에 대한 통합적이고 총체적인 개념이다.
> · 다른 사람과 구분되는 자신의 독특한 모습을 인식하는 것이다.

① 재사회화 ② 역할 갈등
③ 자아 정체성 ④ 사회 상호 작용

7. 두 상황에서 공통으로 필요한 덕목은?

① 방종
② 교만
③ 편견
④ 절제

8. 행복의 종류가 <u>다른</u> 것은?

① 맛있는 음식을 먹어서 행복하다.
② 평소에 사고 싶었던 옷을 사서 행복하다.
③ 어려운 사람에게 도움을 주어서 행복하다.
④ 원하는 시간에 실컷 낮잠을 자서 행복하다.

9. 사회적 약자를 배려하기 위한 노력으로 적절한 것은?

① 희생을 강요한다.
② 차별 금지법을 제정한다.
③ 인간답게 살아갈 권리를 빼앗는다.
④ 두려움을 주고 인간의 존엄성을 빼앗는다.

예상문제 04

10. 바람직한 통일을 위한 노력으로 적절하지 않은 것은?

① 주변국과 긴밀하게 노력한다.
② 남북 간의 화해와 평화 정착에 힘쓴다.
③ 무력에 의한 폭력적인 방법을 사용한다.
④ 국민의 이해와 합의의 과정을 이끌어낸다.

11. 다음 중 욕구에 대한 설명으로 옳은 것은?

① 용돈을 많이 받고 싶다.
② 부정행위를 해서는 안 된다.
③ 학교 규칙을 잘 지켜야 한다.
④ 거짓말을 해서는 안 된다.

12. 〈보기〉에서 설명하는 자연에 대한 관점은?

〈보기〉

· 자연을 도구적 수단으로 보는 관점
· 인간을 다른 생태계의 구성요소보다 우월한 존재로 보고, 인간의 필요와 이익에 따라 자연을 사용할 수 있다고 봄

① 생태 중심주의　　② 생명 중심주의
③ 자연 중심주의　　④ 인간 중심주의

13. 다음에 해당하는 공동체 이념은?

· 널리 인간을 이롭게 한다.
· 도덕 공동체의 정신적인 토대가 되는 이념이다.

① 호연지기　　② 무위자연
③ 역지사지　　④ 홍익인간

14. 시민 불복종의 정당화 조건에 대한 설명으로 옳지 않은 것은?

① 비폭력이어야 한다.
② 최후의 수단이어야 한다.
③ 행위 목적이 정당해야 한다.
④ 자신에게 불리한 정책에 무조건 저항해야 한다.

15. 도덕적 상상력을 발휘하기 위한 조건에 해당하는 것만을 〈보기〉에서 모두 고른 것은?

〈보기〉

ㄱ. 공감　　ㄴ. 도덕적 민감성
ㄷ. 충동적 감정 표현

① ㄱ, ㄴ　② ㄱ, ㄷ　③ ㄴ, ㄷ　④ ㄱ, ㄴ, ㄷ

16. 다음 그림을 보고 알 수 있는 문화의 특성은?

▲ 문화에 따른 인사 방법

① 다양성
② 변동성
③ 보편성
④ 절대성

17. (가), (나)에 해당하는 갈등 해결의 유형을 모두 바르게 나타낸 것은?

(가) 친구와 말다툼을 하고 나서 불편해지자 마주칠 때마다 피해 다닌 경우
(나) 친구와 의견이 서로 다를 때, 내 의견을 말하면 친구가 기분이 나쁠까 봐 하자는 대로 한 경우

	(가)	(나)		(가)	(나)
①	공격형	순응형	②	공격형	회피형
③	공격형	협동형	④	회피형	순응형

07 도덕

예상문제 04

18. 〈보기〉에서 설명하는 사이버 공간의 문제점은?

〈보기〉

사이버 공간에서 가장 광범위하게 나타나는 범죄로서 다른 사람이 애써 만든 글이나 그림, 영상 작품, 소프트웨어 등을 그대로 가져와 사용하거나 다른 사람에게 퍼뜨리는 것 등이 여기에 해당한다.

① 명예 훼손 ② 저작권 침해
③ 해킹 ④ 사이버 폭력

19. 인류가 공통적으로 추구해야 할 가치와 거리가 먼 것은?

① 평화 애호 ② 정의 실현
③ 대결 추구 ④ 인권 존중

20. 바람직한 국가가 추구해야 할 가치로서 권리, 의무 등이 차별없이 고르고 한결같음을 의미하는 것은?

① 평등 ② 자유 ③ 인권 ④ 복지

21. 의미 있는 삶을 사는 데 필요한 자세로 볼 수 없는 것은?

① 하루하루를 성실하게 살아가는 자세
② 고통이나 시련을 피하려고 노력하는 자세
③ 다른 사람을 존중하고 배려하는 자세
④ 주변의 이웃에 관심을 가지고 봉사하는 자세

22. 양성평등을 실현하기 위한 노력에 해당하는 것을 〈보기〉에서 모두 고른 것은?

〈보기〉

ㄱ. 성 차이 인정
ㄴ. 상호 인격 존중
ㄷ. 출산 휴가 제한
ㄹ. 성 역할에 대한 고정관념에 집착

① ㄱ, ㄴ ② ㄱ, ㄹ ③ ㄴ, ㄷ ④ ㄷ, ㄹ

23. 다음과 같은 문화 이해의 태도는?

자기 문화가 다른 문화보다 우월하다고 믿고 자기 문화의 기준에 따라 다른 문화를 평가한다.

① 문화 상대주의
② 문화 사대주의
③ 자문화 중심주의
④ 극단적 문화 상대주의

24. 다음 사례에서 나타난 갈등의 유형은?

우리나라에서는 유교 전통에 따라 웃어른에 대한 존경심을 중시하는 어른들과, 개인의 자유와 권리에 대한 가치를 중시하는 젊은 사람들 사이에 갈등이 나타나고 있다.

① 노사 갈등
② 세대 갈등
③ 빈부 갈등
④ 지역 갈등

25. ㉠에 들어갈 내용으로 가장 적절한 것은?

(㉠)은/는 앞으로 다가올 인생에서 뜻하는 일이 잘 이루어질 것이라는 긍정적인 생각과 낙관적인 태도를 의미한다.

① 사랑 ② 욕구 ③ 당위 ④ 희망

예상문제 05

1. 〈보기〉에서 설명하는 규범은?

〈보기〉

· 사람이라면 마땅히 해야 할 도리
· 양심에 의해 스스로 옳고 그름을 판단

① 도덕 ② 예절 ③ 법 ④ 종교

2. 다음 ㉠에 들어갈 용어로 적절한 것은?

(㉠)은/는 미래 세대에게 필요한 환경을 훼손하지 않는 범위 내에서 현재 세대의 욕구를 충족하는 수준의 개발을 의미한다.

① 대량 소비 ② 사막화 현상
③ 지속 가능한 발전 ④ 지구 온난화 현상

3. 〈보기〉에서 설명하는 본성론은?

〈보기〉

사람은 태어나면서부터 이익을 좋아하고, 이러한 본성을 따르기 때문에 다툼이 일어난다.

① 성선설 ② 성악설
③ 성무선악설 ④ 백지설

4. 북한 이탈 주민을 돕기 위한 노력으로 적절하지 <u>않은</u> 것은?

① 사회 편견과 차별을 바로잡는다.
② 교육과 직업 훈련 등의 제도 지원을 한다.
③ 주거 안정을 위한 정착 지원을 제공한다.
④ 사회에 적응시키기보다는 먼저 취업을 시킨다.

5. (가)에 들어갈 질문지의 제목으로 적절한 것은?

나의 (가)	잘함 (3점)	보통 (2점)	부족 (1점)
1. 일회용품의 사용을 줄이려고 노력합니까?	V		
2. 샴푸와 세제의 사용을 줄이려고 노력합니까?	V		
3. 쓰레기를 분류하여 배출하고 있습니까?	V		

① 건강지수
② 하루 독서량
③ 친환경적 태도
④ 인터넷 중독지수

6. 다음을 통해 알 수 있는 고통의 의의로 적절한 것은?

· 고통은 잠시요, 즐거움은 영원하다. - 실러(Schiller, J.) -
· 아, 이런 세상에서 두려워 말라, 그러면 곧 알게 되리라. 고통을 겪은 다음 강해지는 것이 얼마나 장엄한가를. - 롱펠로(Longfellow, H.) -

① 누구나 고통을 피하고 싶어한다.
② 고통은 인간에게 불필요한 것이다.
③ 육체적 고통이 정신적 고통보다 힘들다.
④ 고통 극복 과정을 통해 인격이 성숙해질 수 있다.

7. 다음의 국가 기원설을 주장한 사상가는?

· 인간은 본성적으로 사회 · 정치적 존재이므로 국가의 발생도 자연스러운 것이다.
· 국가는 시민 유대감과 행복한 삶을 위해 존재하는 것이다.

① 칸트
② 니체
③ 마르크스
④ 아리스토텔레스

예상문제 05

8. 바람직한 소비 생활의 자세로 적절하지 <u>않은</u> 것은?

① 충동구매를 하지 않는다.
② 계획을 세워 소비하고 지출한다.
③ 자신의 경제 수준을 고려하여 지출한다.
④ 자기 과시를 위해 불필요한 물건을 구입한다.

9. 다음에서 설명하는 인간의 특성으로 가장 적절한 것은?

> 인간은 자연적으로 집단을 이루고 산다. 즉 인간은 원래 홀로 살지 못하고 사람들과 집단을 이루어 살도록 되어 있다. 이 집단이 궁극적으로 국가를 형성하게 된다.

① 이성적 존재 ② 사회적 존재
③ 도구적 존재 ④ 윤리적 존재

10. 북한 주민의 생활에 대한 설명으로 알맞은 것은?

① 집단주의 생활 방식을 기반으로 하고 있다.
② 언론과 출판의 자유가 실제로 보장되고 있다.
③ 컴퓨터와 외국어 교육을 받지 못하고 있다.
④ 자본주의의 전면적인 도입으로 생활수준이 향상되고 있다.

11. 다음에서 설명하는 정신적 가치는?

> · 이론과 학문을 추구하는 가치
> · 과학 기술의 발달을 통해 인류 발전에 기여

① 진(眞) ② 선(善) ③ 미(美) ④ 성(聖)

12. 다음 문장을 도덕적 추론 형식으로 나타낼 때, ㉠에 해당하는 것으로 옳은 것은?

> · 도덕 원리 : ______㉠______
> · 사실 판단 : 꽃을 함부로 꺾는 것은 자연을 훼손하는 행동이다.
> · 도덕 판단 : 꽃을 함부로 꺾는 것은 안 된다.

① 꽃을 함부로 꺾으면 공공질서가 파괴된다.
② 자연을 훼손하는 행동을 해서는 안 된다.
③ 자연을 훼손하면 사람에게 피해가 돌아온다.
④ 꽃 한 송이 꺾는 것과 자연 훼손은 별개의 문제이다.

13. 도덕적 신념으로 올바른 것은?

① 모든 사람이 나를 좋아해야 한다.
② 자신이 좋아하는 일을 해야 한다.
③ 맡은 일에 책임감을 가지고 수행해야 한다.
④ 성격이 비슷한 사람과 결혼을 해야 한다.

14. 행복한 삶의 모습으로 적절하지 않은 것은?

① 자신의 잠재력을 실현하는 삶
② 지속적인 만족을 추구하는 삶
③ 자신이 원하는 목표가 있는 삶
④ 개인의 이익을 위해 사회를 희생하는 삶

15. 좋은 습관을 기르기 위한 방법으로 적절하지 않은 것은?

① 자신의 결심을 주변 사람들에게 알린다.
② 자신의 목표를 잘 보이는 곳에 적어 둔다.
③ 행복한 삶을 산 사람들의 습관을 찾아본다.
④ 원래 지닌 좋지 않은 습관을 계속 유지하도록 노력한다.

예상문제 05

16. 다음에서 설명하는 인권의 특성은?

> 인권은 인종, 성별, 종교, 사회 신분과 관계없이 모든 인간이 누려야 하는 권리이다.

① 보편성　② 차등성　③ 강제성　④ 폐쇄성

17. 참된 아름다움을 실천하는 모습은?

① 이유 없이 남을 욕한다.
② 내 이익을 앞세워 행동한다.
③ 예의 바르고 친절한 자세를 갖춘다.
④ 어려움에 처한 사람을 못 본 척한다.

18. 이웃 생활에서 발생하는 도덕 문제를 해결하기 위한 자세로 옳지 <u>않은</u> 것은?

① 이웃에 대한 관심을 가져야 한다.
② 어려운 이웃에게 도움의 손길을 펼친다.
③ 이웃 간의 문제에서 자신의 이익을 우선한다.
④ 자발적으로 참여하는 공동체 정신을 발휘한다.

19. 다음 설명에 해당하는 국가관은?

> 국가의 간섭 없이도 '보이지 않는 손'이 국가 공동체의 이익을 증진시키기 때문에 국가는 국방이나 치안, 사유 재산의 보호 등과 같은 최소한의 역할만을 수행해야 한다.

① 공산 국가　② 독재 국가
③ 복지 국가　④ 소극적 국가

20. 다음 글에서 설명하는 평화적 갈등 해결의 방법으로 적절한 것은?

> 다른 사람의 개입 없이 갈등의 당사자끼리 직접 대화해 갈등을 해결하는 방법으로, 서로 양보하고 타협해 의견이나 이해관계를 맞추어 나갈 수 있다.

① 조정　② 중재　③ 협상　④ 회피

21. 과학 기술 발달의 혜택이라고 보기 <u>어려운</u> 것은?

① 먼 거리를 쉽게 이동할 수 있다.
② CCTV 설치로 인해 사생활 침해가 증가한다.
③ 의식주 문제를 개선하고 힘든 일도 편리하게 처리할 수 있다.
④ 전 세계의 정보를 쉽게 찾을 수 있다.

22. 정서적 건강과 사회적 건강을 가꾸기 위한 방법으로 적절하지 <u>않은</u> 것은?

① 긍정적인 마음가짐을 갖추어야 한다.
② 자신의 욕구를 최대한 만족시키려 노력해야 한다.
③ 자신의 정서를 바르게 이해할 수 있어야 한다.
④ 다른 사람의 정서를 이해하고 존중해야 한다.

23. 도덕 갈등 상황으로 볼 수 <u>없는</u> 것은?

① 친구와의 약속을 지킬 것인가?
② 어머니를 속이고 PC방에 갈 것인가?
③ 햄버거와 팥빙수 중에 무엇을 먹을 것인가?
④ 버스에서 할머니께 자리를 양보할 것인가?

24. 다음 내용의 밑줄 친 부분에 해당하는 개념으로 가장 적절한 것은?

> 통일 한국을 달성하려고 하는 이유 중의 하나는, 그것이 바로 <u>민족 구성원들의 삶의 질을 풍요롭게 만들 수 있는 길</u>이라고 여겨지기 때문이다.

① 복지　　② 민주　　③ 자주　　④ 평화

25. 폭력 상황에 대처하는 방법으로 가장 적절한 것은?

① 주변 사람에게 알려 도움을 받는다.
② 폭력 상황이 더 악화되지 않게 그대로 내버려 둔다.
③ 폭력에 대해 너그러운 사회 분위기를 조성한다.
④ 폭력 상황을 목격하더라도 고자질하지 않도록 신고하지 않는다.

중학교 졸업자격 검정고시

적중! 모/의/고/사 예상문제

도덕

정답 및 해설

1회 예상문제 · 도덕

1. ④	2. ①	3. ④	4. ①	5. ②
6. ②	7. ④	8. ①	9. ①	10. ③
11. ③	12. ①	13. ④	14. ③	15. ③
16. ④	17. ③	18. ①	19. ④	20. ③
21. ②	22. ①	23. ④	24. ②	25. ②

1. 예절은 원만한 인간관계 유지를 위해 필요한 규범이다. 다른 사람을 존중하고 배려하는 정신인 도덕이 바탕이 된다.

2. ① 의무는 자신이 해야 하는 것을 아는 것, ② 능력은 자신이 할 수 있는 것, ③ 소망은 자신이 하고 싶은 것이다.

3. ① 지적 가치는 학문과 진리를 추구하는 것, ② 미적 가치는 아름다움을 추구하는 것, ③ 종교적 가치는 성스러움을 추구하는 것이다.

5. ② 학교 폭력을 외면하지 말고 해결하기 위해 노력해야한다.

6. ② 통일은 무력적인 방법보다는 평화로운 교류와 협력으로 이루어져야 한다.

7. ① 계는 친목과 이익을 도모하는 모임, ② 두레는 마을 단위의 노동과 놀이 조직, ③ 향약은 향촌 자치규약이다.

8. ② 국민은 국가의 구성원, ③ 주권은 나라 최고의 권력, ④ 연대의식은 국가의 주관적 요소이다.

9. 진정한 행복은 지속적인 것을 추구하고 참된 자아를 실현하는 것이며, 도덕적인 삶을 추구하는 것이다.

10. 도덕적 상상력은 도덕적 문제 상황에서 자신의 행동이 나와 다른 사람에게 어떤 영향을 미칠지 상상해 볼 수 있는 능력이다.

11. 청렴은 뜻과 행동이 맑고 염치를 알아 탐욕을 부리지 않는 상태를 말한다.

13. 개인의 내적 갈등을 말한다. 내적 갈등은 개인 내부 안에서 일어나는 심리적 갈등이다.

14. ① '산이 붉은색 단풍으로 물들었어', ④ '산 정상에 먹구름이 드리워져 있어.' 는 사실판단, ② '붉게 물든 산의 모습이 아름다워.' 는 가치판단이다.

15. 〈보기〉의 생각은 특정 문화를 부정하는 입장이다. 〈보기〉와 같은 생각을 가진 사람에게 필요한 자세는 문화 상대주의이다. 문화 상대주의는 다른 문화를 존중할 수 있고, 문화 다양성을 인정하는 태도이다.

18. ① 전 지구적인 문제를 해결하기 위해서는 선진국 중심이 아닌 국제적 협력이 필요하다.

20. ① 자주적인 민족 국가는 정치 · 군사, 경제 · 문화적 측면에서 스스로의 목소리를 낼 수 있도록 국력이 신장된 국가이다. ② 정의로운 복지 국가는 경제적 격차로 인한 불평등을 완화하고 구성원 모두가 인간답게 살 수 있는 국가이다. ④ 수준 높은 문화 국가는 전통문화를 바탕으로 세계의 문화를 창조적으로 수용하고, 우리의 다양한 문화를 세계화시킬 수 있는 국가이다.

21. ② 성선설을 주장한 사상가는 맹자이다. ③ 순자는 성악설을 주장했다.

22. 마음의 평화를 얻기 위해서는 지나친 욕심을 버리고 절제하는 자세, 자신의 모습을 있는 그대로 바라보고 긍정하는 자세, 다른 사람의 실수나 잘못을 용서하는 자세가 필요하다.

24. ② 구조적 폭력은 주위 환경이나 사회 구조 때문에 간접적으로 발생하는 폭력이다.

25. 이성 친구를 대할 때에도 사람 사이에 필요한 기본적인 예절을 지켜야 한다. 또한, 이성 친구와 시간을 보내느라 다른 활동이나 가까운 친구와 가족에게 소홀히 하면 안 된다. 이성 교제를 할 때에는 서로의 고민을 나누고 함께 공부하는 과정에서 상대방을 이해하고 부족한 점을 보완해 나가야 한다.

2회 예상문제 · 도덕

1. ④	2. ④	3. ①	4. ③	5. ③
6. ③	7. ②	8. ④	9. ①	10. ③
11. ②	12. ①	13. ①	14. ②	15. ①
16. ③	17. ②	18. ①	19. ①	20. ④
21. ②	22. ③	23. ①	24. ④	25. ④

1. 당위란 우리가 마땅히 해야 하거나 하지 말아야 할 것을 의미한다. ①, ②, ③은 욕구에 해당한다.

2. 배려란 이웃의 입장을 먼저 생각하며 그 사람의 어려움을 도와주고 보살펴 주려는 마음을 말한다.

3. 생명 존중 사상과 자비는 불교에서 강조하는 내용이다.

4. 건강한 가정을 이루기 위해서는 각자의 역할과 책임에 충실하고, 가족 구성원들과 함께하는 시간을 가지며, 가족 구성원들끼리 충분한 의사소통하기 등이 필요하다.

5. 봉사의 특징은 이타성, 자발성, 지속성, 무대가성이 있다.

6. ① '지구는 둥글다.', ④ '담배를 피우는 것은 건강에 해로운 행동이다.'는 사실 판단, ② '오늘은 날씨가 좋다.'는 가치 판단이다.

7. 돈, 컴퓨터, 음식, 자동차는 도구적 가치이다. 도구적 가치는 다른 무엇을 위한 수단으로서 지니는 가치이다.

10. 집단주의는 개개인보다 사회와 집단을 더 우선하게 생각하는 것이다.

11. 인간 존중이란 인간이기 때문에 지니는 절대적 가치로, 모든 인간은 인간이라는 이유만으로 존엄하게 대우받아야 함을 의미한다.

12. ③ 영토는 국가의 구성요소, ④ 연대의식은 국가의 주관적 요소이다.

13. ④ 합리적 소비는 적은 비용으로 최대한의 만족을 추구하는 소비활동이다.

15. 다른 문화를 올바르게 이해하기 위해서는 다른 문화에 대한 편견과 선입견을 없애야 한다.

16. 도덕 원리 : 친구에게 상처를 주는 것은(A) 옳지 않다.(B) → 사실 판단 : 친구에게 욕을 하는 것은(C) 친구에게 상처를 주는 것이다.(A) → 도덕 판단 : 친구에게 욕을 하는 것은(C) 옳지 않다.(B)

18. 가상공간의 특징인 익명성은 자기 신분이 드러나지 않음을 말한다.

19. 역지사지는 상대방의 입장을 고려하는 자세로 갈등을 해결하기 위한 자세이다.

20. 복지 국가는 경제적 격차로 인한 불평등을 완화하고 구성원 모두가 인간답게 살 수 있는 국가이다.

21. 양심적 병역 거부를 하는 김OO(개인)와 국민으로서의 의무를 강조하는 국가(집단) 간의 갈등을 말한다.

22. 시민 불복종이란 기본권을 침해하는 국가의 권력 행사를 합법적인 방법으로 막을 수 없을 때 국민이 가지는 불복종의 권리이다.

24. ④ 사회 질서를 유지하고 국민의 안전한 생활을 보장해야 한다.

25. 폭력은 다른 사람을 자신의 목적을 달성하기 위한 수단으로 여기는 행위로, 한 인간이 안전하고 평화롭게 살아갈 권리를 빼앗고 인간의 기본적인 생존마저 위협한다.

3회 예상문제 · 도덕

1. ②	2. ④	3. ①	4. ③	5. ①
6. ②	7. ④	8. ②	9. ①	10. ②
11. ④	12. ③	13. ①	14. ③	15. ②
16. ①	17. ④	18. ④	19. ③	20. ①
21. ③	22. ②	23. ③	24. ④	25. ③

1. 양심은 우리가 잘못된 행동을 거부하고, 도덕적인 행동을

하도록 안내해 주며, 우리가 사람답게 살 수 있는 원동력이 된다.

2. ④ 인간다운 삶이란 자기 혼자만의 이익을 추구하는 것이 아니라 더불어 사는 삶이다.

4. ③ 이웃 간의 문제는 이웃 간의 무관심과 개인주의로 인해 발생한다.

5. ② 도구적 가치, ④ 물질적 가치에 대한 설명이다.

6. ① 계는 친목과 이익을 도모하는 모임이다.

7. ④ 부패로 인해 타인의 권리와 이익을 침해한다.

8. '계속 봉사활동을 펼칠 계획이다.' 라고 하는 것은 지속성에 해당한다.

9. 자아 정체성이란 자신이 다른 사람과 구별되는 고유한 존재임을 깨닫게 되는 것이다.

10. 사회적 건강을 위해서는 원만한 의사소통을 위해 노력하고, 다른 사람에 대한 이해와 공감을 바탕으로 서로 배려한다. 또한 어려운 사람을 위해 마음과 물질을 나누고 베풀며, 다른 사람의 잘못을 너그럽게 용서한다.

11. 자율이란 외부 요인이 아니라 자기 스스로의 원칙에 따라 어떤 일을 하는 것이다.

12. ③ 역할 교환 검사는 상대방의 처지에서 도덕 원리를 수용할 수 있는지 생각해 보는 방법이다. ④ 보편화 결과 검사는 모든 사람이 같은 도덕 원리를 채택하였을 때 발생할 수 있는 결과를 수용할 수 있는지 생각해 보는 방법이다.

14. 국가는 국민을 보호하고, 사회 질서를 유지하고 국민의 안전한 생활을 보장한다. 국민들 간의 갈등을 조정하고, 서로 협력하도록 하며, 모든 국민이 최소한의 인간다운 삶을 살 수 있도록 노력한다.

15. 도덕적인 삶이 진정한 행복의 조건이다.

18. 재건축을 둘러싸고 찬성편과 반대편이 갈등하는 이유는 서로 이해관계가 다르기 때문이다. 재건축을 찬성하는 편은 주거 환경 개선을, 재건축을 반대하는 편은 일조권 보장을 근거로 들며 주장을 내세우고 있다.

19. ③ 가상 공간은 현실 공간에 비해 자신의 의견을 자유롭게 표현할 수 있다.

20. ③ 항구성은 영원히 보장되는 권리, ④ 불가침은 인권을 타인에게 빼앗기지 않을 권리이다.

21. 습관은 우리에게 긍정적 · 부정적 영향을 미치고, 한번 굳어지면 고치기 어렵다. 또한 우리가 하는 행동을 결정지을 수 있다.

22. ㄴ. 편견, ㄹ. 흑백논리는 가치 갈등의 원인이다.

24. 지구 공동체가 겪는 문제로는 경제 및 사회 정의의 훼손, 지구 환경 파괴, 문화 다양성의 훼손, 평화의 위협 등이 있다.

25. ③ 생태 중심주의는 인간도 자연의 일부로서 자연과 조화로운 삶을 강조하는 관점이다.

4회 예상문제 · 도덕

1. ①	2. ②	3. ②	4. ③	5. ③
6. ③	7. ④	8. ③	9. ②	10. ③
11. ①	12. ④	13. ④	14. ④	15. ①
16. ①	17. ④	18. ②	19. ③	20. ①
21. ②	22. ①	23. ③	24. ②	25. ④

1. ① 소망은 자신이 하고 싶은 것이다, ② 능력은 자신이 할 수 있는 것, ③ 의무는 자신이 해야 하는 것을 아는 것이다.

3. 관포지교(管鮑之交), 죽마고우(竹馬故友)는 친구 간의 우정과 관련된 고사성어이다.

5. ① '사람은 정직해야 한다.', ② '공직자는 청렴해야 한

다.', ④ '친구를 괴롭히는 것은 나쁘다.'는 도덕 판단이다.

6. 자아 정체성은 자신의 목표, 성격, 이상, 역할, 가치관 등이 통합된 모습으로, 자신이 다른 사람과 구별되는 고유한 존재임을 깨닫게 된다.

7. 〈보기〉의 그림은 자신의 욕망을 절제하는 것이 필요한 자세에 대한 것이다.

8. ①, ②, ④는 물질적 가치를 통해 행복을 추구하는 것이다.

9. 사회적 약자를 배려하기 위해서는 개인적으로는 역지사지, 공감과 배려의 자세가 필요하고, 사회적으로는 사회적 약자를 배려하는 제도나 정책을 마련한다.

10. ③ 통일은 무력적인 방법이 아니라 평화적인 방법으로 이루어져야 한다.

11. 욕구란 무엇을 얻거나 무슨 일을 하고 싶어 하는 것이다. ②, ③, ④는 당위에 대한 것이다.

12. 인간 중심주의는 인간을 자연보다 우월한 존재로 보고, 인간의 편리한 삶을 위해 자연을 이용하고 개발할 수 있다고 보는 관점이다.

14. 시민 불복종의 정당화 조건은 목적의 정당성, 비폭력성, 최후의 수단, 책임성이 있다.

15. 도덕적 상상력은 도덕적 문제 상황에서 자신의 행동이 나와 다른 사람에게 어떤 영향을 미칠지 상상해 볼 수 있는 능력이다.

16. 〈보기〉의 그림은 지역마다 다른 인사 예절에 대한 것으로, 문화의 다양성에 대한 설명이다.

17. (가)는 회피형, (나)는 순응형이다. 회피형은 문제가 없는 것처럼 갈등 자체를 무시해 버리거나 상황을 외면하고 갈등 해결을 미루는 유형이고, 순응형은 상대방의 요구나 입장을 그대로 받아들이고 따르며 문제를 해결하는 유형이다. 공격형은 자신과 다른 의견을 인정하지 않으며 상대방을 존중하지 않고, 힘이나 폭력, 강압적인 방법을 사용하여 문제를 해결하려는 유형이다. 협동형은 상대방의 입장이나 의견을 무시하지 않으며, 대화를 함으로써 서로 양보하고 의논하여 합의된 결론에 도달하려고 노력하는 유형이다.

20. ② 자유는 다른 사람에게 피해를 주지 않는 범위에서 자유롭게 생각하고 행동하는 것이다. ③ 인권은 인간으로서 당연히 누려야 하는 인간의 기본적 권리를 인정해야 하는 것이다. ④ 복지는 최소한의 인간다운 삶을 보장하는 것이다.

21. ② 의미 있는 삶을 위해서는 고통이나 시련을 극복하려고 노력하는 자세가 필요하다.

22. 양성 평등이란 남성과 여성을 대등하게 대우하는 것이다.

23. ① 문화 상대주의는 그 문화가 생기게 된 배경이나 원인을 그 사회의 관점에서 이해하려는 태도이다. ② 문화 사대주의는 자신의 문화를 낮게 평가하고, 다른 문화를 우수한 것으로 여겨 그것을 동경하는 태도이다.

5회 예상문제 · 도덕

1. ①	2. ③	3. ②	4. ④	5. ③
6. ④	7. ④	8. ④	9. ②	10. ①
11. ①	12. ②	13. ③	14. ④	15. ④
16. ①	17. ③	18. ③	19. ④	20. ③
21. ②	22. ②	23. ③	24. ①	25. ①

1. 도덕은 사람이라면 마땅히 따라야 할 도리로서, 모든 사람에게 보편적으로 적용되는 자율적 규범이다.

2. 지속 가능한 발전을 위해 환경 친화적 삶의 방식을 실천해야 한다.

3. ① 성선설은 사람의 본성이 본래 선하다는 입장이고, ③ 성무선악설은 사람의 본성이 선하거나 악한 것으로 정해져 있지 않다고 보는 입장이다.

4. 북한 이탈 주민을 돕기 위해서는 서로 배려하고 수용하는 자세를 지녀야 하고, 서로 만나고 교류할 수 있는 소통의 장

을 많이 마련해야 한다. 또한 법과 제도를 시대에 맞게 보완하여 북한 이탈 주민의 정착에 꼭 필요한 도움을 줄 수 있도록 해야 한다.

5. 환경을 보호하기 위해서는 환경 친화적 삶을 실천할 수 있어야 한다.

6. 고통은 몸과 마음이 느끼는 아픔과 괴로움의 상태이다. 고통을 올바르게 극복하면 인격적으로 성숙해질 수 있다.

7. 아리스토텔레스는 인간은 사회적 본성에 따라 가정을 이루고, 가정들이 모여 마을, 마을들이 모여 자연스럽게 국가가 형성된다고 보았다.

10. 북한은 집단주의적 체제를 기반으로 한다. 집단주의는 개인보다 사회와 집단을 더 우선하게 생각하는 것이다.

11. ② 선(善)은 도덕적 가치, ③ 미(美)는 미적 가치, ④ 성(聖)은 종교적 가치이다.

12. 도덕 원리 : 자연을 훼손하는 행동을(A) 해서는 안 된다.(B) → 사실 판단 : 꽃을 함부로 꺾는 것은(C) 자연을 훼손하는 행동이다.(A) → 도덕 판단 : 꽃을 함부로 꺾는 것은(C) 안 된다.(B)

13. 도덕적 신념은 도덕적으로 옳다고 여기는 생각에 대한 확고한 믿음과 그 믿음을 실현하려는 강한 의지이다. 도덕적인 판단을 내리고 도덕적인 행동을 실천하도록 이끌어 준다.

14. 행복한 삶의 조건은 지속적인 것을 추구하고, 참된 자아실현과 도덕적인 삶을 추구하는 것이다.

16. 모든 인간이 누려야 하는 권리는 인권의 보편성이다.

18. 이웃과의 관계에서는 관심과 배려, 양보가 필요하고, 이웃 간의 기본적인 예절을 지켜야 한다.

19. 소극적 국가는 인간의 자유와 권리를 보장하기 위해서 국가는 최소한의 개입만을 해야 한다고 보는 관점이다.

20. 협상은 다른 사람의 개입없이 갈등의 당사자끼리 직접 대화해 갈등을 해결하는 방법으로, 협상의 과정에서 서로 양보하고 타협해 의견이나 이해관계를 맞추어 원만한 합의를 이끌어 낸다.

22. 정서적 건강과 사회적 건강을 가꾸기 위해 자신의 정서를 바르게 이해함으로써 스스로를 존중할 수 있게 되고, 자신의 욕구와 감정을 조절하여 적절하게 표현할 수 있다.

24. 복지란 최소한의 인간다운 삶을 보장하는 것이다.

25. 폭력 상황에서 싫다는 의사를 명확하게 표현해야 하고, 의사를 표현했음에도 폭력이 해결되지 않거나 의사 표현을 할 수 없는 경우에는 주변 사람들에게 적극적으로 도움을 요청해야 한다. 또한 다른 사람이 폭력을 당하는 것을 목격한 경우에는 방관하지 말고 피해자를 직 · 간접적으로 도와주어야 한다.

예상문제집

인쇄일	2022년 7월 25일
발행일	2022년 8월 1일
펴낸이	(주)매경아이씨
펴낸곳	도서출판 **국자감**
지은이	편집부
주소	서울시 영등포구 문래2가 32번지
전화	1544-4696
등록번호	2008.03.25 제 300-2008-28호
ISBN	979-11-5518-119-5 13370

국자감 전문서적

기초다지기 / 기초굳히기

"기초다지기, 기초굳히기 한권으로 시작하는 검정고시 첫걸음"

· 기초부터 차근차근 시작할 수 있는 교재

· 기초가 없어 시작을 망설이는 수험생을 위한 교재

기본서

**"단기간에 합격! 효율적인 학습!
적중률 100%에 도전!"**

· 철저하고 꼼꼼한 교육과정 분석에서 나온 탄탄한 구성

· 한눈에 쏙쏙 들어오는 내용정리

· 최고의 강사진으로 구성된 동영상 강의

만점 전략서

"검정고시 합격은 기본! 고득점과 대학진학은 필수!"

· 검정고시 고득점을 위한 유형별 요약부터
문제풀이까지 한번에

· 기본 다지기부터 단원 확인까지 실력점검

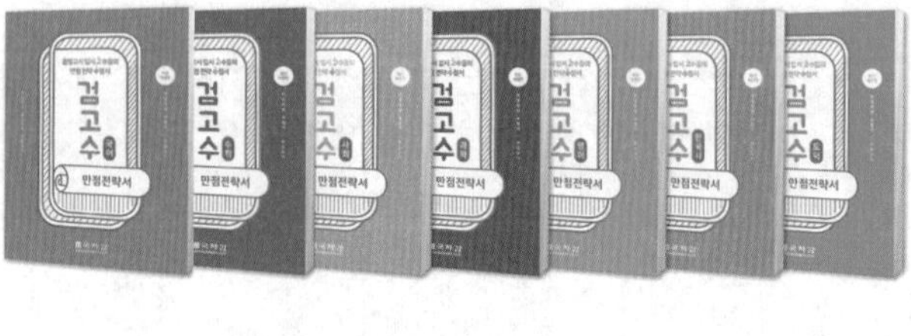

www.kukjagam.co.kr

핵심 총정리

"시험 전 총정리가 필요한 이 시점! 모든 내용이 한눈에"

· 단 한권에 담아낸 완벽학습 솔루션
· 출제경향을 반영한 핵심요약정리

합격길라잡이

"개념 4주 다이어트, 교재도 다이어트한다!"

· 요점만 정리되어 있는 교재로 단기간 시험범위 완전정복!
· 합격길라잡이 한권이면 합격은 기본!

기출문제집

"시험장에 있는 이 기분! 기출문제로 시험문제 유형 파악하기"

· 기출을 보면 답이 보인다
· 차원이 다른 상세한 기출문제풀이 해설

예상문제

"오랜기간 노하우로 만들어낸 신들린 입시고수들의 예상문제"

· 출제 경향과 빈도를 분석한 예상문제와 정확한 해설
· 시험에 나올 문제만 예상해서 풀이한다

한양 프로그램 한눈에 보기

· 검정고시반 중·고졸 검정고시 수업으로 한번에 합격!

기초개념	기본이론	핵심정리	핵심요약	파이널
개념 익히기	과목별 기본서로 기본 다지기	핵심 총정리로 출제 유형 분석 경향 파악	요약정리 중요내용 체크	실전 모의고사 예상문제 기출문제 완성

· 고득점관리반 검정고시 합격은 기본 고득점은 필수!

기초개념	기본이론	심화이론	핵심정리	핵심요약	파이널
전범위 개념익히기	과목별 기본서로 기본 다지기	만점 전략서로 만점대비	핵심 총정리로 출제 유형 분석 경향 파악	요약정리 중요내용 체크 오류범위 보완	실전 모의고사 예상문제 기출문제 완성

· 대학진학반 고졸과 대학입시를 한번에!

기초학습	기본학습	심화학습/검정고시 대비	핵심요약	문제풀이, 총정리
기초학습과정 습득 학생별 인강 부교재 설정	진단평가 및 개별학습 피드백 수업방향 및 난이도 조절 상담	모의평가 결과 진단 및 상담 4월 검정고시 대비 집중수업	자기주도 과정 및 부교재 재설정 4월 검정고시 성적에 따른 재시험 및 수시컨설팅 준비	전형별 입시진행 연계교재 완성도 평가

· 수능집중반 정시준비도 전략적으로 준비한다!

기초학습	기본학습	심화학습	핵심요약	문제풀이, 총정리
기초학습과정 습득 학생별 인강 부교재 설정	진단평가 및 개별학습 피드백 수업방향 및 난이도 조절 상담	모의고사 결과진단 및 상담 / EBS 연계 교재 설정 / 학생별 학습성취 사항 평가	자기주도 과정 및 부교재 재설정 학생별 개별지도 방향 점검	전형별 입시진행 연계교재 완성도 평가

D-DAY를 위한 신의 한수
검정고시생 대학진학 입시 전문
검정고시 합격은 기본!
대학진학은 필수!
입시 전문가의 컨설팅으로 성적을 뛰어넘는 결과를 만나보세요!
HANYANG ACADEMY
YouTube
HANYANG
ACADEMY